當和尚遇到鑽石

增訂版

THE DIAMOND CUTTER

麥可·羅區格西（Geshe Michael Roach）
克莉絲蒂·麥娜麗喇嘛（Lama Christie Mcnally）◎著
項慧齡、吳茵茵 ◎譯

〈推薦序〉

應無所住而生其心

心定和尚

麥可·羅區先生，我不認識他，但是看了他寫的《當和尚遇到鑽石》這本書以後，令我對他產生由衷的敬佩之意。他外現在家相，內修菩薩行，身在商業界，實修清淨行。特別是他具有高人一等的智慧，將《金剛經》融會貫通，運用萬法潛能，發揮在商場的經營上，這是菩薩最高的修行──以無所得為方便，也就是漢譯《金剛經》裡的「應無所住而生其心」。

羅區先生的道心堅定，雖然事業經營成功，但內心從來沒有忘記自己是一位修道者，他尊師重道，對師父的指示從不敢疏忽或違背，在穿著上保持著端莊的形象。他奉行六度波羅蜜，布施財物，主持「亞洲經典機構」、「亞洲經典輸入計畫」、進行色拉寺的重建。他持清淨戒，恪守師父的慈示。他行忍辱，在鑽石切割區的環境中，安然克服，而且樂在其中。他行大精進，初期、甚至長期，每天大約凌晨一點後睡眠，六點起身，前往工作，由此可見，事業的成功，不是光憑智慧就足夠的。他修行禪定，注重內在潛能的開發，靜坐禪觀時，可以完全忘記了時間，忘記千筆的交易，忘記「歌劇院」

……他不斷提升空性智慧——萬法潛能的發揮。

這是一本值得所有企業家、實業家、特別是金融界的人士所閱讀的一本好書，當然，更是所有佛教徒應讀的一本好書，對於強調人間佛教的信徒來說，也是非常值得參考的。我認為，所有信仰西藏佛教的佛教徒，以及對西藏佛教好奇的人士，最最需要看這一本書。

佛教有所謂的三藏法師，精通佛經、戒律、論典的法，但如通某部分，就稱經師、律師、論師、禪師等等，比較難得的是「譬喻師」，羅區先生可以說是一位譬喻師，在本書中，他運用的一些譬喻，可以做為講經說法的參考。佛陀說法之所以那麼讓人容易接受，就是運用譬喻，像《百喻經》、《法句譬喻經》、《法華經》之中的一品等等，總之很多就是。

傳說《金剛經》有兩系不同的解說。一、玄奘大師說：般若是能斷的智慧，金剛是所斷的煩惱。煩惱的微細分，到成佛才能斷盡，如金剛的難於破壞一樣，所以譯為「能斷金剛（的）般若」。二、鳩摩羅什大師以金剛比喻般若。般若能破壞一切戲論妄執，不為妄執所壞；它的堅、明、利，如金剛一樣。依本書的說明，羅區先生以及西藏佛教教區，可能都是以玄奘大師這家系統的解說為主。

空性以萬法潛能來解釋，則對於《金剛經》裡的經文，也很容易理解，一切法並無

好與壞之差別，只是凡夫妄執才產生分別好壞對待，因此所謂佛法即非佛法，或所言一切法者，即非一切法，以及無法可得，於法無所得等，都能以此論義模式加以理解。

第五章說明完美世界與理想的事業，就可以理解《金剛經》裡所說的，所謂莊嚴即非莊嚴。莊嚴是無自性的。

最令我感到高興的是，羅區先生解釋業力的無表業，或對第八意識（阿賴耶識）的譬喻與說明，和我平時用全方位、全自動化的錄影機的比喻說明一樣。對於未深入佛法者，這種說明應該很容易令人理解與接受。總之這本書，應該是很具說服力的。我會介紹更多的人，來看這本書。

佛光山寺住持　心定合十

〈導讀〉

切開迷蔽，發現清亮堅實的本質

劉婉俐

您是因何種動機而翻閱這本書的？是被封面的標題所吸引？對作者的身份感到好奇？還是試圖為某種煩悶、愁困找尋解答？……或者僅是順手掀開書頁？不管是顯意識或潛意識的動作，在那背後，一定有某種幽微的網絡在牽繫著、撥動著。這些在腦海中、冥冥中飄忽閃逝的意念，能否以某種隱約的概念浮現，進而清晰地顯影、落實，在於我們能否「清楚」洞見與掌握這些念頭。

兩年前，初次接到亞馬遜網路書店的書訊，介紹這本由藏傳佛教格魯派格西麥可‧羅區格西所著的《當和尚遇到鑽石》（*The Diamond Cutter: The Buddha on Strategies for Managing Your Business and Your Life*）時，對映入眼簾的作者身份與題目之間的「落差」，感到十分新鮮、有趣。印象中，從未見過由僧侶所寫的商業專書……尤其是作者羅區格西並未還俗，仍是以出家僧人的身份，躋身於紐約大都會中、經營著競爭激烈的鑽石行業。在好奇心的驅使下，加上長久以來思考「結合世法與佛法修行」的問題，便迫不及待地想了解這本書和作者的來龍去脈。

在一篇由亞馬遜書店記者布萊恩・布雅（Brian Bruya）所做的專訪中，羅區格西提及他出家學佛的因緣、以及從一名僧人成為傑出鑽石商人的經過。一九七四年，他在普林斯敦大學畢業前夕，母親突然過世，不久後父親與兄弟也相繼往生。親人的驟逝，讓他對生命的意義產生了莫大的疑情，在亟於探索生、死問題之下，他離開美國、放棄原本打算繼續深造的學業，到印度達賴喇嘛駐錫的達蘭莎拉，進入了著名的色拉寺，研讀佛學。

早先，羅區曾在紐澤西州一所蒙古寺院，跟隨汪賈格西（Geshe Wangyal）學習了八年的藏文、嫻熟藏語，因此能順利進入佛學院就讀。這位啟蒙老師汪賈格西，是最早赴美弘揚藏傳佛教的格魯派僧人，以慈愛、寬博接引了不少當今美國藏傳佛教界的著名學者，如哥倫比亞大學教授Robert Thurman、維吉尼亞大學教授Jeffery Hopkins等人，都是他早期的入門弟子。

之後，羅區於一九八三年在達蘭莎拉落髮為僧，經過多年的學習、並通過各級考試後，一九九五年獲頒相當於佛學博士的格西學位。他在印度待了二十一年之久（一九七四至一九九五），其間在上師的建議下，於一九八一年回到美國接受「經商」的另一種人生與修持考驗，並持續往返於印度與美國兩地。幾經波折、歷練，成為紐約首屈一指的鑽石商人。在事業成功的背後，有著長年研修佛法的精神力量，和隨之而培養出的嚴

謹、專注、誠信等特質做為支柱，這些人格特質，即是他在書中教導讀者用以自我訓練、成功致富的鎖鑰。

「切割鑽石」的喻旨

《當和尚遇到鑽石》這本書的特別之處，或者說，它值得推薦與閱讀的原因，在於羅區格西跨越了世俗概念的鴻溝，將積極、正面的起心動念付諸實踐，並指出了寬廣、可行、充滿建設性的商業經營方法。這個實踐的過程，也同時涵攝了雙重的層面：一是就羅區格西個人對上師的承諾、面對挑戰與理想的層面而言，他強和了世俗與出世生活的界域，將佛法融入商業生活中；另一方面，就書寫目的、內容鋪陳與章節架構來說，他也兼顧了理論與實踐的部分，藉由敘述以僧侶身份，從事饒富競爭、壓力的鑽石行業，到獲致成功的歷程，來道出經商之路上所蘊含的空性、業緣道理，將佛法的修持與商業經營融合在一起。「鑽石與僧人」，乍看之下，雖易讓人聯想到又是一則商場傳奇，但其實箇中深藏玄詣。

從原文書名看來，「切割鑽石的人」指的似乎是作者——羅區格西在俗世的職業。但事實上，在佛教、尤其是藏傳佛教（金剛乘）的傳統中，鑽石（金剛石）具有其豐富、深奧的象徵意義——堅定穩固、無堅不摧卻又清透明淨的特質，代表了眾生本具的

佛性，也就是究竟空性的本質。因此，「切割鑽石的人」，在內在的意義上，也就意味著洞澈本性、直見本心之人。這般的開悟者，在世間能無入而不自得，一如鑽石般清明、穩定，不被任何環境所撓阻。

值得深思的是，這些「清楚、明晰、堅定」的現象，卻是建立在「空性」的基礎上，也就是「不執著」的態度上。這和書中前半部仔細描述的鑽石行業特質，縝密、信實的職場運作法則，豈非自相矛盾？然而，最為奇特、奧妙的地方，也就正是在此顯／空不二的互倚互成！在日常生活中，處處透顯出佛法的奧妙與深意；而商業經驗的佐證，也可確知空性不可捉摸的「存在」。

在此書中，羅區格西便巧妙地融合了這「實際」的商場現實法則，與「變動不居」的起心動念，將之適時、適切地納入佛法的空性、因緣法則教授中。他也一再地表明，只要掌握以簡御繁、以空置實的道理，誠信地待人接物，在激烈競爭的商場上，便能悠遊、踏實而無往不利。

更進一步，有了對空性的認知和禪定修持的幫助，讓原本受到僵化概念桎梏的創意與行動力，能夠暢流、揮灑開來，更能增進效率、達到預設的目標。由於空性的廣大、無礙，讓蘊藏的心理銘印有了孵化的空間，而成形、展現，這便是此書後半部主述的焦點，亦是主導「鑽石能否被成功、完美切割」的關鍵。

空與顯、虛與實、出世與入世相輔相成，並行不悖；而羅區格西的經商範例與佛法修持也得以互相參照，提供了世人一個自我解套的蹊徑——在物質世界中，同樣擁有靈性修持的可能性；而在追求精神成長的同時，也可以善用眼前的物質媒介，使其成為助緣。

為此，羅區格西援引了一個兼具世俗與宗教寓意的象徵——鑽石，來闡明內在的觀點和潛能，其實比外在的現象有著更高深莫測的影響力，端看如何發現那足以切割鑽石的（空性）力道，借力使力而已。從前半部詳實的鑽石行業描繪，到後半部的空性禪修指引，從日常生活到習性的轉化，羅區格西仔細鋪陳了一條引介讀者自我修煉、超越外在衝突與挑戰的道路，妥善地融合了佛法與商業的經營，將積極、良好的心念，轉化為促使事業成功的主要動能。

僧人與商人、出世與入世

從僧人的身份，跨足詭譎多變的商場，這一路走來，羅區格西也歷經自我調適、學習與磨練的各種階段。他坦言一開始，在面對上師提出經商的建議時，也曾多所抗拒。因為在經濟上，他承襲自父母留下的遺產，並不虞匱乏。但是，經商並非是為了賺錢或謀生而已，「上師要我經歷一般人在日常生活所遭遇的困難，這樣才能了解他們，進而

運用佛法來幫助人們。」最後，在一次上師給予的特殊教授中，他終於了解到經商的積極意義，決心進入商界。

「我曾經在一九七五年的某次禪坐中，觀知自己未來會從事鑽石行業，因此就試著找鑽石買賣的工作。」這是他投身鑽石行業的緣起。但因不懂行規，他屢吃閉門羹，始終不得其門而入，直到遇見一位創業的老闆，才蒙錄用。「我無心賺錢，只想找到一個棲身之所就行了。」無心插柳的結果，累積了多年豐富的從商經驗後，羅區格西在此書中綜理出他「商場佛學」的心得結晶。

他認為經營商業之道有三：一是賺錢，二是樂在其中，三是以此創造有意義的人生。而樂在其中指的是身心的和諧與快樂，也就是此書援引《金剛經》「緣起性空」的道理，來說明、舉證、指引如何在瞬息萬變的商場中，覓得喜悅、和樂的祕訣所在。許多人為了賺取金錢，付出了莫大的代價，失去了身心的健康和快樂，這樣的人生又有何意義？

因此，羅區格西表示，真正的成功，來自於對心靈的關注，也就是對身心調和的重視，他以自己為例，指出妥善運用時間、開發心靈的力量，益能事半功倍。近年來，他更設立了一個名叫「證悟商業機構」（Enlightened Business Institute）的組織，專門教導商界人士如何透過禪修，來增長創意與智慧、加強「銘印」（imprint）的良善力量，

《當和尚遇到鑽石》亦是這個機構的參考用書之一。

在書中，羅區格西先引藏文《金剛經》的經文精華，闡明空性的「中性」特質，指出我們所有的概念與行動，皆受到「業力」──即心理銘印的深刻影響；並以鑽石行業為例，說明銘印、相互關係（因果）的作用，這些作用是決定商業成功與否的背後主因。在第七章中，則詳細羅列出讀者可能面臨的各種職場難題與改善的方法。接著，更以身體力行的「六時書」──自我檢覈、追蹤的方式，來導正心念、維護內在的清明與安定。從理論到實踐，從概念的釐清到可行的建議細則，《當和尚遇到鑽石》提供了一個具體、有效、且融會「快樂、積極、有意義」的賺錢之道。

羅區格西融合經商與修持的成功事例，對許多認為兩者互相矛盾的人來說，不啻是一種鼓舞和解脫。認為世法與佛法不能相容的觀點，也可能僅是某種偏執的概念而已。

此外，雖明知「佛法不離世法，離世覓佛法，猶如覓兔角。」但要如何真正在生活中實踐佛法，以日常生活為道，甚至將認定為本是互相扞格的事物，融洽地治於一爐，往往不是「知」難，存在著認知上的盲點或偏見；就是「行」難，理論上雖了解，但實際上卻做不到。尤其是在面臨壓力、挫折和矛盾時，要如何切實地運用佛法，來自助助人？在艱難的挑戰和抉擇當前時，又要如何保持清晰的思緒、平和的心情，做出最好的判斷並勇於承擔？

在《當和尚遇到鑽石》中，從「空性」的見地出發，到「禪修」方法與「六時書」的自我心念檢覈等實踐的修法，格西羅區提出了一套完整的見、修次第，將佛法的修持與商業體系的成功法則熔於一爐，對於許多盼望能在日常生活中修行、尋訪積極營生之道、或探求心靈深度與靜謐的人來說，都是一個寶貴而重要的參考。希望有緣閱讀此書的您，能從中獲得許多啟發和幫助，開創有意義、美好的人生！

（本文作者為華梵大學外文系助理教授，研究藏傳佛教，

並從事相關譯述，本書即為其所推薦。）

〈增訂版序〉

助人成功者，自己更成功

距離當初撰寫《當和尚遇到鑽石》，已有十年之久，本書即將發行第十週年紀念版，我們藉此機會回顧一番，看看之前的努力帶來什麼樣的影響。

撰寫任何書籍，目的都是以某種方式影響他人、幫助世界。當時我們把《當和尚遇到鑽石》的原版稿件交送給雙日出版社令人敬愛的編輯崔斯‧墨菲之後，再過數日就會展開為期三年三月三日的西藏傳統閉關。如果閉關日期延後一、兩週，《時代雜誌》願意採訪報導本書，但是我們日期已定，打算依照原訂計畫進行。

因此閉關這三個年頭，我們不曉得世界發生了什麼事──九一一事件發生的幾年過後，我們才有所耳聞，甚至連《當和尚遇到鑽石》有沒有抵達出版這一關，我們都不知道。出關之後，我們得知本書確實不負所望改變了世界。如果《金剛經》的心識種子理論真實不虛，那麼可以說三年的禪修、三年來讓心更為慈悲清明的努力，確實「創造」了本書的成功。

麥可‧羅區格西與克莉絲蒂‧麥娜麗喇嘛

二〇〇八年七月閉關於摩洛哥柏宙（Bzou）

〈前言〉

佛陀與生意

從一九八一到一九九八的十七年間，我很榮幸能有機會與安鼎國際鑽石公司（Andin International Diamond Corporation）的擁有者，歐佛和爾雅・何茲瑞藍夫婦（Ofer and Aya Azrielant）共事，並與公司的核心幹部，一起創立全世界規模最大的鑽石珠寶公司。

公司剛開始營運時，只有五萬美元的貸款和包括我在內的三、四名員工。到了我離開公司，全心投入我設在紐約的訓練機構時，我們的年營業額已經超過一億美元，分布在世界各地的員工更已經超過五百人。

最佳的實驗室

在我投身鑽石事業的這段期間，一直過著兩種不同的生活。在進入這行業的七年前，我以優等成績自普林斯敦大學畢業。就讀大學期間曾前往美國白宮，接受由總統親自頒發的總統學術大獎章，還曾接受由普林斯敦大學威爾森國際事務學院所頒發的麥肯

奈爾學術獎。

這所學院給我的一筆獎學金，讓我有機會前往亞洲，在達賴喇嘛的座前向西藏喇嘛學習。就這樣，我開始接受西藏古老智慧的教育。到了一九九五年，我成為第一位獲得「佛學博士」，也就是「格西」❶這個古老學位的第一個美國人。

這個學位得之不易，必須花上二十年的時間接受嚴格的訓練與考驗。從普林斯敦大學畢業之後，不管身在美國或是亞洲，我就一直都住在寺院裡，並且在一九八三年受戒成為比丘。

當我的比丘訓練有了扎實的基礎之後，我的上師堪仁波切（Khen Rinpoche，仁波切意為珍貴的住持師父），便鼓勵我進入商業界。他說，雖然寺院是學習佛教智慧的理想場所，但忙碌的美國辦公室卻是在真正生活中，試驗這些智慧的最佳「實驗室」。

有段時間我無法接受這樣的想法，對於要離開小寺院的寧靜生活頗為猶豫，對於一般美國商人貪婪、無情的形象更是耿耿於懷。然而有一天，師父對一群大學生做了一場特別有啟發性的開示，我聽完之後，便告訴他我願意依照他的指示找份商業界的工作。

在那之前幾年，我曾經在某次日常打坐中，有過某種靈視（vision）。從那時候起，我就知道我會選擇何種行業，那行業必然和鑽石有關。那時我對寶石沒有什麼概念，珠寶對我來說真的也沒有吸引力，家裡更是沒人從事過這行業。所以我必須開始一家家拜

訪鑽石飾店，問他們願不願意收我當見習生。

以這種方式試著加入鑽石業，有點像是報名加入黑手黨。天然金剛石這個行業是個非常祕密而且封閉的圈子，傳統上都僅限於家族成員參與。在那些日子裡，比利時人控制著一克拉以上的大型鑽石市場，小型鑽石是以色列人的天下，而美國國內的批發市場，則是紐約四十七街鑽石區猶太教哈西德派教徒（Hassidic）的地盤。

之所以有這種傳統是因為，就算是最大間鑽石飾店的所有鑽石加起來，也只消用幾個裝皮鞋的包裝盒子就能全部裝完：上百萬元的鑽石要真被偷了，也根本沒辦法查得出來。你只要用手抓上一、兩把放口袋裡，連所謂的金屬探測器也無法查出來。所以大部分的公司都只敢雇用親戚，更別談雇用一個只想玩玩鑽石的古怪愛爾蘭男孩。

跨進鑽石業門檻

我還記得我拜訪了差不多十五家的店鋪，應徵最基層的職位，結果沒有一家成功。

附近的小鎮裡有一個老鐘錶匠，建議我先去紐約的一家美國寶石學院（Gemological Institute of America），修幾門寶石鑑定的課程。有一紙文憑會比較容易找工作：而且說不定上課時，還能遇上貴人。

我就是在寶石學院裡遇見歐佛・何茲瑞藍先生。他也在那裡上課，學習如何鑑定一

些所謂「投資級」或「證書級」的超高品質寶石。要能分辨出哪些是價值極為昂貴的真正證書級鑽石，哪些是假鑽或是加工品，就要能看得出針尖般大小的細微缺口或瑕疵。更麻煩的是，許多微塵常會附著在這些鑽石的表面甚至是顯微鏡本身，從而造成辨識上的困擾。所以實際上我和他可以說都在那裡學習如何平心靜氣。

歐佛所提出的問題，和他檢驗、挑戰每個既有觀念的方式，立時教我折服。我決定請他幫我找份工作或著乾脆要他雇用我，於是我刻意去認識他。幾個禮拜後，當我在寶石學院的紐約實驗室考完期末考後，我找了個藉口去他的辦公室找他，跟他要份工作。

幸運的是，那時他正巧有家分公司在美國開幕（本店在他的家鄉以色列）。我於是試著說服他讓我進他的分公司，並且拜託他教導我鑽石這門生意。我說，「只要給我一個機會，我願意遵照你任何的吩咐。我會把辦公室弄整齊，把窗戶洗乾淨。你怎麼說，我就怎麼做。」

他說，「問題是我沒有錢雇用你！這樣吧，我跟這辦公室的屋主談談。他名字叫艾力克斯·羅森豪爾，看看他可不可以和我分攤雇用你的薪水。如果可以，你就幫我們兩個做些雜務吧。」

我，一個普林斯敦大學的畢業生，就這樣從一個一小時七塊錢的小弟幹起。每天背著一個普通的袋子，裡面裝滿了待鑄造或鑲戒的金銀珠寶，徒步從紐約熱得冒煙的夏

日，走到時有暴風雪的寒冬。

歐佛的太太爾雅、一個安靜卻極為聰明的葉門珠寶匠艾力克斯·蓋爾還有我，會一起圍在租來的唯一一張辦公桌前，做鑽石分級歸類的工作、描繪新飾件，以及四處打電話找顧客。

我的薪水拿不到幾次而且還不時被拖欠。歐佛常得打電話給他的倫敦朋友，拜託他們多借點錢給他。儘管如此，我還是很快就攢夠了一筆錢，買到了我的第一套西裝。之後有好幾個月我每天都穿著這套西裝上班。

我們常常工作到深夜，下班後我還得走一大段路，回到位於郝威爾亞洲佛教社區（Asian Buddhist community of Howell）寺院裡的一個小房間睡覺。過不了幾個小時，我又得起床搭乘巴士前往曼哈頓上班。

在我們的生意小有進展之後，我們將公司搬到了上城，那裡比較接近鑽石區。我們很大膽的雇用了一位寶石工匠，在我們所謂的「工廠」一個大房間內，鑲製出我們的第一批鑽戒。

過了不久，我獲得了足夠的信任，讓我如願以償能夠坐在一袋散鑽前做分級歸類。歐佛和爾雅還問我願不願意負責新成立的鑽石採購部門（那時這個部門除了我之外，還有另外一個員工）。這個機會讓我非常興奮，馬上就投入了這份工作。

內聖外俗的生活

對於我的俗世工作，我的上師曾告誡過我，叫我不要張揚我的佛弟子身份。我得蓄著和常人一般長的頭髮（而非光頭），衣服也得穿得和別人一樣。而且不論應用何種佛教義理，都得悄悄地做，不可浮誇和虛張聲勢。內在雖然是個佛教聖者，外表卻必須和一般美國商人沒有兩樣。

就這樣，我沒有告訴任何人，便開始應用佛教的義理來經營我的部門。在這之前我已經和何茲瑞藍夫婦就責任問題達成共識。我負責管理這個部門的所有事務，以寶石來賺取穩定的利潤。相對地，就員工的聘用或解雇、薪資與升遷，以及工時與職責等問題，我也有絕對的決定權。我的責任是準時交貨並為公司賺取可觀利潤。

這本書就是我如何擷取古老佛教義理，將安鼎國際公司的鑽石部門，從一無所有建立成一個年盈餘數百萬美元的跨國公司的故事。這家分公司不全然是我隻手建造的，它的政策也不完全只遵照我一個人的意思。但是我可以說，在我任職副總裁期間所做的大部分決定和政策，都是依據你即將在本書看到的佛教原則而來的。

那麼，到底我所說的是哪些原則？我們可以把它們分成三項來談。

第一個原則是，要做生意就要成功，就得賺錢。 在美國及其他西方國家裡普遍存在

著一個觀念，認為一個追求精神生活的人總好像不應該賺錢、事業順利。

其實在佛教教義裡，錢本身並沒有罪過。何況擁有較多資源的人要比沒有的人更能多行善事。問題是，我們是用什麼方式賺錢，我們了不了解錢從何而來、如何能叫它源源不斷，以及我們是否以健康的態度去面對它。

整件事的癥結在於，要用乾淨誠實的方法賺錢；要清楚了解錢的源頭才能取之不盡；以及要用健康的態度來看待擁有金錢的這項事實。只要能做到這三要求，賺錢和修行這兩件事情絕對不衝突。事實上，它也可能變成修行的一部分。

第二個原則是，**我們應該能夠享用金錢**。換句話說，我們應該學會如何能一邊賺錢，一邊還能保持身心的健康。創造財富的過程不應該讓我們身心俱疲，以致無法享用財富。一個為了做生意弄壞了身體的商人，根本失去了經商原有的目的。

第三個原則是，**一個人應該能在最後回顧自己的事業時，告訴自己這些年來的經營是有意義的**。每個事業就好像每個人生，一定都會有個盡頭。

在我們事業裡最重要的時刻，也就是當我們最後回顧既有的成就時，我們應當能經營事業與經營自己的方法中，看到一些永恆的意義，為我們的世界留下一些好榜樣。

總之，無論是商業活動、古老的西藏智慧、甚至是人類所有的努力，都是為了富裕自己的生命，達到自我內在與外在的豐盈。要能享受這份豐盈，就要能經常保持高度的

身心健康才行。

除此之外，我們更必須要時時刻刻設法擴大這份豐盈的意義。這就是安鼎國際公司鑽石部門的成功所給予我們的啟示。任何人，不論背景、信仰，都能學會並應用它所啟發的道理。

譯注

❶ Geshe，在西藏傳統中，格西相當於佛學博士。

致富之道

【智慧的來處】

在印度的古老語言裡，
這部經典稱為《尊貴能斷的
金剛大乘般若波羅蜜多經》。
西藏語稱它為《帕洛度 欽巴
多傑 初巴 謝嘉瓦 帖巴 千波 讀》。
英語則稱它為《能斷金剛者》。

在印度的古老語言裏，這部經典稱為《尊貴能斷的金剛大乘般若波羅蜜多經》。**❶**

西藏語稱它為《帕洛度欽巴 多傑 初巴 謝嘉瓦 帖巴 千波 讀》。英語則稱它為《能斷金剛者》（*The Diamond Cutter, a High Ancient Book from the Way of Compassion, a Book which Teaches Perfect Wisdom*）。這是一本遠古的典籍，源自於慈悲之道的教法，是一本教導圓滿智慧的經典。**❷**

到底這本書和其他商業書籍有何不同？它的獨特之處在於它所探討的內容，是源自於一本充滿佛教智慧的古老經典《金剛經》。而上述的引文即是本書的伊始。

《金剛經》所蘊含的古老智慧，讓安鼎國際鑽石公司成為年營業額超過一億美元的大企業。為了方便閱讀，我們有必要讓讀者先略為熟悉這本重要經典，了解它在整個東方歷史中所扮演的角色。

金剛經的歷史

《金剛經》現存版本並非以手抄寫，它是印刷史上可考的最古老典籍。大英博物館所藏的版本，據考證為西元前八六八年所印，大約是在「古騰堡版聖經」（Gutenberg

Bible）出版前六百年左右。

《金剛經》記載兩千五百年前佛陀所作的開示。原先是透過口耳相傳，在書寫系統發明後，便記載於貝多羅（long palm leaves）葉上。他們先用針在這些耐久的葉片上刮寫出書的內容，再將炭粉用力塗抹在刮痕上。在南亞某些地區，我們仍然能發現用這種方式所寫出的書籍，上面的文字還算清晰可辨。

要把這些零散的葉片編整起來有兩種方法。有些先用椎子在整堆的葉子中間鑽孔，再用細繩穿孔固定；有些則只用布來包裹。

《金剛經》本來是釋迦牟尼佛以梵文所作的開示，這個古老的印度語言有四千年的歷史。該佛典約在一千年前傳到西藏，並譯成了藏文。在之後的數個世紀裡，西藏人將其刻寫於（印刷用）的木版，再將油墨塗於版上，覆上手製紙張以滾筒壓出字型。印好的長條紙張最後以亮鮮的橘黃色或褐紅色布裹保存，這種方式讓人想起貝葉經典的時代。

《金剛經》也傳到亞洲其他大國，包括中國、日本、韓國、蒙古等。在過去的兩千五百年裡，《金剛經》以這些國家的語言重複印刷過無數次，而它的智慧也透過師徒代代相傳。

在蒙古，家家戶戶都會小心供奉一部《金剛經》，其重要性由此可見一斑。而每年

中總有一、兩次，他們會恭請當地和尚來到家中，為全家讀誦《金剛經》，期待能從中獲得智慧的加持。

《金剛經》中的智慧並非唾手可得。一如許多佛教經文，《金剛經》的原文奧祕難解，必須由法師依據流傳百世的論釋來解讀。在西藏，對本經所作的論釋尚存三部。論著時間約在西元一千六百年到一千一百年前之間。

然而更重要的是，我們最近發現了另一部論釋。這部論釋不但著述時間更近，內容也更容易理解。

在過去的十二年裡，包括我在內的一群同事，投入一項名為「亞洲經典輸入計畫」（Asian Classics Input Project），致力於保存記載有西藏智慧的古老典籍。

在過去的千年裡，這些典籍由於喜馬拉雅山的屏障，得以免受戰火的洗禮與入侵者的掠奪，而保存於西藏的寺廟與圖書館內。然而隨著飛機的發明，西藏終於還是在一九五〇年遭中共入侵。

緊跟著入侵與佔領的腳步，保有這些偉大經典的五千多所圖書館與寺院亦遭摧毀。僅有極少數經典，經由逃難者徒步跋涉危險的喜馬拉雅山埃弗勒斯峰山區而得以倖存。想要了解這次災難的嚴重性，只消想像如果有某個強權國家攻擊美國，放火燒毀所有大專院校和他們圖書館裡幾乎所有書籍的景況，就能知道。倖存的書籍僅能靠少數的逃難

者步行千里徒手帶出。

邱尼來的喇嘛

「亞洲經典輸入計畫」在印度某個流亡藏民聚居處裡，訓練了一批西藏難民，不但教他們將這些瀕臨失傳的典籍輸入電腦，還將它們製成 CD-ROM 或上傳網路，免費提供給全球數千名學者使用。目前我們已經用此方法，儲存了十五萬頁的木版原稿。也尋遍了西藏各地，找出未曾流傳外地的典籍。

在蘇俄聖彼得堡，我們幸運地在一堆滿佈灰塵的手稿中，找到一部《通往自在之道上的陽光》的論釋。這部論釋是由早期的探險家從西藏帶回蘇俄，名為《通往自在之道上的陽光》（*Sunlight on the Path to Freedom*）。它的作者是一位偉大的西藏喇嘛邱尼喜得拉普（Choney Drakpa Shedrup），生年約在一六七五到一七四八年之間。

巧合的是，這位喇嘛常住的寺院正是我畢業的地方：色拉寺。幾個世紀以來，人們為這位喇嘛取了一個外號，叫做「邱尼喇嘛」或是「邱尼來的喇嘛」，因為「邱尼」原本是西藏東部的一個地方。

在接下來的章節裡，我會不時引用《金剛經》及《通往自在之道上的陽光》。在本書中，這部重要論釋首次被譯成英文。除了這兩部經典的引文，我還會引述透過口耳相

傳的一些注釋。

這些注釋有兩千五百年的歷史，我的上師就是以此種方式傳法給我。最後，我還會加入我在國際鑽石事業的神祕世界裡，個人在生活上所遭遇的事跡，來說明如何能藉由這部古老典籍的智慧，成就自己的事業與生活。

譯注

❶ 依梵文 Arya Vajra Chedaka Nama Prajnya Paramita Mahayana Sutra，直譯應為《名為尊貴能斷的金剛大乘般若波羅蜜多經》。依中文習慣語法，求譯文通順故，於本文中暫將「名為」二字省略，以避免與前文同義語「稱為」重複。

❷ 即漢譯之《金剛經》，後文一律稱此名。

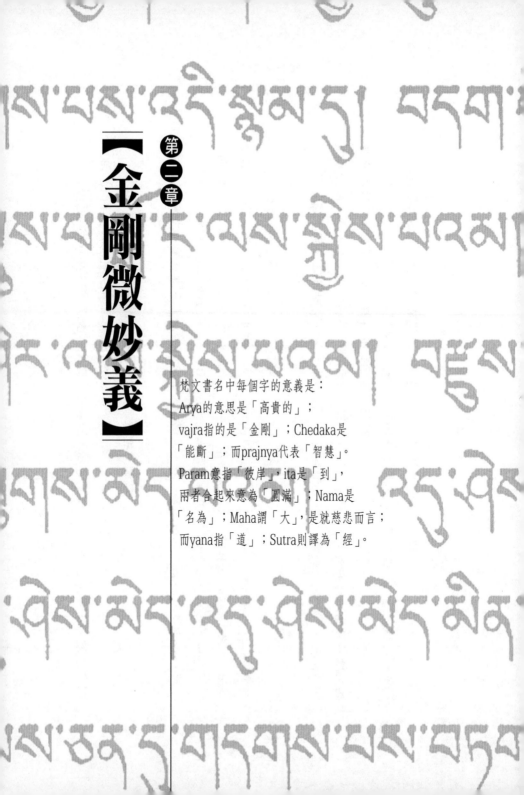

第二章

【金剛微妙義】

梵文書名中每個字的意義是：

Arya的意思是「高貴的」；

vajra指的是「金剛」；Chedaka是

「能斷」；而prajnya代表「智慧」。

Param意指「彼岸」，ita是「到」，

兩者合起來意為「圓滿」；Nama是

「名為」；Maha謂「大」，是就慈悲而言；

而yana指「道」；Sutra則譯為「經」。

《金剛經》這部經的經名本身就含有高度的奧妙智慧。在說明如何運用這份智慧獲致成功之前，我們不妨先討論經名的含意。

讓我們先看看邱尼喇嘛自己對於這個長標題的解釋：

文章的開頭是這麼寫的：「在印度的古老語言裡，這部經典稱為『尊貴能斷的……』」。

梵文書名中每個字的意義如下：Arya 的意思是「高貴的」；vajra 指的是「金剛」；Chedaka 是「能斷」；而 prajnya 代表「智慧」。Param 意指「彼岸」，ita 是「到」，兩者合起來意為「圓滿」；Nama 是「名為」；Maha 謂「大」，是就慈悲而言；而 yana 指「道」；Sutra 則譯為「經」。

就解釋如何獲得事業與生活的成功而言，這裡最重要的字就是「金剛」，也就是鑽石。在藏文裡，金剛代表萬物的潛能，通常以「空」來表示。**一個生意人若能清楚覺知到這種潛能，就能了解事業或生命的成功關鍵。**

在以下的章節裡，我們會進一步討論這種潛能的細節，但是目前我們只需先了解這萬物的潛能與金剛的相似性即可，這相似性表現在三個重要方面。

萬物潛能似金剛

首先，純鑽大概是最接近完全透明的物質。我們就拿玻璃，那種通往陽台的落地窗上的一大片玻璃來做比喻。從正面看，它完全透明。透明得幾乎看不見，以致來拜訪的鄰居因為不知情，而撞破玻璃的情況時有所聞。然而從玻璃的上方往下看，你會發覺大部分的玻璃都有著深綠色。這顏色其實就是玻璃成分裡細微鐵屑層積的結果，在厚玻璃上尤其明顯。

純淨的鑽石就不一樣了。在我們這行裡，鑽石的價值首先是看它的顏色程度：顏色越重，價值越低，完全沒有顏色的鑽石最稀有也最珍貴。這種珍品鑽石我們目前用D來代表其評等，這大概是以往錯誤的一個反效果。

在現代的鑽石分級系統發明之前，已經有許多其他系統盛行著。字母A被廣泛用以代表非常精純、無色的鑽石，次等的則以B標等，其餘的就以字母順序類推。對消費者當然也會造成困擾。同樣一顆B級鑽石，甲公司鑑定為幾近無色，乙公司卻可能認定為中等帶黃。所以新系統的設計者決定用相反的字母順序來做評等，也就是用D來代表極品、幾無顏色的鑽石。

不幸的是，以前不同公司對於A級或B級有著不同的認定標準。

如果有像落地窗玻璃一般大的D級鑽石，看起來會像是完全透明一樣。就算是從上往下看，依然一般透明。這就是完全純淨事物的本質。如果在你和另外一個人之間有一道數尺寬的鑽石牆，而且牆面不會反射光線的話，你根本無法看到有面牆存在著。

在《金剛經》這部經裡所能發現的成功潛能就像是這面鑽石牆。它一直都在我們左右，圍繞在我們身旁的所有人、物都有這份潛能。

如果駕馭得當，它便是讓我們獲致個人與事業成功的源頭。諷刺的是，雖然它充斥於我們周遭的人事物中，它卻像是隱形的，我們就是看不見。《金剛經》這部經的目的，就是教我們看見這份潛能的方法。

宇宙最堅硬的物質

鑽石重要的第二個原因是，它是全宇宙最堅硬的物質。除了鑽石本身，沒有任何其他物質能夠琢磨鑽石。如果按照一種名為「努普」（Knoop）的量表來測量硬度，鑽石要比硬度僅次於自己的紅寶石硬上三倍。而且就算要拿鑽石來琢磨另一顆鑽石，也要那顆被磨的鑽石有一面是所謂的「軟面」。

其實這就是琢磨鑽石的方法。雖然鑽石很難琢磨，卻可以像用斧頭劈木頭般沿著切面劈開。為了能琢磨鑽石，我們得先蒐集其他鑽石切割後所留下的碎鑽，或者找顆純度

不足、不值得加工琢磨的生鑽，加以劈開、磨碎為細粉。

這些粉末必須先用篩子或鐵製濾網重複過濾，一直到只剩下非常細微的粉末為止，再裝入小玻璃瓶裡。我們得接著準備好一個厚重的鋼製平盤，在上面交叉刻出一條條細痕，再在圓盤上塗上一層好油。這油一般以橄欖油為主要成分，不過每個人通常有他自己不同的祕方成分。

鋼盤中會焊著一根輪軸，輪軸的另一頭接著一部馬達，馬達則固定在一個用堅實鐵架支撐的厚重桌面上。這是為了避免鋼盤在開始旋轉後震動，因為旋轉的速度快達每分鐘數百轉。油面上跟著會灑上一層鑽石粉末，形成一層灰色的糊狀物。

生鑽看起來不會比一般的石頭亮上多少，有點像是灰綠色的洗碗水裡夾雜著些許透明冰塊。萬一運氣不好，整塊生鑽可能內外都是這種顏色。果真如此，這表示你鑽磨了半天，才發覺花了一大筆錢，購買了一顆毫無價值的生石。

生石會被固定在一個稱為「DOP」的小杯子裡，杯子上裝著像是留聲機唱臂般的提把。將生石固定在 DOP 裡面的是一種特別的膠糊，這種膠糊即使在鑽石切割加熱時也不會軟化。

當我跟著一位名字叫山姆‧旭姆洛夫的鑽石琢磨師傅見習時，他用的是一種石綿加水作成的膠糊固定生石。生石一變熱，石綿就會乾燥縮水，把生石緊緊地鎖在 DOP

裡。原本我們會細嚼石綿來製作膠糊，後來才知道即使只是一小口石綿也會致癌。我記得有一位琢磨師傅就是因為這樣子，在喉嚨附近長了一大塊腫瘤。

馬達一啟動鋼盤開始旋轉後，就得耗上好幾個鐘頭。定準了位之後，鑽磨機會被放在一張像兒童椅一樣的高椅上，鋼盤就懸在底下。師傅接著就會拿著裝有生鑽杯子的提把，輕輕地碰觸高速旋轉的鋼盤。

鑽石遠比鋼盤硬多了，所以如果鑽磨機太用力壓著有凸角的生鑽，結果將會使鋼盤本身遭受磨損。你必須要輕輕地拿生石划過鋼輪，然後將提把往自己眼睛的方向提起。另外一隻手裡則拿著稱為「強力擴大鏡」的放大鏡。

有經驗的琢磨師傅會利用生石磨過鋼輪划向自己的時候，順勢檢視「切割」（其實是琢磨）的進度，生石即刻再往鋼輪划去，形成一個平順的週期，這樣子每分鐘可以有幾次來回。

看起來就好像啦啦隊長揮舞著指揮棒一樣。

鑽石爆炸化為塵沙

當你提起生石檢視時，還得順道拿著它往你肩上掛著的毛巾擦淨。這能去除掉黏著

在它表面的油漬和鑽石粉末。過了一、兩分鐘的處理後，鋼輪會在生石上磨出一個小小的平面，這就是你檢視生鑽內部的「窗戶」。

透過這個窗戶，你可以用強力擴大鏡檢視內部是否有任何斑點或裂縫。這是因為你得設法在鑽石琢磨成形的過程中將這些瑕疵定位，以便於將它們磨除，或至少能盡可能無害的將它們放置於鑽石的邊緣。

舉個例子說，鑽石頂尖的一個黑點，透過底層鑽面的反射，會讓整顆鑽看起來像是有一堆的黑點，即使實際上就只有單單一點。這會使得琢磨好的鑽石幾乎沒什麼價值。

透過窗戶檢視鑽石內部，想像成品到底會有何模樣的這個過程，與充分利用大理石的天然色澤和紋路，構思雕像的過程頗為相似。

決定一顆大型生鑽琢磨方式的過程，有時候會包括在生石上磨出幾門窗戶、花上數週甚至數月的時間研究生石，以及繪出數個幾何模型，期能從生石中琢磨出最大尺寸的成鑽。

你在鑽石內部偶爾看到的小黑點，通常是其他正在形成中的微小鑽石結晶，被困在較大結晶內的結果。鑽石原本只是普通的碳，經過火山通管的極高溫融化，又因埋藏於地球深處承受極為巨大的壓力，導致生碳產生原子變化而形成。

這些微小鑽石實際上可能在各種不同的環境下形成。舉例來說，它們可能因為帶碳隕石撞擊地球，在地球表面撞出一個巨大的火山口，而微鑽就在這撞擊點的正中心產生。

這個可愛的「鑽中鑽」可能以前述的小黑點出現；如果位置恰巧位於軸線上，也可能在鑽石內部形成一個隱形的小凹洞。無論是以哪種方式出現，它們對於鑽石匠而言都是個大麻煩。它們會在鑽石內部形成有壓力的小區域。當鑽石匠按設計切割鑽面，拿生鑽依著鋼輪琢磨時，生鑽幾乎就會像抗爭一般不肯合作。

儘管抹著一層油，生鑽依著鋼輪琢磨時還是發出尖叫聲，像是復仇女神般嘶吼著。

紐約四十七街鑽石區上的鑽石切割店鋪，通常座落於大廈的高樓層，灰暗、燈光黯淡的房間裡。那裡成天有價值數十億的鑽石進出於鑽石製造商與美國之間。

且想像一排排的鑽石匠，每個人屈身對著鋼輪琢磨生鑽。一顆顆生鑽像是差勁的煞車尖叫著。在這個吵雜的暴風圈中心，鑽石匠們神色寧靜地坐著，全心融入工作，早已習慣這一切的混亂。

生石與鋼輪間的摩擦造成溫度急遽上升，使生鑽燒成一片通紅，像是火炭一般。當熱度傳到內部，帶著壓力的凹洞就會使整顆鑽石爆炸。鑽石碎片隨即會以極高速度飛向四面八方。如果這是顆大鑽石，你就只能眼睜睜的看著幾十萬美元化成一堆塵沙。

終極自性無物不具

為什麼鑽石是最堅硬的物質這麼重要？最高、最短、最長、最大……「最」這個字到底是什麼意思？我們心裡面一直抗拒著這個觀念，因為事實上沒有東西「最」高，高得你一寸不能再加；也沒有東西「最」短，短得你一絲無法再減。

我們前面所談的潛能卻是絕對的，這種絕對性是一般實體物質所難以達成的。它是任何物質的最高本質，也是所有人、物的終極真實。鑽石的硬度是宇宙所有物質中最能接近絕對性的性質：它的硬度絕無僅有。所以鑽石的意義在於它對於終極真實所能做的比喻。

現在讓我們回想那些爆裂後散落一地的鑽石塵末，因為它們讓我想起鑽石的第三個重要特質。每顆鑽石的原子結構都很簡單：都只是純淨不摻雜質的碳。而一支鉛筆裡的鉛，實際上也含有和鑽石沒有兩樣的碳。

鉛裡碳原子的鍵結合有著鬆散的結構，一層層像是頁岩或鬆軟的糕點。當你用鉛筆在紙張上畫線時，鉛的碳原子就會一層層地剝下，散落在紙張的表面上。對你們而言，這叫做用鉛筆寫字。

鑽石的碳原子結合的方式就不一樣了。它的鍵結合不管在哪一個面向都是完美地對

稱著，使結構不致鬆散，也讓鑽石成為我們所知道的最堅硬的物質。有趣的是，不論在哪裡、不管是任何一顆鑽石，它們都有著同樣的原子架構，同樣簡單的碳鍵結合。這表示每一顆鑽石，小至分子的階層，都和其他鑽石一樣有著相同的內部結構。

這和物質的潛能又有何關係？我們之前說過，宇宙中的所有物體，不論是小至石頭、大至行星的無情眾生❶或是螞蟻、人類等的有情眾生，皆有自己潛在的能力、終極的自性。重點是，這裡所舉的潛能和終極自性無物不具。就這方面而言，**萬物的潛能就如同鑽石，能帶給人內心的德行與外在的成功。**

這就是書名中帶有「鑽石」二字的原因。鑽石清澈透明，透明到幾乎無法看見；我們周遭事物的潛能亦同樣難以見到。鑽石無與倫比的堅硬性近乎絕對；而萬物的潛能本質亦為絕對。

宇宙裡任何一處的任一細片鑽石，和其他地方的鑽石都一樣是百分之百的純鑽。萬物的潛能亦是如此，潛藏在任何物質裡的能量，和所有其他物質同樣具有純淨與絕對的本質。

那麼為什麼他們稱這部經為《金剛經》呢？將這本經典譯為英文的一些早期譯者，事實上把經名的第二部分給節略了，因為他們不曉得這部分經名對整部經典的意義有多重要。

用心才能體會

這裡我們還是要簡短的說明，其實明白事物的潛能、它們的終極自性有兩種方法。

第一種是藉由閱讀像本書一樣的說明，其實明白事物的潛能、它們的終極自性有兩種方法。

釋，一直到能夠了解並且使用這份潛能為止。第二種方法則是進入甚深禪定，以心靈的眼，親「眼」目睹這份潛能。

依第二種方法親「眼」目睹潛能要有力量多了。然而任何人就算只能明白它的原則，也能成功地地運用它。

曾經親「眼」直接目睹這份潛能的人，很快就了解他們所見到的正是事物終極的自性，於是他們在內心搜尋著可與之比擬的事物。世俗中最為接近這份終極潛能的物體，正是俗世中最堅硬的物質──鑽石。

雖然鑽石是塵世中最接近自性的物質，它其實很難與前面所提到的萬物潛能相提並論。這份潛能我們會在下面章節做更詳盡的介紹，因為它才是萬物的終極自性。

這麼說來，鑽石實在不是個非常恰當的比喻，因為它還能被終極自性的力量所「斷」、所切割。這就是為何這本載有古老智慧的經典被稱為《能斷金剛者》的原因：因為它教導的是一種比塵世中最堅硬、最接近絕對自性的鑽石更為終極的潛能。

如果這聽起來有些困難，別擔心。《金剛經》的目的就是幫助你了解它。無論是事物運作的祕密，或是從日常生活中或是事業經營的過程裡，獲取成功的祕訣都很深奧，需要用心才能理解。

譯注

❶ 原文為 inanimate things。「眾生」意為「眾緣合和而生」，亦即此地的「生」非限定於有生命者。

【金剛經的緣起】

第三章

世尊。善男子。善女人。

發阿耨多羅三藐三菩提心。

應云何住。云何降伏其心。

佛言。善哉善哉。須菩提。如汝所說。

如來善護念諸菩薩。善付囑諸菩薩。

汝今諦聽，當為汝說。善男子。善女人。

發阿耨多羅三藐三菩提心。

應如是住。如是降伏其心。

唯然世尊，願樂欲聞。

我們即將展開一段重要的旅程，進入一個完全嶄新的領域；我們將探討一些前所未聞的方法，來管理你的事業和生活。

我想，在開始說明之前，對這份智慧起源的時間與地點有些基本認識，會對讀者有些許助益。

從經典本身開始

讓我們先從《金剛經》這部經典本身開始。時間發生在兩千多年以前，地點在古老的印度。有一位富有的悉達多王子擄獲了全國人民的心，那景況就如基督教的耶穌一般，只不過時間早了五百年。

他在奢華富裕的宮廷中長大。但是在目睹人民受苦，了解任何人遲早都會失去他們所愛親人與一切所有的必然性之後，他毅然地拋棄了奢華的生活，獨自開始找尋眾生受苦的原因以及解決的方法。

他找到了苦受的根本原因，並且開始教導人們離苦得樂的方法。許多人離家跟隨他，出家成為比丘，願意從此過著樸質的生活，不再拘於身外物，思考也因少了人事的煩惱而變得清澈。

多年以後，有位弟子記述《金剛經》首次宣講的緣由。他稱呼佛陀為「世尊」⋯

如是我聞。一時佛在舍衛國祇樹給孤獨園。與大比丘眾千二百五十人俱。❶

「如是我聞。一時……」是經文常用的起始句，因為多數經典都是佛陀滅度之後許久才做集結。當時的人們善於當場記誦師父所做的開示。

「一時」這兩個字意涵豐富。首先它指的是古印度的樸實人們所擁有的高度智力；他們能夠在聽聞佛法的同時，記誦並且了解其深意。其次它也指出《金剛經》說法只有一次的事實，說明經中所含的萬物運行法則，是世上稀有而珍貴的智慧。

邱尼喇嘛解說經文時，也對經典的緣由做了說明。底下引文中括號內的字代表《金剛經》中原有經文：

這些字代表著佛陀說法的時空；經文敘述者即為以文字記載本經者。他首先說明底下的經文是「如是我聞」。「一時」，意思是某個時候；「佛在舍衛國祇樹給孤獨園」這個地方，「與大比丘眾千二百五十人俱」，也就是在一起。那時候在印度有六大城邦，包括這裡所提的「舍衛國」。這地方是波斯匿王的領土，風景秀麗的「祇樹給孤獨園」就是位於這個國度內一座極精緻的花園。

有一次，在世尊成道的幾年後，有一位名為給孤獨的長者下定決心要建造一座

優雅王子的智慧

古印度的君主制度是該區域政經生活的主要推動力量，說他們是現代西方社會的翻版一點也不為過。今天當我們一談及佛陀和佛教思想時，浮上心頭的印象往往是（如果

《金剛經》的起頭字句有其深意。佛陀當時正準備作開示；聽經的群眾是一群類似於基督門徒、決心要離家全心學道的僧侶。然而，之所以有此機緣親聞佛陀法音，都靠這些有錢有勢的護法挺身護持。

當這座花園完工時，世尊了解祈陀太子的心意，便將園中主要寺廟以其名名之。而另一位主角給孤獨長者其實是位聖者，刻意選擇自己的出生以護持佛陀。他能透視水中或土裡的寶石與金屬礦物，隨心所欲地運用這些天然資源。

祈陀太子也把原本作為該地產管理人宿舍的一筆土地獻給了世尊。給孤獨長者藉由舍利弗的能力，指導人天兩界的工匠把該筆土地建造成一座無與倫比的花園。

宏偉雄觀的寺廟，以供佛陀及其弟子常住。為了這個目的，他找上祈陀太子，用足以鋪滿整座花園的數千枚金幣向他購買花園。

恰巧看到的是一尊中國佛像）一個相貌奇特、頭頂上長著肉髻、臉上掛著微笑、挺著個大肚皮的東方人。

其實我們心裡面該想到的，應該是一位高挺而優雅的王子，從其智慧、自信與慈悲中發出言語，讓人們得以在生命中受用，教生命有了意義。

對於跟隨他的弟子，也不要認為他們只是坐在地上盤著腿、唸著經的光頭托鉢僧。

在古代有些偉大的法師也許還是皇室成員，個個有著治理國家與經濟的才幹呢。

舉個例子來說，有名為「時輪」（Kalachkra, Wheel of Time）的佛陀教法，在過去的數百年間，一直在每位西藏達賴喇嘛的特別法會裡代代相傳著。其實剛開始時，這些訓誨是由佛陀傳授給古老的印度國王們，以及一些有天賦異稟與遠見的弟子們的，這些弟子再將其傳給其他國王，就這樣傳了好幾代。

我之所以提出這件事，目的是為了說明人們對於佛教經常產生的誤解，以及一般人對於內在精神生活的錯誤認知。佛教一向教導，每一個人都可以在適當的時機出家成為僧侶，因為出離世間，才能夠學習如何服務眾生。然而，**我們必須服務眾生，而為了服務眾生，我們必須置身於滾滾紅塵之中。**

在我任職於安鼎國際鑽石公司期間，幾個頂尖的商界人士顯露出非凡深刻的內在精神生活，令我深受感動，特別是來自印度孟買的鑽石交易商狄如‧沙（Dhiru Shah）。

如果你在紐約的甘迺迪機場瞥見沙先生步下飛機，你對他的第一印象可能是：一個身形矮短、膚色黝黑的男人，戴著眼鏡，頭髮稀疏，臉上掛著靦腆的微笑。他穿過擁擠的人群，領取一只破舊的小行李箱之後，搭乘計程車前往曼哈頓的一家普通旅館。在他下榻的旅館之中，他吃幾片妻子凱琪親手烘焙，深情地安置於袋中的麵包，做為他的晚餐。

沙先生是世界上最有權勢的鑽石採購商之一，每一天為安鼎國際鑽石公司收購數千顆鑽石。而他也是我所見過心靈最深邃的人之一。數年來，他悄悄地向我揭露了他內在生活的充裕富足。

「歌劇院」

沙先生是一個耆那教徒（Jain）。耆那教（Jainism）是印度的一種古老信仰，在兩千多年以前，與佛教在同一個時期誕生。我們曾經在靜謐的傍晚，一起坐在沙先生住所附近寺院的沁涼地板之上。

那寺院是一座造型簡單，但結構精美的石造建築；它在孟買的擾攘喧囂之中，尋了一個僻靜的角落安身立命。在幽暗涼爽的內部聖堂之中，耆那教教士在神壇前靜靜地移動著；他們在神面前點燃的小小紅色油燈，照亮了他們的臉龐。

身著輕軟絲質服飾的婦女默默無聲地進入寺院，帶著敬畏之心碰觸地面，然後靜靜

地坐著祈禱。當孩子們經過一尊尊的塑像之時，他們輕聲耳語，仰望著一千尊聖者的塑像。商人在通往寺院的階梯之處放下公事包，脫下鞋子，懷著虔敬之心抵達寺院大門，步入寺院，然後坐下，靜靜地和摩訶毘羅❷交流。

在寺院之中，你可以心神貫注地坐著；在那裡，你可以完全忘了時間，忘了今夕何夕，忘了何時該起身回家，忘了當天上千筆的交易，忘了「歌劇院」（Opera House）。

「歌劇院」代表印度的鑽石業界；大約有五十萬人在泥磚造的家中，以及耗資數百萬美元的辦公室大樓之中，辛勤地切割琢磨全世界大多數的鑽石，供應美國、歐洲、中東，以及日本的客戶。

事實上，「歌劇院」只是兩幢破舊不堪、瀕臨倒塌的老舊建築，其中一幢有十六層樓高，另一幢有二十五層樓；之所以把它們命名為「歌劇院」，靈感是來自於它們所在位置的附近，也就是孟買市中心，有一座老舊斑駁的歌劇院。

要造訪這兩幢建築，還得花一番工夫，通常你得駕著一輛老爺車，駛入人山人海的停車場；一大群新進的鑽石交易人員互相大聲地討價還價，手中揮舞著只裝了幾顆小鑽石的破舊紙袋。出價的人面對彼此，用代表最高成交價格的手勢比劃著。你必須突破人潮，把車駛入停車位。

停車還算小事一樁。接下來，你得奮力穿過人陣，搭上今天唯一能夠搭載乘客的一

部老舊電梯。（人生總是有各種不同的選擇；你可以選擇搭乘電梯，甘冒電力突然中斷，被困電梯數小時的風險，或是在孟買的燠熱和濕氣之下，爬上二十段左右的階梯，嶄新的襯衫被汗水浸溼地抵達你的樓層。）然後，你得打開古色古香的印度大鎖，通過電子偵測器以及精密的聲音感應器的偵測，才得以登堂入室。

鑽石的旅程

在此處，原本破敗不堪的面貌完全改觀。在較大的辦公室中，地板鋪了大理石，牆上鋪了大理石，浴室裡全是大理石，還有從比利時的分公司運送回來，置放在大理石台座上巧奪天工的雕刻名作。馬桶上的裝置似乎是鍍金的，而馬桶本身則是一個奇妙的組合，它保留了西式馬桶座，並在馬桶座旁邊多做了一對瓷製的翅膀，如此一來，人們可以隨著自己的喜好，攀上馬桶座，用印度舊有的方式蹲伏其上如廁。

在由內反鎖的門後面，是一間間安靜、有空調設備的房間。在每一個房間之中，坐著一長排一長排年輕的印度小姐；她們身著流傳了數千年的印度婦女傳統服飾紗麗服。她們靜靜地坐在發出柔和螢光，具有特定波長的燈光之下；在她們每一個人面前，放著一堆大約價值十萬美元的鑽石。

那一雙雙從紗麗服伸出的手上，握著尖端精密細緻的鑷子，從那一堆鑽石中夾起一

顆，放在用另一隻手緊貼著她們眼睛的珠寶強力擴大鏡之前，然後輕拋鑽石，以優美的弧度越過一疊白色便條紙簿，落在五種不同的鑽石小堆之中。這五種不同的鑽石堆，代表了不同的鑽石等級與價格。

鑷子觸碰紙張刮擦聲，以及鑽石分級室落入小堆的啪答聲，是房間中唯一的聲響。在世界各地的鑽石分級室中，無論它是在紐約、比利時、俄羅斯、非洲、以色列、澳洲、香港或巴西，這景象都一再重複上演。

有一次，我們離開市中心，前往鄉間去實地了解鑽石是如何被切割琢磨的。大量的鑽石在鄉人的家中進行切割琢磨，其過程由一大家子的人共同協力完成。每一天，未經切割琢磨的鑽石圓粒，透過由隨身攜帶小背包的信差所組成的綿密網絡，用搭乘火車、公車，或騎乘腳踏車，或徒步的方式，從孟買輸送至鄉間。每一天，完成切割琢磨的鑽石也以相同的方式，從鄉間返抵孟買某處的鑽石揀選分級室，然後被放置在一個金屬盒中，在寶力克保全公司快遞的層層護衛之下，搭乘當天夜航班機前往紐約。

在孟買北方，位於古哈拉省（Gujarat State）境內的拿撒里（Navsari）是一個典型的鑽石切割城鎮，擁有最密集的鑽石工廠。在印度，鑽石切割這個行業，算是幾個比較穩定的工作之一，因此工人從印度的各個角落蜂擁至拿撒里，希望能夠謀得一份差事。這些工人訂下六個月的工作契約，而且通常訂在重要的宗教假期屆臨之前為限，然後他

們領取假期津貼，於隔天出城，趕回千里之外的家，探望妻兒數個星期，把工作賺來的薪資投資鄰人的農作。之後，他們打包了一個小小的行囊，返回工廠再進行為期六個月的工作。

攀越內在的聖山

迴異於世界其他各地，在拿撒里選購鑽石別有一番風情。你不妨想像一下，在這個印度小城中央，塵土飛揚的村道上滿是人潮，足足綿延了一、兩英里。人潮之中的每一個人高聲叫喊著，手裡抓著一個小小的紙包；紙包內，裝著一、兩個僅僅比放在文句末的句點稍稍大一點的鑽石。那些鑽石的外層仍然包覆著切割琢磨所使用的油脂，呈現單調的灰色；由於在大太陽下，無法判斷它究竟是一顆價格高昂的純白鑽，抑或是一文不值的黃鑽，因此只有笨蛋，或是一個訓練有素的印度鑽石交易商才會掏腰包購買。

車輛從村道的兩端試圖通過密實的人群，喇叭聲大作。毒辣的太陽直貫你的頭頂。街童在人群中爬來爬去，更白地說，他們是在交易商的兩腿之間爬行，希望能夠尋獲不小心掉落地面的碎鑽，有如雞隻上下來回搜尋穀物一般。

在印度的鑽石王國之中，最偏遠的邊陲之地接近一個名叫巴納迦（Bhavnagar）的

地方，緊鄰著西部海岸以及阿拉伯海；此處也是拉迦斯坦（Rajasthan）沙漠，以及綠寶石交易商活躍的粉紅沙岩城市迦布爾（Jaipur）的起始之地。沙先生曾經帶著我一起乘坐一架搖搖晃晃的飛機抵達此地，然後再駕車前往者那教教徒心中最神聖的聖地——巴利塔那聖山（Palitana）。

我們在最後一座鑽石工廠停了下來；從外觀看來，那工廠只不過是座落於沙漠邊緣的一幢住宅。我們喝著氣味濃郁厚重的印度香料茶的時候，孩子們和婦女們從磚牆後面，從頭紗後面偷偷地窺視打從此地經過的第一個白種人，著實讓他們咯咯發笑或瞠目結舌一陣子。我們離開那座工廠的時候，彷彿也把世俗生活遺留在身後，去尋覓我們的內在生活。

我們在位於山腳下的一間設備普通的旅館下榻過夜。這旅館是鑽石工廠的工作人員建造的，專供朝聖使用。拂曉之前，沙先生靜悄悄地帶著我前往一個特別的庭院；此處即是通往聖山路徑的起點。在庭院的石牆上，雕刻著兩千五百年來的祈禱文；我們把腳上的鞋子脫下，留在此地。為了表示對聖地的敬畏，我們必須赤腳走上山。

在黎明前的黑暗之中，我們和數千名的朝聖者一起行走；周圍的空氣沁人心脾，腳下被磨得凹陷的石子述說著許許多多世紀以來，每一天早晨，數百萬雙腳掌就是這麼以相同的方式、相同的路徑攀上聖山。攀爬耗時數小時，然而，我們被如腳下岩石般鼓舞

人心的心念和祈禱文環繞著，絲毫不覺時間之漫長。

終於，我們抵達了山巔，進入一個由石雕的寺廟、聖堂以及神壇組成的網絡之中；置身其中，比外面漆黑的夜色還更加幽暗。我們盲目地摸索前進，直到我們感覺對了，便隨遇而安地席地而坐，在涼爽的石地上冥想禪修。此時，沒有一絲光亮，但幾近無聲的吟唱聲暗暗浮動著。你感覺自己被數千人的呼吸和心跳環繞著，你也感覺了數千人的殷殷期待。

商人印象今非昔比

我們所有人面向東方，眺望印度平原。在我們閉著雙眼冥想禪修之際，漆黑的夜色開始細微的轉變；很快地，天空被染為玫瑰紅，接著轉為橙黃，最後金黃色的太陽升起。我們留在那裡，所有人都沈浸在冥想之中，每一個人思考著自己的人生，以及返回世間之後，該如何度過人生。

沒有人攜帶水或其他任何食物；在這聖山之上，攜帶水和食物幾乎是一種褻瀆。時候到了，我們起身，向聖山致敬，開始半走半跳地下山。此時，整個氣氛從蕭穆轉為歡樂，孩子們在前頭又跑又笑。當你的雙腳開始腫脹龜裂的時候，你生平頭一遭感謝發明鞋子的奇蹟與美好。

正是在此時，我才知道沙先生，這個身形短小、膚色黝黑、幸福快樂的鑽石交易商，在早年曾經在同一座山上追隨他心靈的上師。後來我才知道，他每一次前往紐約參加國際主管會議的時候，等於是展開了一段心靈的齋戒之旅；他在小小的旅館房間內，面對著時代廣場耀眼的燈火祈禱，直至深夜。他在孟買的辦公室裡散發著熱情強烈的家庭溫暖；他關愛每一個人如同自己的親生子女，不論婚喪喜慶，他都慷慨相助。每一天，他經手數百萬美元的交易，但他絕對小心謹慎，分文不取。

他也用相同的態度持家。在我和沙先生緊密合作的數年期間，他們居住在位於三樓的安靜小公寓之中。沙太太在嫁給沙先生之前即出身富裕，現在沙先生和他的兒子維克瀾（Vikram）則錦上添花，使家庭更加富裕，因此周圍的人一直不斷慫恿他們換一個更大的住所。那些人說，孩子們越來越大，需要自己的房間。然而，他們一大家子仍然待在小公寓裡。爺爺住在廚房邊的舒適房間，受到所有人的敬重與關愛；其他人在就寢時間，則全部到陽台上，把床並排在星辰之下，享受夜晚的空氣，聞嗅著樹花綻放的芬芳。即使當他們在孟買的高級地段，買下一個有著許多房間的大套房，但他們最後仍然全都睡在一個小房間裡；他們很幸福、很快樂。

此處的重點十分簡單。在美國，包括我自己在內的人們，對於「商人」這種動物總是存有憤世嫉俗的想法。在我成長的六〇年代，指稱某人為商人幾乎是一種侮辱。人們

對於商人的刻板印象是，一頭披著光鮮西裝外套的狼，說話速度很快，只為了錢而活，為達目的不擇手段，忽視周遭人的需要。

然而，毫無疑問地，現今的商業界人才薈萃，全國最優秀、最具才華的人皆聚集於此。他們具有衝勁，也具有為人所不為的能力，去完成必須完成的任務，以成就其他的事業。他們像上緊發條的裝置一般，大量生產價值數億美元的商品與服務，持續地改良產品，持續地縮減製造的時間與資本。創新與效率是一種生活方式；沒有其他的行業比從商更需要創新與效率。

商人深思熟慮、精力充沛、為人仔細、具有深刻的洞見。若非如此，便無法在商場上生存，因為商場自有其揀選淘汰的過程：在任何公司之中，如果你不事生產，沒有人能夠容忍你太久。如果你沒有任何貢獻，無法從事生產，你的老闆與資方，甚至你的同事都將把你排除在外。對我來說，這種過程已經可空見慣，它正如同你的身體排斥外來的抗體一般。

為商人量身訂做的法門

最偉大的商業家具有深刻的內在能力；他們如我們所有人一般，都渴望真正的精神生活，只不過他們的渴望更加強烈。他們比我們多數人見識過更多世間的大風大浪、風

風雨雨；他們知道，世俗世界能夠給予什麼，也知道它不能夠給予什麼。他們要求具有邏輯的精神生活；他們要求方法，以及清晰可見的結果，如同商業交易的條款一般的條理分明。

他們經常從活躍的精神生活中半途而退，不是因為他們貪婪或是懶散，而僅僅是因為他們沒有找到一條通往目標的道路。《金剛經》正是為了這些才華洋溢、不屈不撓、具有悟性的人們所量身訂做的。

千萬不要以為，你置身商場，你就沒有機會，或沒有時間，或沒有從事真正心靈生活所必須具備的人格特質。你也不要認為，擁有深刻的內在生活與經營事業之間有任何衝突抵觸之處。《金剛經》的智慧指出，深受商業活動吸引的人，正是那些具有內在力量，能夠理解並且實行更深奧的修行法門的人。

《金剛經》的智慧可以利益大眾；不害臊地說，對於從商也大有利益。這完全符合佛陀的法教。在美國，商業社團正靜靜地引領變革，使用古老的佛教智慧經營人生，經營事業，以達成現代生活的目標。

因此，在本章末尾，讓我們看一看佛陀在宣講《金剛經》那一天，如何起身，開始一天的工作：

早晨，世尊穿上他的僧袍和披巾，執起托缽，走入舍衛大城，挨家挨戶地乞食。他在城中乞食完畢之後，返回住處享用食物。

當他吃完食物，佛陀把托缽和披巾放置一旁，因為他遵循過午不食的戒律，以保持心的清晰明澈。他清洗他的雙足，然後坐在鋪好的坐墊之上。他雙腿交盤呈蓮花坐姿，挺直背部，把心思專注於冥想。

然後，一大群僧人走向世尊，當他們走到世尊身旁之時，他們躬身示尊敬，以頭觸世尊的雙足。他們恭敬地繞著世尊行走三次，然後在一旁坐定。此時，世尊的弟子，年輕的僧人須菩提也坐在這群僧人的旁邊。

然後，須菩提從座位上站起來，稍稍解下僧袍，露出一邊肩膀以示尊敬，並且右膝著地。他面對世尊，合掌恭敬地向世尊行禮。接著，須菩提對世尊說：

喔，世尊，佛陀——如來，邪念摧毀者，全然證悟者——曾經給予修持慈悲之道的善男子善女人，以及諸菩薩許許多多殊勝的開示。佛陀，你給予我們的所有開示，都有巨大的利益。無論你給予什麼開示，喔，世尊，都是非常好的。

喔，世尊，那是非常好的。

接著須菩提提出了以下疑問：

喔，世尊，那些修持慈悲之道的善男子善女人應該如何生活？他們應該如何修

行？他們應該如何保持正念？

然後世尊說了以下的字句，以回答須菩提的問題：

喔，須菩提，很好，很好。喔，須菩提，正是這樣的：如來一向給予具有利益的開示，以愛護垂念菩薩們。如來的確用最清晰明白的開示，指引他們方向。

既然如此，喔，須菩提，你現在就注意聽我說，而且務必將我所言謹記在心，因為我將宣講那些修持慈悲之道的善男子善女人應該如何生活？他們應該如何修行？他們應該如何保持正念？

「是的，應該如此，」年輕僧人須菩提回答。他坐著聆聽世尊的開示。世尊用以下的字句做為起始……❸

譯注

❶ 此段經文之意是：「我曾聽到佛陀如此說。那時，世尊與一千二百五十名大比丘住在舍衛國的祇樹給孤獨園。除了一千二百五十名大比丘之外，也聚集了無數具備菩薩品質、修持慈悲之道的弟子。」

❷Mahavir，摩訶毘羅為耆那教之開祖，約與佛陀同時代，三十歲出家，經十二年苦行而大悟。

❸鳩摩羅什譯本（以下所引之經文，皆出於此譯本）為：

「爾時世尊食時著衣持缽。入舍衛大城乞食。於其城中。次第乞已。還至本處。

飯食訖。收衣缽。洗足已。敷座而坐。

時長老須菩提。在大眾中。即從座起。偏袒右肩。右膝著地。合掌恭敬。而白佛言。

希有。世尊。如來善護念諸菩薩。善付囑諸菩薩。

世尊。善男子。善女人。發阿耨多羅三藐三菩提心。應云何住。云何降伏其心。

佛言。善哉善哉。須菩提。如汝所說。如來善護念諸菩薩。善付囑諸菩薩。

汝今諦聽，當為汝說。善男子。善女人。發阿耨多羅三藐三菩提心。應如是住。如是降伏其心。

唯然世尊，願樂欲聞。」

第四章

【萬物的潛在可能】

爾時須菩提白佛言。世尊。
當何名此經。我等云何奉持。
佛告須菩提是經名為金剛般若波羅蜜。
以是名字。汝當奉持。所以者何。須菩提。
佛說般若波羅蜜。則非般若波羅蜜。
須菩提。於意云何。如來有所說法不。
須菩提白佛言。世尊。如來無所說。

現在是我們認真面對事實真相的時候了。承認吧,你希望事業有成,人生順遂,但是在你的內心也有一個強烈的直覺告訴你,除非擁有充實的心靈,否則人生就了無意義。你想要掙得百萬財富,也渴望禪坐修行。

「空」之中有其深意

事實上,為了獲致事業的飛黃騰達,你將需要伴隨靈修生活而來的,一份深刻觀察洞見之能力。如此一來,兩全其美,既能坐擁物質的財富,又能兼具心靈的豐足。在此一章節中,我們將探討萬物的潛在可能,也就是佛教徒所謂的「空」,但是現在請先不要理會「空」這個陌生的名詞,也不要急著理解它的含意。所謂「空」,完全不是字面所暗示的那般;簡而言之,它是獲致各種成就的祕訣。在佛陀及其弟子須菩提(Subhuti)❶之間所發生的一段精彩對話,倒很適合做為探討「空」之含意的起點。

須菩提懷著極大的恭敬心對世尊說:

喔,世尊,這特殊教授的名稱為何?我們應該如何看待它?

世尊回答須菩提:

喔,須菩提,這是關於「圓滿智慧」的教授,你應該如此看待它。

解釋：

這一段從《金剛經》節錄的對話，似乎讓人產生「世間一切事物皆無意義」的感受。很不幸地，這也正是西方社會對於佛教的觀感。然而，事實並非如此。

讓我們再仔細研究世尊和須菩提這段對話的內容，以及世尊和須菩提之間為什麼出現這樣的對話。然後，我們再努力嘗試，是否能把對話所闡釋的意義應用於商場之中。

事實上，這段對話確實蘊含了獲致成功人生的祕訣。上述的對話可以用另一種方法來做

須菩提：我們應該如何看待這本書？

世尊：我們稱它為《圓滿智慧》。

須菩提：我們該如何稱呼這本書？

喔，世尊，沒有，完全沒有，如來從未給予任何教授。❷

須菩提恭敬地回答，

告訴我，須菩提，你認為呢？如來可曾給予任何教授？

因為它從不存在，所以我們能夠稱它為圓滿智慧。

何以如此，喔，須菩提，因為如來所教授的圓滿智慧從不存在，而事實上，正

世尊：把它視為圓滿智慧。如果你納悶何以如此，那是因為我所撰述的圓滿智慧從不存在。這也正是我決定把這本書命名為《圓滿智慧》的原因。須菩提，你認為這本書是一本書嗎？

須菩提：當然不是。我們知道您從未寫過這本書。

「你可以稱此書為一本書，你也可以把此書視為一本書，因為它從來就不曾是一本書」；這段陳述是上述對話的要點，也是說明萬物潛能的關鍵。這段陳述包含了一個非常具體實在的意義；它並非莫名其妙的胡言亂語；你想要獲致人生、事業成功所必須知曉的事物也盡在其中。

創業維艱樂趣多

讓我們從商場中擷取一個十分常見的例子，來闡釋潛能的含意。這是一個關於房地產的例子。

當我們剛剛著手成立安鼎國際鑽石公司的時候，我們向位於帝國大廈附近的一家珠寶公司，承租了一間大辦公廳之內的一、兩個房間做為辦公場所。公司擁有者歐佛和爾雅坐鎮於一個小房間之中；緊鄰在小房間隔壁，有一個稍微大一點的隔間，則是我、鑽

石匠烏迪、珠寶匠艾力克斯，以及專司電腦的雪萊女士的辦公室，我們四人圍坐在一張大桌子旁一起工作。鑽石被分級歸類地擺放在桌子邊緣；在另一個角落，雪萊女士把帳目輸入電腦。在此同時，我則坐在桌子的另一角忙著打電話，試圖找出城內大珠寶採購商的祕書的姓名，如此一來，我們就能夠直接向買主接洽，做出買賣的決定。

安鼎一整個系列的產品大約包括十五種造型的戒指；每一種造型的戒指都被拍攝成照片，一頁一頁地裝訂成冊，如此一來，歐佛和爾雅可以隨身攜帶，向客戶展示。為歐佛和爾雅工作是一件愉快有趣的事情，因為他們對美國的商業活動一無所知。但是，正也因為他們不知道在美國的商場有哪些事情根本行不通（後來卻被他們弄得有聲有色），有哪些事情不能做（例如，穿著印有達拉斯牛仔隊字樣的足球T恤，會見全世界最大百貨連鎖公司的高級主管），他們反而比其他人更富創意。

歐佛會走進我們的辦公室，詢問我們關於美國的古怪問題，例如，「日曆上寫著明天是土撥鼠節（Groundhog Day）？那是國定假日嗎？你們那天該放假嗎？我們應該付你們那天的薪水嗎？」有時候，我們告訴歐佛，是啊，在美國，那是一個「非常重要」的節日。

另一方面，他們無法理解為什麼有人想要在晚上十一點以前回家，因為我們大部分時間都工作到十一點，有時候甚至更晚。我通勤往返寺院與公司之間，來回各需將近兩

時的車程，因此我回到寺院大約是凌晨一點左右，然後於清晨六點起床，動身進城。我想，人們可能認為我們擁有自己的生產設備，其實，我們經常得跑到座落於第五大道和四十七街的寶力克保全公司（Brinks Armored），把剛剛從台拉維夫（Tel Aviv）運抵紐約的包裹上的標籤撕下，貼上寫有客戶姓名的標籤，再把包裹送到保全公司樓上一層的辦公室。

我記得一次驚險的意外。那一次，我必須打開如前面所敘述、從以色列運來的一個包裹，把包裹中的鑽石珠寶分裝給兩位客戶。打開包裹之後，我看到包裹內有一大堆紅銅鑽戒。我帶著那只包裹從四十七街跑回三十街的辦公室，弄得大家急如星火地頻頻致電中東。問題就出在製作十四K金，有太多不同的方法了。在表示金子純度的開拉系統中〔karat，簡稱K；鑽石系統則以「克拉」（carat）為單位〕二十四K金代表純金，它的質地太過柔軟，而無法用來製作珠寶；在一般穿戴的情況下，一只二十四K金的戒指一戴就損壞了。因此，我們混入其他的金屬，增加金子的硬度。

如果在金子與其他金屬的混合比例之中，其他的K金屬佔了四分之一的比例，那枚戒指就成為十八K金戒，以此類推。在美國，合法的K金單位包括十八K金、十四K金，以及十K金。你為了使戒指更加堅硬而混入的金屬，也決定了戒指最後的顏色：如果你加入的是鎳，那麼金子就會呈現較淺的黃色；如果你加入的是銅，金子就會呈現錚亮的紅

色。各種混合產生不同的濃淡色度度。美國人偏愛中間至較淺的黃色；一般來說，亞洲人偏好深濃的金色；而歐洲人則喜愛幾近紅銅的顏色。我們收到的那箱鑽戒被誤鑄為歐洲人偏愛的顏色。

汗水交織的成長期

以下的故事是安鼎創立的最初幾年，最令我珍愛的記憶之一：我們三、四個人一起衝到一家位於市區、雇用非法移民、工作量重但工資低廉的電鍍工廠，試圖說服工廠廠主趕工，在帶紅色的金子外面再鍍上一層昂貴的黃金。我和這些未來的千萬富翁，以及大約十五名波多黎各籍的女孩圍著一張桌子坐著，歐佛和爾雅用希伯來文大聲交談，那些波多黎各女孩高聲用西班牙文一來一往，沒有人能夠理解為什麼我們要以金鍍金。很快地，我們所有人達成共識，肩並肩坐在一起，弓著背，在那些鑽戒外層、不需要鍍上黃金的部分漆上特殊的化學藥品，做為防護措施。

然後，我們孤注一擲，開始經營屬於自己的工廠。這個工廠的設施和三十街的辦公室幾乎如出一轍；它是一個小房間，座落於曼哈頓的一條街上，地面砌著陰冷的水泥，有著一大片一大片的鐵閘門，還有我們第一個存放貴重物品的保管庫。從老地點遷移至新工廠的期間，也有許多愉快的回憶：搬離老公司的那個晚上，我們把地毯撕成碎片，

雙手雙腳地在地上爬著，搜索過去幾個月工作期間，掉落地面的細小鑽石碎片（這些碎片加起來，總共有好幾百片）。一名員工不小心把自己鎖在那個新的保管庫中，鎖了一整夜；她的丈夫納悶我們究竟可以工作到多晚。而我自己則在熱氣蒸騰的紐約夏日，穿著一套羊毛西裝大汗淋漓，因為我的上師堅持，我必須衣著得體，稱職扮演我的工作角色——我必須每天穿著它，絕不能脫下西裝外套，或是鬆開領帶。

在我考慮六個月之後，該是決定從這個新成立不久的小工廠搬到其他地方的時候了。我們是否應該冒險搬到鑽石區？如果我們租了一個大場地，到時候訂單下滑該怎麼辦？如果我們租了一個小地方，結果大宗訂單湧入，我們該怎麼按時出貨？

因此，我們就在鑽石區外圍的一幢破舊寒酸的建築中，承租了一個小樓面的一半——這是在承租一個較大空間的風險和較便宜租金的穩當之間，所做的折衷辦法。我獨自地坐在稱為「鑽石部門」的小房間辦公；有時候，我在「系統部門」工作（那是一個極小的房間，面積只有一間等候室的兩倍），要不然就是在保管庫（它是一個直立式的小東西，可以容納兩名工人，有點像一具石棺葬著兩具木乃伊）。而所謂的工廠則是一個較大的房間，一名拋光匠孤零零地坐在廠房的一角。

大約在一年之內，我們的銷售額雙倍成長（大約有十年的時間，幾乎每一年都有如此的銷售成績），當初擔憂承租一個大空間所面臨的風險，而決定租賃較小的場地，如

今則成為一個不利條件。毫不誇張地說，我們是手肘頂著另一個人的手肘工作。有一個笑話說，你每領一千美元的薪水，你的辦公桌的空間就增加一英寸；如此計算的話，當時我的辦公桌大約有十五英寸了。

擴張經營版圖的潛在危機

為了安全起見，我們不能領著生鑽供應商進入辦公室，因此我們只能站在介於門廳（稱之為「人阱」）與等候室之間的走道進行交易，如此其他的鑽石交易商就聽不到我們所開出的價錢。你不妨想像如此的景況：你站在一條狹小、昏暗朦朧的走道上，滿是數千顆細小鑽石的手上握著一張小紙頭，身後的工廠傳來陣陣嘈雜的聲響，你努力扯著嗓門說話，但又不想讓坐在你前方等候室的人聽到你們的談話內容；你們計算著購買不同等級鑽石的總金額、利率，以及物價順應率（sliding payment arrangements，將工資、稅等配合物價指數的高低適當予以調整時的用語），好像兩名劍客擠在一個衣櫥裡面進行一場決鬥。

順便一提的是，所謂「人阱」是指鑽石公司裡面的一塊特別區域，內部人員見有外來訪客，噠的一聲開啟第一道門。訪客進入，第一道門關閉之際，電視攝影機開始監測，或由公司內部的人員透過一面防彈玻璃監看來者何人，然後再由公司內部按下電

鈕，開啟第二道門，訪客才算真正「登堂入室」，進入公司重地。一個電子機械裝置可以防止第一、第二道門同時開啟。尤其當你在晚上最後一個離開公司，你通過了內門，也就是第二道門，卻忘了帶打開第一道門的鑰匙，這可就好玩了。

當公司的營運到達此一階段，我們採取穩當的措施，向房東租下另一個樓面。當我們的辦公桌寬度大約又多了二十英寸的時候，我們租下另一個樓面；兩層樓之間架了一個樓梯做為連接。之後，我們的辦公桌又寬了二十英寸，銷售成績總是雙倍成長，我們又租了另一層樓，不過可惜的是，那個樓面和先前租的兩個樓面之間隔了兩層樓。

接下來，到了我們需要更多空間的時候，同一幢樓之中，再也沒有閒置的樓層可用。我們立刻查看隔壁樓層數較少的建築，但一無所獲。因此我們租下距離兩幢樓遠的一個樓面；那幢樓的高度足以不受介於兩個辦公地點之間較矮樓層的干擾，我們可以把那些完全違規的電線懸掛於兩層樓之間的半空中，連結電腦網路。這些懸在半空中的電線，看起來就像懸掛在布魯克林區廉價公寓之間的曬衣繩一般，只不過這一次是發生在曼哈頓市中心的鋼筋玻璃帷幕高樓之間。

此時，我們面臨了一個棘手的情況。為了在分別位於兩幢樓的寶石分級室做揀選分級的工作，我們必須經常帶著一大箱一大箱的鑽石、紅寶石、藍寶石、紫水晶，以及其他許多寶石在街道上來回穿梭。這種做法非常危險，而且鑽石區的範圍已經擴張到我們

承租樓面的區域，租金不停地上漲。我們必須決定如何解決公司地點的問題。此時安鼎每年的營業額已達數百萬美元，大約擁有一百名員工。因此，我們又回到房地產和萬物潛在可能的問題。

相同行動，不同結果

在紐約有一種商人，每天早上必定買一份《華爾街日報》（*The Wall Street Journal*）。不論他讀或不讀（我覺得，幾乎很少有人真正地把那份報紙看完），對於在許多公司工作的人而言，每天早上讓其他人看到你臂下夾著一份《華爾街日報》，神采奕奕、步履匆忙地步入公司大門，是很重要的一件事。更好的是，每天都有一份《華爾街日報》直接派送到你的辦公室──每天早上九點左右，那份報紙就塞在你辦公室門縫底下，而且還要塞得恰到好處，讓從走道經過的人都能看到《華爾街日報》這幾個字。

另外，為什麼得在九點塞報紙呢？那是因為報紙可以一直躺在門縫底下，直到你在九點三十分左右步履從容地步入公司為止。在九點三十分之前，每一個職位較低的員工經過你的辦公室門口，都會看到那份《華爾街日報》。那份報紙不僅證明你確實還沒進公司，也提醒他們，你是老闆，不需要在九點五分之前打卡。

有極少數的幾次，我的的確確把《華爾街日報》讀了一遍；那種經驗總是非常驚

異。在頭版右邊的版面上（因為從這個版面一直到左邊的版面，都被美國本土新聞及國際新聞的摘要佔據），總會刊登一篇大力推崇諸如索羅斯（George Soros）之流的商界人士的文章。索羅斯曾經大膽從事風險較大的投資，名利雙收，成為商界翹楚。凡是登上此一版面的商界人士，都被推崇為「具有遠見卓識的人物」；他洞燭機先，遠遠走在其他人前面；當缺乏企圖心，較為保守的商人裹足不前的時候，他具有勇氣與自信迎頭向前，獲取較高的利潤。

大約在《華爾街日報》第四版的地方，則會刊登一篇文章關於一家企業因為管理方式老舊過時、不思突破，而面臨失敗瓦解的命運；董事會叫所有的副總裁捲鋪蓋走路，總裁也由新的人選擔任。一個星期或一個月之後，我會再拿一份《華爾街日報》來瞧一瞧（事實上，我過去時常偷偷地把塞在另一位副總裁辦公室門縫下的報紙拿走，在他進公司之前，再放回原處）。這時候，在頭版就會有一篇文章讚美一家經年遵循舊制的公司，在這一季締造了巨額的利潤。他們是一家「績優股」公司，由一個具有忠於過去經營智慧的領導人物掌舵。接著在第四版，有一篇文章激烈批評一名愚蠢的資本家，輕率魯莽地以公司的股票做為投資的賭注。

《華爾街日報》讓我印象深刻的是，在某個月，被稱為投機天才的人物，幾個月之後，卻被譏為投機白癡；在某個月，被認為是守舊笨蛋的人士，幾個月之後，卻被人讚

美為作風穩健傳統的英才。或許那些投機天才仍然繼續飛上雲端，或許那些行事保守的傻瓜仍然每況愈下。無論如何，似乎沒有人注意到，同樣一個人或同樣一家公司所採取的相同行動，幾乎產生各種不同的結果。

房地產的抉擇

我們如何把這個道理應用於房地產？它又如何展現「潛能」？想一想，當安鼎經歷了數年租或不租、擴展經營或不擴展經營的不確定之後，開始仔細考慮擁有一幢屬於我們自己的辦公大樓的時候，我們會思考什麼問題？我們是否應該大刀闊斧地採取如此重大的行動？

面對此一問題，每一個生意人都有自己的考量與盤算，並且評估其中的利弊。一幢嶄新的大樓將使我們的顧客感到耳目一新，同時加深顧客與供應商對我們的印象。或許，他們將認為，我們擴展的程度超過我們的能力範圍——或許，客戶們擔心，我們將提高價格來支應新的開銷；或許我們的供應商認為，他們以前賣給我們的寶石價格太過低廉，他們金錢上的損失反而讓我們買了新大樓。

如果我們遷離鑽石區，當我們需要寶石的時候，或許會增加寶石供應商運送貨品的困難，也提高許多風險。或許我們承租辦公室所省下的費用，可以讓我們支付供應商更

高的價格，也將吸引更多的交易商，賺取更多的利潤。

或許遷移新址將使員工上下班更加麻煩；或許多了半個小時的通勤時間，將促使優秀的員工離職，在靠近鑽石區的地點另謀高就。也或許，人們會喜歡新公司的環境；它座落於西格林威治村（West Greenwich Village，指紐約或其他城市的文人、藝術家等的聚居區），比較安靜清幽，擁有許多精巧雅緻的店舖，餐廳供應的食物分量也比市區來得多。

或許，在我們搬遷至西格林威治村之後，當地房地產的價值將迅速飆漲，我們投資房地產的報酬率也隨之提高。也或許，紐約的房地產將經歷另一次的劇跌重挫，使我們無法負擔高額的抵押借款。

或許從經濟的角度來看，把所有的生產製造過程全部集中在一幢大樓之中，將使我們得以降低產品的價格，在市場上攻城掠地，大發利市。或許，維持一個大規模製造工廠的開銷將逐漸壓得我們喘不過氣來，尤其在生意淡季的時候，更是嚴重。

那些在商場上打滾多年、真正誠實面對自我的人都明白，在這個節骨眼上，正反好壞兩種情況都可能發生。如果你買下大樓，一切蒸蒸日上，那麼你就是一個天才，買下大樓就是一個非常棒的決定。如果你購置大樓，結果事業走下坡，那麼你就成為一個冒險投機的糊塗蟲。如果你沒有買下大樓，公司營運仍然穩定健全，或是你沒有購置大

樓，結果公司運轉不良──這下子，你可知道其他人會怎麼說你了吧。而你也明白，不管其他人讚美你是天才或批評你是白癡，你都是同一個人。

這個道理將謹慎穩當地帶領我們通往「空」──也就是萬物潛能──的境界。

是好是壞全憑個人觀點

如同安鼎國際鑽石公司，在曼哈頓西區添置一幢九層大樓的房地產交易，即是說明潛能，或佛教徒所謂的「空」的良好示範。

此處必須了解的重點是，不論是那幢大樓本身或是添置那幢大樓，都同時包含了各種變好或變壞的潛能。

如果我們購置了那幢大樓，然後突然之間，紐約的房地產價格下滑（在我們買下那幢大樓之後，我的擔憂果然成真），那麼對於我們的老闆歐佛和爾雅來說，添置大樓就成了一件壞事。

如果我們購買那幢大樓，所有的經理人員一下子比以前多了許多辦公空間，那麼對於經理人員來說，買下大樓就是一件好事。

如果我們添置那幢大樓，所有從紐澤西州來紐約上班的員工，通勤時間又得多上半個小時，對他們而言，添置大樓就是一件壞事。但是，對於所有住在布魯克林的人而

言，可是美事一椿，可以省下許多通勤往返的時間。

如果我們購買那幢大樓，而使我們的供應商認為，我們擁有雄厚的財力，那麼對我們來說，購買大樓是有利的。相反地，如果供應商因此認為我們剝削了他們的利潤，對我們而言，購買大樓就是不利的。

然而，如果我們不考慮「對我們而言」或「對他們而言」，那又如何呢？如果我們試圖評估那幢大樓或購買那幢大樓本身是好是壞，那又如何呢？如果你仔細考慮，甚至只消思考片刻，你就可以得到一個顯而易見的答案：購置大樓本身既不是一件好事，也不是一件壞事；是好是壞全憑個人的觀點。對於從中獲益的人來說，它是一件好事。對於購置大樓而招致損失的人來說，它就是一件壞事。購買大樓本就沒有「天生的」好處或壞處，它本身不具有如此的特質，它缺乏如此這般的特質。

這正是「空」的含意：所有的事物都有利有弊，有好有壞，而大樓本身則沒有好壞利弊，全憑我們看待那幢大樓的觀點而定。這正是事物的潛能。

空白的螢幕

此外，這個世界上的每一件事情都是如此。前往牙醫診所，接受根管治療手術（root canal operation）是一件壞事嗎？如果它是一件壞事，那麼對每一個人而言，根管

治療都是一件壞事。但是，你仔細想一想，無論根管治療對我們來說有多麼糟糕，對其

他人而言，它可能是有益的。一個沒有醫德的牙醫師可能認為，替病人施行根管手術，

是為就讀大學的孩子賺取一季學費的絕佳機會。對於為病人安排診療時間的祕書而言，

它可能代表了診所有新生意上門，進帳充足，確保她可以繼續受聘。對於銷售牙醫醫療

器材的業務員來說，它可能代表了銷售另一盒皮下注射器的機會。根管手術甚至不是一

個令人疼痛難耐、具有任何好或壞等「天生」特質的治療過程。不論人們對於根管手術

有多麼不同的看法，根管手術本身沒有好或壞的本質；它既不好也不壞，它是空的或中

性的。簡而言之，它擁有「空」；而根據深奧的西藏古老智慧典籍所言，「空」是隱藏

的無上潛能。在我們周遭的人們也是如此。想一想在你的工作場所，最令你惱火的人；

他們似乎擁有一種「令人惱火、令人厭惡」的特質或天性。他們似乎把他們的「惱火」

往你的身上傾瀉。仔細思考這個問題。或許某個人（另一個同事，或他們的家人、妻

子，或兒女）認為他們非常慈愛，非常討人喜歡。當他們（另一個同事，或家人、妻

子，或兒女）看著令你惱怒的人，甚至在同一個房間，和你一起看著那些人做著或說著

相同的事情，他們會認為那些行為、話語是令人愉悅的。

很明顯地，那些討厭鬼沒有投擲任何不愉快，到另一個同事、家人、妻子或兒女的

身上；這也證明了，那些人沒有「令人惱火」的特質。**他們本身沒有如此的特質，而特**

質本身也不會自動地在他人面前展現出來。或許應該說，他們如同空白的螢幕，不同的人從螢幕之中看見不同的事物。這是一個非常簡單、證明「空」或「潛能」之無可否認的明證。世界上的其他事物亦是如此。

現在，我們可以回過頭去了解佛陀所說的話：「你可以稱此書為一本書，你也可以把此書視為一本書，因為它從來就不曾是一本書。」針對購買大樓而言，「你可以說添購大樓是一件好事，你也可以認為添購大樓是一件好事，因為購買大樓本身從來就不是一件好事，也不是一件壞事；也就是說，好壞與否，全憑我們如何看待它。」

然而，「空」和事業之間有何關聯呢？這種潛在可能如何能夠成為通往成功人生與事業之鑰呢？因此之故，我們必須明白運用潛在可能的原則。

譯注

❶ 佛陀十大弟子之一，以論證「諸法皆空」著名，故又叫「解空第一」。諸法皆空之「法」，意指「事物」，故諸法皆空意指萬事萬物皆空幻不實。

❷ 爾時須菩提白佛言。世尊。當何名此經。我等云何奉持。佛告須菩提。是經名為金剛般若波羅蜜。以是名字。汝當奉持。所以者何。須菩提。佛說般若波羅蜜。則非般若波羅蜜。須菩提。於意云何。如來有所說法不。須菩提白佛言。世尊。如來無所說。

【潛能運用原則】

須菩提。
若菩薩作是言。
我當莊嚴佛土。
是不名菩薩。
何以故。
如來說莊嚴佛土者。
即非莊嚴。是名莊嚴。

在上一個章節，我們討論了萬物的潛能，也就是佛教徒所謂的「空」。我們清楚地了解，我們所遭遇的每一件事，就事件本身而言，沒有所謂的好或壞，因為如果它是一件好事（或是一件壞事），那麼其他人對於此一事件，也會有相同的感受。

舉例來說，在工作場所，那個令我們感到不愉快的人，也同樣會惹得公司其他同事惱怒不堪。然而，幾乎總是會有一個人認為那個人十分良善討喜。

事實上，這個例子蘊藏了兩個重要的含意：

(1) 那個人既不具備「令人不愉快」的特質，也不具備「美好宜人」的特質。他本身是「空白的」或「中性的」或「空的」。

(2) 那個人之所以讓我們產生惱怒的感受，必有其他的原因。

那麼，令我們惱怒的原因從何而來？

這個問題的答案在於揭開萬物潛能的某些原則，以及運用潛能獲致人生事業成功的原則。在《金剛經》中，世尊（即佛陀）曾說了一段話，關於創造一個理想的事業，以及一個圓滿的人生——一個完美的世界，一個極樂世界。

世尊說道：

喔，須菩提，假若一些修持菩薩慈悲之道的弟子說：「我正在設法創造一個完美無瑕的世界。」那麼，他們所言不實。 ❶

針對上述含意深奧的字句，偉大的上師邱尼喇嘛做了如下的闡釋：

佛陀希望藉由以上的字句指出，為了使一個人企及我們先前所說的最高境界，那麼他或她必須先創造一個完美無瑕的世界，在此一完美無瑕的世界之中，成就最高的境界。因此之故，世尊對須菩提說道，假若一些修持菩薩慈悲之道的弟子說，或自認：「我正在設法創造一個完美無瑕的世界。」而在此同時，如果他們也相信，完美無瑕的世界是存在的，是自生的，那麼，他們所言不實。

在《金剛經》中，佛陀繼續解釋道：

何以如此？因為如來曾經明言，這些完美無瑕的世界，我們設法創造的完美無瑕的世界從不存在，這也正是我們能夠稱它為「完美無瑕的世界」的原因。 ❷

在本書之中，你可以把一個「完美無瑕的世界」視為一個「理想的事業」。此處必須說明的第一個要點是，「一個理想事業本身是存在的」的說法是錯誤的。

不論是一本書、購買一幢大樓，或工作場所，坐在你旁邊的討厭鬼，就他們本身而言，沒有一個是好的或是壞的。如果它（他）是好的（或壞的），那麼每一個人之於它（他）都會產生相同的感受。

但是，人們的感受各異。因此，這些事物是空白的，是中性的，或是佛教徒所謂的「空」。然而，我們確實認為某些事物是好的，也確實認為某些事物是壞的，如果好與壞的感受並非來自事物本身，那麼它從何而來？如果我們能夠解開此一謎團，或許我們就能夠「心想事成，萬事如意」。

心之銘印

顯然，我們只要自我觀照片刻就會明白，**我們看待事物的方法其實源自我們本身。**

不論我們把一個同事看做一個討厭鬼或是一個開心果，都繫於我們自身的觀感。

這一點，從其他同事以不同的角度，甚至完全相反的觀點看待你眼中的討厭鬼（或開心果），就可以獲得證明。

事物的好壞利弊源於我們自身又怎麼樣呢？我們如何能夠運用此一現象，做為我們

的優勢呢？

　　我認為，首先要討論、也最重要的事情是：為什麼事物的好壞並非源自我們本身。

　　要說我們看待人事物的方法，源自我們的心（mind）或我們的觀感，十分容易，但非常明顯的是，這不表示我們只要許下願望，我們就能夠控制自己看待事物的方式。

　　在這個世間，沒有一個商人「想要」失敗，想要破產，想要感受希望破滅的員工、欠收帳款的供應商、心灰意冷的伴侶子女所承受的痛苦。

　　從某種角度來看，破產倒閉的想法來自我們的心，或許是真的，但並不表示，只要我們希望不破產，它就不破產。無論是什麼原因使我們用某種方法看待事物，那個原因正迫使我們用那種方法看待事物。

　　從這個段落開始，我們必須探討「心之銘印」（imprint）的佛教觀點，即「業」的真實意義。不過，由於人們對於「業」充滿了許多誤解，那麼我們就使用「心之銘印」的概念來做討論。❸

　　把你的心想成一台錄影機，你的雙眼、雙耳，以及身體其他的部分是錄影機的視窗。幾乎所有決定錄影品質的旋鈕和開關全繫於你的動機——你想要錄下什麼，以及你為什麼要錄影。那麼，影像是如何被記錄下來的？事業成功或失敗的印記是如何烙印在你的心中？

讓我們先探討心之銘印的整個概念。把心看做一塊非常敏感的油灰（混合了白堊粉和亞麻籽油的軟糰，有一點類似黏土），無論何時，無論那塊油灰接觸了什麼事物，那件事物都會在那塊油灰上留下印記。除此之外，油灰（即心）還擁有其他驚人的特性。

第一，它清澈透明，不具實體──它完全不像我們的身體，完全不是由血、肉、骨所構成的事物。

雖然在某些方面，心（識，意識）屬於腦的一部分，但佛教不接受腦即是心的概念。心（識）的範圍也擴展至指尖，例如你可以察覺某個人觸碰你的手指，而正是你的心察覺了那個人的觸碰。此外，如果我問，在你家的冰箱裡面，有沒有什麼好吃的東西，你的心之眼就回到家中，也就是說，你從記憶之中拉出幾件從今天早晨到現在，可能仍然留在冰箱中的物品。

就某種意義來說，你的意識經由推理與記憶的媒介，已經遠遠穿越了身體的束縛，到達你身處之地之外的另一個處所。如果我說，想一想天上的星辰或更遙遠的地方，那麼你的心會在何處呢？

心的油灰具有另一個有趣的特質。把那塊心的油灰想成一個長條，記錄了你生命的最初時刻，一直到生命的最終時刻。〔或許它的長度更長，包括了過去的生生世世（前意識），以及未來的生生世世（後意識），但在此

我們不做討論。）換句話說，它的長度隨著時間延展。在你讀一年級的時候，你所學的注音符號、英文字母銘印在心，然後一直跟著你上了二年級；這也是為什麼你到了二年級，也包括現在，你就能夠讀字了。

身語意的種子

在西方國家，我們不習慣把學習稱為「蓄意植入印記」，但如果你仔細思量，那正是我們送孩子去學校的原因。我們希望一年級的老師能夠在孩子的心中烙下一些印記，也希望到了孩子上了醫學院，那些印記仍然存留不退，如此一來，我們就不必單單仰賴社會福利所提供的保障養老了。雖然我們極少思考整個心理銘印的過程是如何運作的，但我們都相信心理銘印的概念。舉例來說，為什麼隨著年齡的增長，我們的腦子裡裝了各式各樣的東西，卻不見腦袋越來越大？

讓我們來談一談那些迫使我們把「中性」「空白」的事物做了好壞區分的銘印。

（截至目前為止，我相信各位讀者已經對「空」這個字有了足夠的認識；「空」不代表「了無意義」，它和「黑洞」毫無關聯，也不是「努力不去想任何事情」；諸如此類的想法都不是「空」。「空」表示的意義只不過是：我們遭遇了一些好事或壞事，但那些事情本身並無好壞的特質。）

這些「好」「壞」感受的銘印有三種不同的植入方式：無論何時，當我們行動（身）、說話（語），甚或思考（意）的時候，就植入了銘印（身、語、意的種子）。那台嵌裝在我們內部的錄影機，也就是我們的心，全天候開機；心的某一個層面持續地錄下經由我們的眼睛或耳朵，以及包括思想本身等身體其他部分的「鏡頭」所感知的每一件事情。當你看見自己伸出援手幫助一位陷入困境的員工，一個好的銘印就烙進你的心中。當你看見自己對一名客戶或一位供應商撒了一個小謊，你的心中就留下一個壞的印記。

錄影機上的「動機旋鈕」是決定銘印深淺強弱的最重要因素。 如果你幫助那名員工，不是因為你非常關心他、在乎他，而是因為他面臨的難題將影響你的產量、利潤，那麼良好的銘印幾乎沒有在你心中留下痕跡。如果你伸出援手是因為你察覺到，那個難題使員工非常不快樂，那麼良好銘印的痕跡就深刻許多。如果你提供協助，是因為你認清劃分「你」「我」之間的那條界線是人們自設的；那個傷害我們其中一人的問題，將傷害我們所有的人——簡而言之，你看見自己迎戰人類共同的敵人，為人類的不快樂而奮戰——那麼，那將是你所能植入最強而有力的銘印之一。

另有幾個因素也決定了銘印的深淺強弱。首先是情緒。舉例來說，如果你出於強烈的憤怒，而對供應商撒了一個善意的謊言，那麼惡劣的銘印在你心中留下的痕跡就非常

深刻。

其次，如果你誤讀了電腦螢幕顯示的商品價格，而向顧客收取超額的費用，相較於明知價格有誤，仍然將錯就錯的情形，前者所製造的惡劣銘印就弱了許多。當你對某個人採取行動時，那個人所面臨的情勢或環境也是決定銘印強弱深淺的重大因素。

鑽石商的化名與招牌

大約在我進入大宗熟鑽（指已經完成切割琢磨的鑽石）貿易這一行的頭兩、三年，我暗自思量，如果我明白鑽石的切割過程，我就會更懂得評鑑鑽石。因此，我挨家挨戶地拜訪那些隱密的切割鑽石小店，試圖找到一個人教授我鑽石切割的技術。在這些小店工作的鑽石切割匠身懷絕技，琢磨鑽石的技術遠遠超過在四十七街兜售鑽石的小販。

我找到一個非常出名的鑽石切割匠；我記得，他當時正在切割全世界最大的、已經被切割過的鑽石。那是一顆超過四百克拉、「Fancy」的淡黃色鑽石，由薩爾絲珠寶連鎖店收購（Zales jewelry chain）。那位鑽石切割匠說，我有空可以過來瞧一瞧，就不了了之。「Fancy」是一種鑽石的名稱，專指帶有天然色彩的鑽石，例如亮黃色或褐色的鑽石，或如被命名為「希望之鑽」（Hope Diamond）的藍色鑽石。

我偶然發現幾個南非籍的鑽石切割匠，並且花了幾天的時間求教學習，只不過他們

工作的地方實在太嘈雜了。另一個問題是，當時我們仍然每天瘋狂地工作到晚上十一、二點，以擴展安鼎的營運，因此我必須找一個人願意在大半夜教授鑽石切割的技術。於是，我在無意中碰見了山姆‧舒繆洛夫（Sam Shmuelof）。

我們都稱呼他「舒繆」。在鑽石交易圈中，舒繆是另一個具有紳士風度的正人君子。他的妻子瑞秋（Rachel）是我在安鼎不可或缺的得力助手，也是我們部門營運如此出色的大功臣。舒繆答應在夜間以及星期日教授鑽石切割的技術。

在紐約，之所以有那麼多鑽石交易商是正統教派的猶太人（Orthodox Jews），同業尊重猶太教安息日（Shabbat，從星期五晚上開始，於星期六晚間結束，期間必須停止工作）的傳統是原因之一。在四十七街上，如果有人是虔誠的教徒，沒有人會強迫他（或她）在星期六上班。

我第一次踏進舒繆的鑽石切割店的時候，有點像義大利詩人但丁（Dante）被維吉爾（Virgil）領進地獄一般。舒繆拉著我的手臂，帶我走進擠在四十七街兩幢大理石外牆的摩天大樓之間、一個極不顯眼、幾乎令人察覺不出的出入口，然後領著我進入一個小小的電梯。那電梯吃力地上到十樓左右；電梯門外是一條燈光昏暗的狹窄通道，通道的兩側是有著一道道窄門的房間。

每一道門都是一種奇異的組合：斑駁的油漆、破舊的外觀，卻配上一把把閃亮簇

新、又大又沈、外國進口的鑰匙和門閂。大多數的門上都掛著五到六個價格便宜、手寫的小招牌，後來我才知道，那些小招牌是同一個小鑽石商的不同「化名」。例如，一個叫做班尼・阿希塔（Bennie Ashtar）的人，他的門上可能掛著以下不同公司的招牌：

「阿希塔國際鑽石股份有限公司」（他所謂的國際鑽石股份有限公司，可能只是一個小鞋盒，盒子裡裝滿了過去幾個月進行切割所剩餘下來的散鑽，以及數年前某個人付不出欠款，為了抵債所留下來賣不出去的寶石。）

「班——阿希全球珠寶製造公司」（這個珠寶製造公司可能只生產了幾個用寶石做成的古怪耳環。他聽說，珠寶製造商比做鑽石這一行更容易賺錢，而且賺得更多。當然啦，他那些奇奇怪怪的珠寶一個也沒能賣出去。）

「賽澤國際鑽石切割暨修補工廠」（這可能是他的正業。工廠的擺設就是一張有著鑽石切割輪的桌子。工廠的名稱不外乎是用兩個孩子賽門和澤瓦的名字命名，儘管如此，每一個人還是稱它為班尼的鑽石切割店。）

「班哲明奇石異寶有限公司」（這可能只是兩公斤、呈立方體的粉紅合成鋯（zirconium），或俗稱的「粉紅冰塊」（pink ice）。一九九三年，粉紅合成鋯風行一時，他被人勸說打動，買了兩公斤。粉紅合成鋯只流行了六個月，但是班

尼囤貨囤了七個月，希望粉紅合成鋯的價格繼續上揚。如今，保險人員一直抱怨那袋粉紅合成鋯佔了保險箱太多空間，他應該把它扔了算了。」

苦痛與混亂中的珍寶

當我們兩人走在那條奇異的通道上，我們開始聽到聲量越來越大的尖銳嘎嘎聲響，有如接近一個困了幾百萬隻蚊子的巨大山洞，洞中的蚊子瘋狂地飛繞打轉。那道門是一塊巨大、暗灰色的金屬玩意兒，門上沒有號碼，也沒有任何招牌。在天花板的角落、距離門的遠遠上方，一架監視錄影機往下盯著我們。

舒謬按了按門鈴。

我們等著，但門內沒有動靜。

舒謬又按了一次門鈴，再按了一次，總算從門內傳來一聲叫嚷：「欸，是誰呀？」

（那台監視錄影機老是故障。你瞧，沒人有閒工夫或有那個興致去把它修好。）

「我是舒謬啦！」

「好啦，來了，來了。」你聽到一個接著一個門閂被打開來，然後解下幾條鏈條，最後門咯吱咯吱地開了。

噪音迎面炸了開來，你的頭、耳被嘈雜的聲響團團圍繞——你在紐約街頭散步半個小時所聽到尖銳刺耳的聲音、警笛呼嘯而過的聲音，以及手提電鑽鑽鑿地面所發出的聲音，這下子全壓縮在幾秒鐘之內爆開。在店主上下打量之下，舒謬在前面一邊帶路一邊說著「他沒問題，他跟我一道來的」，並且拉著我通過同樣也失靈的人阱，進入店內。

一、兩個人從噪音的暴風圈邊緣，探出頭來查看究竟發生了什麼事——沒有搶匪，也沒有未來潛在的客戶——然後立刻把頭縮了回去，看看剛才把頭伸出去的時候，切割輪切下來的一微米鑽石是否切了太多了。

在房間之中，大約有五張長桌像肋骨排列的方式一樣地擺放在一起。每一張桌子嵌入三、四個金屬轉輪；每一個轉輪面前坐著一個切割匠；切割匠坐在一張高椅上，弓著身子切割鑽石。為了節省全世界房價最昂貴地段的寶貴空間，每一張桌子的兩側都安置了座椅，因此每一個切割匠面前都坐著另一名切割匠，而與坐在身後的切割匠之間的距離也只不過幾英寸而已。如果你一天坐在椅子上工作十到十四個小時，抬頭看到的就是坐在你對面那位老兄的臉，那麼你可真會希望他是一個風趣的人。

鑽石工廠內的燈光獨一無二，再也找不到任何一個地方有類似的燈光。當未經雕琢的鑽石的褐色外層被磨下，露出水晶般清澈透明的鏡面之後，隨著金屬切割輪的轉動，鑽石的細小微粒剝落，與金屬切割輪上純淨無雜質的油脂混合在一起。以極高速度轉動

的切割輪，把混合了鑽石細小微塵和輪上油脂的微粒甩入空氣之中；這些膠黏微粒隨著空氣漂浮到距離最近的牆面，或距離最近的人身上，然後附著在上面。

因此，鑽石工廠內的每一寸地方都是灰色的，而且是昏暗單調的灰色。牆壁是灰色的，地板是灰色的，燈具是灰色的，切割匠的手和臉是灰色的，襯衫、褲子、鞋子是灰色的，甚至連窗戶也是灰色的。你可以把工廠設在一千英尺的地面下，或是矗立於紐約市、一幢有著晶亮玻璃帷幕的摩天大廈的第四十層樓，但是從灰色晦暗的窗子看進去，你根本看不出其中有任何分別。

每當我看見這些幽暗如地底王國的工廠所製作的、巧奪天工的寶石，總是讓我眼睛為之一亮；這種心情有如我在印度寺院附近的一方池塘，看著一朵粉紅色的蓮花從唯一能夠滋養它的一團爛泥和垃圾中亭亭而立。佛教徒十分珍愛此一隱喻：**我們能夠如同蓮花一般嗎？我們能夠接受生命中的苦痛與混亂，在苦痛與混亂之中成長茁壯，進而成為世間稀有的珍寶——一個真正慈悲的人嗎？**

絕無僅有的傑作

舒謬先生說明了幾個要點，然後要我坐在一張搖搖欲墜、嘎吱作響的高椅上；坐在我對面的是切割匠納丹（Natan），另一邊則是霍格斯（Jorges，即西班牙文的

「George」）。納丹是一個來自布魯克林哈西德教派的猶太人。他每天搭乘一輛特殊的公車來上班；公車上，女人坐一邊，男人坐一邊，走道中間用一個布簾隔開。當那台老舊、大黃色、原本載送學生上下學的公車穿過布魯克林橋，上行至中國城、抵達鑽石區的路上，車上分坐兩邊的男女各自做著禱告。

納丹很幸運，他有一紙合約，固定為一家大規模的珠寶製造廠商切割二十五分的寶石或四分之一克拉的鑽石。通常來說，這不是一個能夠賺大錢的差事──他切割寶石所投入的時間和技術成本，幾乎接近或多過完成切割之寶石的成本──但珠寶製造商做的是精緻珠寶的生意，同時提供穩定的切割數量，納丹也開出一個合理的價格。因此，如果納丹工作得夠勤快，溫飽就不成問題。

霍格斯的境遇則截然不同。在鑽石切割琢磨這個行業之中，有許多波多黎各籍的工匠，霍格斯也是其中之一。他傲慢自大，反覆無常；有時候出去縱飲狂歡，好幾天不見人影，有時候回波多黎各好幾個星期，然後突然回工廠上班，好像他只是出去喝個咖啡一般。

但是，他的才華真是令人激賞！沒有人的手如他這般靈巧，如蜻蜓點水般輕巧地穿梭在切割輪之下，把最難處理、未經加工的寶石切割成一件絕無僅有的傑作。人們把全世界品質最佳、未經琢磨的寶石交託給霍格斯。此刻，他正不慌不忙，以平穩的手法把

一顆十二克拉、發出緋紅色光芒的鑽石對著不停呼嘯的切割輪。一旦完成切割，那寶石可以賣到超過五萬美元的價格。

舒謬從他的工作檯邊緣拿了一把老舊、但絕對經用的鑽石抓撐器給我。那張工作檯的邊緣有數個孔洞，插滿了各式各樣奇特的工具；它的年代追溯至鑽石切割業的初期，還真是一個古董，或許舒謬就是坐在這張工作檯前學習鑽石切割的技術。那把鑽石抓撐器的握臂是用上好的硬木製成的；在握臂的末端有一塊頸狀的厚銅，頸狀厚銅的另一端是一個鉛球。

舒謬把一盞小酒精燈放置在他的手肘上方，然後把鉛球的一緣放在小酒精燈上加熱，直到鉛軟化為止。接著，舒謬迅速地把一塊未經加工的生鑽放在鉛上，再用指甲快速地把生鑽往下壓緊固定。

鑽石完美無缺的原子結構不僅使它成為宇宙中最清澈透明的物質之一，也使它成為傳導熱與電流的最佳導體。把一小塊正方形的鑽石置於一個敏感的電氣接頭上，例如衛星的一個小開關，可以確保電氣接頭不會過熱，也不會故障失靈，因為沒有其他任何物質如鑽石般具有吸收熱源的功能。

事實上，在美國航空暨太空總署的眾多產品之中，都能發現鑽石的蹤影。我記得，美國航空暨太空總署曾經向附近一家公司購買了一顆巨大的鑽石──它必須幾近完美無

瑕，其直徑的大小必須恰到好處——用來覆蓋送往火星的衛星攝影機的鏡頭，因為鑽石幾乎可以阻擋任何種類的酸性物質或其他的腐蝕物質。他們甚至切了另一塊鑽石做為備份，以免第一塊鑽石出了差錯。

我無法想像，這兩塊鑽石花了太空總署多少經費。無論如何，舒謬必須快速移動，因為鑽石傳導熱源的功能甚至比金、銀之類的金屬更好，可以在你手上留下一塊小小的嚴重灼傷。

親手琢磨不簡單

舒謬交給我一塊沈甸甸的「圓粒金剛石」（boart），做為我生平第一次切割的金剛石。圓粒金剛石是大自然創造鑽石的失敗產品之一。它的生成是因為構成鑽石的原料沒有完全結晶化，使鑽石的內部像一塊混濁、呈坦克綠的果凍，而不像一塊冰。這些圓粒金剛石的唯一好處就是磨成粉末，用在切割輪上；或者當切割輪的鐵輪被一塊「難以駕馭」的鑽石鑿出一道刻痕，就可以把圓粒金剛石放在刻痕之處，做成一個平坦的面。

那塊未經處理的圓粒金剛石重一、兩克拉，但價值不超過十美元，因此如果我把每一個角度都切壞了，也不會對我們造成任何損失。鑽石切割的角度必須完美無瑕。在宇宙的自然生成物質之中，鑽石具有最高的折射率（或折光率）；此一特性同樣歸因於鑽

石完美的原子結構。所謂「折射」是指物質讓光線進入，再把光線從一個琢面或內鏡曲折穿過正對面的琢面，然後折射回到觀者眼睛的能力。

如果鑽石底部的角度或鑽石尖端太窄，那麼光線將從鑽石背面或側面折射出去，使鑽石顯得單調呆板，連外行人都看得出來。如果鑽石的底部切得太平，那麼光線將一路從鑽石的頂端穿過底部，如同穿過一只玻璃水杯的平板底部一般，鑽石根本閃耀不出任何光芒。對於初學者來說，最困難的切割技巧之一，就是把鑽石底部琢面的角度切得分毫不差，即四十又四分之三度，不能多也不能少。

此時，鑽石切割名家舒謬根本不打算讓我使用可以自動設定角度的儀器；我只能把圓卵形的金剛石固定在一個銅柄末端的鉛塊上。為了取得正確的切割角度，我把銅柄彎了一彎，然後把它定定地置於切割輪下。幾微米的鑽石被刮了下來，接著我必須迅速地把金剛石移到珠寶放大鏡（寶石或鐘錶商人所使用的強力擴大鏡）下，用一個形似鐵蝴蝶的奇特工具查看角度是否正確。

那只強力擴大鏡的焦距大約一英寸，也就是說，大約有半天的時間，我都必須把我的臉貼著我的手掌工作。我用我的鼻頭維持支撐強力擴大鏡的指狀物的穩定；如此一來，即使沒有用手支撐，在你使用強力擴大鏡檢查金剛石內部的碳斑的時候，也足以保持穩定，避免晃動，這有點像地震發生的時候，你把自己關在一個小櫥櫃之中，用顯微

鏡尋找跳蚤一般。

大約過了半個小時我才發現，我看了半天，看的竟然不是金剛石內部的碳斑，而是我手指皮膚上的毛孔。我支撐著角度測量儀、強力擴大鏡，以及固定金剛石的儀器，努力試著不讓我的手指抖動；我從正確的角度查看光線；我屏住呼吸，努力不去聽周圍切割輪所發出尖銳刺耳的聲音；這還真有點強人所難。我用一隻眼睛的餘光瞧著鐘面的指針滴滴答答、緩慢地向下班的時間移動；指針越接近下班時間，它似乎走得越慢。

落下一顆鑽石

突然之間起了一陣小騷動，我看見霍格斯——倒不如說我看見霍格斯的臀部（他有點圓圓胖胖的）——雙手雙腳連同鼻子貼在地面上到處爬行。我後來才知道，在鑽石業，當某個人把鑽石掉在地上的時候，就會出現像霍格斯四處爬著找鑽石的動作。在其他地方不會有如此的景況：一屋子的大人，他們之中有許多是上流社會的千萬富豪，雙手雙腳地在地面上爬著，把地毯上的每一個小毛球扯下，小心翼翼地撕開毛球，試圖找到從切割輪下彈出或從某人的鑽石鑷子落下的一顆鑽石。

在鑽石分級學院，如果有一顆鑽石不翼而飛，我們非得找到不可，否則誰也甭想回家。有一次，我們足足留在學校三個小時。那顆璀璨美麗的大鑽石像子彈一樣飛過教

室，落在任課教師的講台一角；我們一次又一次地搜尋每一寸地板，最後才在講台上找到了它。

霍格斯原本是靜悄悄地趴在地上四處尋找，然後搜尋的聲音漸漸大了起來，並且開始用西班牙文輕聲地詛咒著；接著納丹也趴在地上，加入搜尋的行列。此時，霍格斯情急地看了舒謬一眼，意思是說：「我們這兒出了狀況，你可不可以過來幫幫忙？」幾分鐘之內，店裡的每一個人都發揮兄弟同胞之情，放下手邊的工作趴在地上，留著幾顆價值數十萬美元的鑽石在高速轉動的切割輪下等待切割。霍格斯弄丟了一顆鑽石，一顆十二克拉的鑽石；它是店裡難得接手的最大鑽石。

我們一直搜尋至深夜。剛開始，我們趴在地板上一寸一寸地找，然後是窗台（幸好那些窗子已經好幾年都沒打開了，因此我們不必擔心那塊鑽石從窗戶飛了出去，落入某一個幸運的寶石交易商手中；過去在四十七街，類似的情況屢見不鮮）。接著是每一個人的襯衫口袋（一個鑽石最喜愛的藏身之所），然後是褲腳的翻邊、鞋子、襪子，再來是皮帶底下、褲子裡、內衣裡、袋子裡、盒子裡以及裂隙破洞裡。

我們甚至檢查每一個人的頭（如果他頂上有毛的話），因為小顆的寶石通常會卡在頭髮裡面，然而還是一無所獲。然後，我們又把每一個地方重頭找了一遍，然後又一遍。店裡的每一個人都留下來幫忙搜尋，也清查了每一個角落、每一處口袋，仍然不見

鑽石的蹤影；每一個人都摸不著頭腦，納悶鑽石怎能不翼而飛。在我們放棄搜尋之前，幾乎已經快要天亮了。

這件鑽石失蹤記是一個例子，說明一個人亟需旁人援助的時候，你所付出的慈善寬容或落井下石的行為，可以在你的心中留下多麼強大的銘印。在鑽石界，諸如此類的意外發生的時候，你可以運用一些保險政策，賠償意外所造成的損失，但是幾乎沒有人能夠負擔得起。霍格斯可能得花一整年的時間去清償丟失鑽石所欠下的債務，而你也大可以放心，他絕對會清償債務，因為那是每一位鑽石切割匠所奉行的規範。在這個意外之中，每一個人放下手邊的工作，尋找失蹤的鑽石，幫助一個亟需援助的人；如果我們停下來伸出援手，或忽略他的需要，那麼銘印（好的或壞的）就深強多了。

誠信繫於一心

隔天早晨，那間鑽石切割店的店主接到一名切割匠打來的電話。那名切割匠的店面位於隔幢樓的樓下；他問我們有沒有丟了一顆大鑽石？他在地板的一個角落發現了那顆鑽石。這是我第一次見識到，在鑽石切割業，幾乎每一個人都光明磊落，正直誠實，使我深深動容。

我們認為，那個鑽石大概是從切割檯的金屬包角彈跳了出去，平飛穿過地板，鑽入

一個裝飾板條的細小裂縫之中，一路穿過牆壁底下的一個缺口，從裝飾板條另一端的裂縫中冒了出來。不用說，霍格斯自然是感激萬分。

當你出手協助或忽視一個亟需援助的人，你的心中將留下較強烈的銘印（好或壞的銘印）；同樣地，當你幫助或忽視的對象是一個曾經鼎力支持過你，或是一個性格特殊的人物，銘印也因此而增強。

輕率無禮地開除一名只在公司服務一段很短時間，沒有特殊貢獻的員工是一回事，但是解雇一個長期以來，胼手胝足一起擴展公司業務的員工，只因為他即將屆臨領取特別退休福利的工作年限，又是另外一回事。遲繳電話帳單是一回事，但是某個人出自一片良善真誠之心，把一箱價格高昂的鑽石交託予你，而你卻違反了你們之間的口頭約定，又是另外一回事。

在寶石這個行業，立下了許多協定。在傳統上，整個鑽石大盤交易商圈奉行「嗎左」（mazal）這個概念。「嗎左」是意第緒語（Yiddish，猶太人使用德語、希伯來語等的混合語言）「mazal un b'rachah」的縮寫，意指「健健康康地過活」。在鑽石商之間，「嗎左」是指「成交」。

在鑽石行業最高層級之中的大多數人，把「嗎左」或口頭承諾的概念發揮得淋漓盡致。他們透過電話買賣交易價值數百萬美元的寶石；有時候買賣雙方素未謀面，光憑

「嗎左」這一個字，就完成交易。一旦「嗎左」說出口，無論買賣價格高低，你就得保持信譽，兌現這筆交易。

重信守諾是鑽石業界的核心精神。在鑽石業界，違背諾言之事聞所未聞。在經過一場強硬激烈的談判協商之後，買賣雙方都說「嗎左」，那麼交易就拍板定案，誠信全繫於一心。買賣雙方之間沒有契約，也沒有簽字畫押。你將支付當天你所同意，並且承諾支付的金額，因為你說了「嗎左」。

你可以想像，當你漠視「嗎左」的精神，或反對一個具有優秀卓越人格的人，那銘印在你心中留下的痕跡就深強許多。關於這一點，有一個被稱為「掉包」、違反鑽石業另一個神聖傳統——「寄賣」系統的例子。

假設鑽石交易商A君，遞送了一個裝了三百顆一克拉鑽石的包裹或小紙盒，給交易商B君寄賣。B君花了幾天的時間，小心翼翼地檢查每一顆鑽石，決定是否買下所有的鑽石，或只買一部分，或一顆也不買。如果他決定買下所有的鑽石，他肯定能拿到一些折扣。而他所希望的折扣將成為雙方來我往、談判協商持續發燒數星期的焦點。

如果B君決定只買一部分A君提供的鑽石，那麼依照慣例，A君有權力針對B君打算購買的鑽石，索取更高的價格。這是因為在一個盒子裡最好鑽石的價格，通常比在同一個盒子裡面，最難看的鑽石高出許多。因此，當你從盒子裡面挑選出最好的鑽石，你

自然得多付一點。

如果B君是一個寡廉鮮恥、不講道義的人，他可以在幾天之後打電話給A君，並

說：「我剛剛抽空看了看你送來的鑽石，我真不敢相信，你竟然送給我這種垃圾

（drek）。立刻叫你的保全人員過來，把它們帶回去。把這些爛貨放在我的珠寶裡，真是

丟人現眼。」

（在意第緒語中，drek 意指垃圾。如果你找碴的對象是一個印度籍鑽石交易商，

你就得用 karab 這個字眼。如果對方是俄羅斯人，你說 musor。不論是用哪一種語言都

不打緊，反正你已經明白這中間是怎麼一回事了。當你向其他人購買鑽石的時候，那些

鑽石就是「垃圾」。相反的，當你出售鑽石給其他人的時候，即使那些鑽石跟今天早上

某人提供出售的「垃圾」一模一樣，它們就是品質優良、物超所值的鑽石。）

在那幾天之中，B君檢查了A君的鑽石，而且是十分仔細地檢查。他從中挑出一、

兩顆最有價值的鑽石，再從他自己的存貨裡面揀選幾顆品質較差、但重量相等的鑽石放

進盒中，魚目混珠。那一盒子的鑽石如雪片一般，沒有任何兩顆鑽石是一模一樣的，也

沒有人有那種記性，可以分毫不差地記住每一顆鑽石的模樣，尤其像安鼎所擁有的鑽石

存貨，就拿二十五萬顆鑽石來說吧，根本沒有人會注意到哪幾顆鑽石被調包了。

心如同敏感的底片

我們確實得想出幾個法子，來查出我們是否成了騙人把戲的受害者。由於鑽石硬度的關係，我們無法在鑽石表面留下任何刮痕；它可不像拿一只別針，在石頭上刻下你的姓名縮寫那般輕鬆容易。如果你真想在鑽石上留下記號，鑽石業界已經發展出極為精準細膩的雷射技術，可以在鑽石的一面烙下一個微小的識別號碼（但是此一手續十分昂貴，除非是更有價值的物品，才值得投下這筆花費）。我們也使用X光去鑑識偽鑽和用來濫竽充數的鑽石。我們的廂型車裡也放了一台可攜帶式的X光機，在不同的地點即可隨車檢驗，一次能夠鑑識數千顆鑽石。

事實上，把鑽石調包的交易商少之又少；鑽石調包之類的事做多了，遲早會露出馬腳，讓人發現他的欺騙行徑。（不誠實和愚蠢常常伴隨出現，如同鑽石和石榴石（深紅色寶石）的存在一般，當採礦者看見紅寶石之際，就知道附近可能開採得到鑽石。）而且這種消息傳得很快，一、兩天之內就人盡皆知了。當他再要求其他的交易商遞送鑽石包裹的時候，他所得到的答覆千篇一律，肯定都是：「沒有，我們今天沒有這類的鑽石。」

此處的重點是，B君褻瀆了A君神聖莊嚴、全心信賴的對待；B君傷害了一個信任

他的人，他踐踏蹂躪了重信守諾（mazal）所代表的榮譽體系。而他的所作所為也在他的心中留下更深的銘印。

行善作惡的方式也影響了心之銘印的強弱程度。 例如，你不僅沒有及時付清鑽石供應商所應獲得的款項，你還編造了一連串的藉口做為搪塞。在商場上，我聽過幾個出名的推託之辭：

「支票上星期已經寄出去了；你也知道紐約的郵遞系統的嘛！」

「我們處理帳目的經理搬到大樓的另一間辦公室去了；不知道，我們還不知道他的分機號碼。」

「我們更動了我們的會計軟體，支票只有在隔週的星期五才能做出來。」

「我知道期限是九十天，但我們以為是我們完成鑽石的分級歸類之後的九十天。」（鑽石的分級歸類可以拖個幾星期才做得完。）

「即使像可口可樂這種大公司都得多花個幾天的時間，這有什麼大不了的？」

（多花幾天是沒什麼大不了的，只不過你說這話的時候，其實已經晚了兩個月了。）

「我們現在真的忙不過來；我們會在一、兩天之內把你的支票準備好。到時候

你過來一趟怎麼樣？午飯過後好嗎？」（意思是說，我們的會計部門已經接到指示，在星期五下午銀行關門之後十分鐘，再把支票交給你，如此一來，我們又可以多賺三天的利息。）

當然，最出名的方法就是「避而不見」。把會計部門的電話線全部拔掉；或如果你夠狠的話，就在電話裡加裝一段聲音甜美嬌柔的錄音：「你的來電對我們十分重要！敝公司的主管正在服務其他重要的客戶，請稍後幾秒鐘！」每隔三十秒左右就重新播放一次，並且錄一段令人厭惡的音樂做為背景音樂。由於你所使用的方法如此不堪，這個負面行為所留下的銘印就深強許多。

最後一個影響銘印如何植入心中的因素，與思想（意）、語言（語）、行為（身）的結果有關；也就是說，**你慶幸自己做了那件事嗎？你會再做一次嗎？你執著於它嗎？如果答案是肯定的，那麼無論你是作惡或行善，銘印的作用都因此強烈許多。**

這些都是心理銘印的原則。我們的心如同一張非常敏感的底片，無論我們拍攝了什麼——特別是無論我們看見自己善待或惡待他人——都會在底片上留下影像（在心中留下銘印），如同一隻鴿子或一匹狼走過剛剛下了新雪的雪地上所遺留下來的痕跡。

這些銘印如何影響我們的生活？我們能夠善用這些銘印嗎？我們能夠讓所有的事物

依照我們所想望的方式發生嗎？為了讓讀者了解，我們必須在潛能的原則和潛能本身之間做一聯繫。

譯注

❶ 須菩提。若菩薩作是言。我當莊嚴佛土。是不名菩薩。

❷ 何以故。如來說莊嚴佛土者。即非莊嚴。是名莊嚴。

❸ 業即行為，有身的行為、語的行為、意的行為三種，即身業、語業、意業。每一種行為皆有善、惡、捨（即不善不惡）之分。本書原是針對西方人士所著，故作者用心之銘印來解釋，以方便西方讀者理解。本地的讀者可以把銘印想成種子。

【第六章 如何善用自性潛能】

須菩提。於意云何。
若人滿三千大千世界七寶。以用布施。
是人所得福德。寧為多不。須菩提言。
甚多。世尊。何以故。是福德。
即非福德性。是故如來說福德多。
若復有人。於此經中。
受持乃至四句偈等。
為他人說。其福勝彼。

此刻，我們已經掌握了解開謎題的所有線索，也擁有了運用古老西藏的深奧知識於生活事業所必須通曉的每一件事情。現在我們只需要把它們融會貫通即可。

首先，我們已經了解了每一件事物都蘊含了一種潛能，一種成就各種結果的易變與無常。在我們所遭遇的人群之中，沒有一個人本身是令人不悅的，因為總是有某個人認為他們具有迷人的風采。無論在我們眼中，他們是充滿魅力或討人嫌惡，這種印象的好壞都非來自他們本身。那麼它從何而來？顯而易見地，它來自我們本身，來自我們的心。

將銘印轉成優勢

如果每一件事物的好壞都源自我們的心，那麼我們是否能夠就此決定，把所有降臨於自身的厄運都看做一件好事？把每一筆吃虧的交易視為有利的交易？你明白這種做法根本行不通。你無法光靠「希望」去買一幢房子或送孩子上大學。很明顯地，不管是什麼因素影響我們看待事物的方式，我們都不斷地受到那個因素的支配左右；也就是說，無論是什麼因素促使我們認定事物的好壞，那個因素都一直強迫我們用那個方式看待事物的好與壞。

這所有的一切，全都源於前一章節所探討的心理銘印。而佛教智慧的藝術就在於把心理銘印轉而成為你的優勢。為了達到此一目的，你必須先了解銘印運作的方式。讓我

們回頭向《金剛經》請益。

世尊說，

喔，須菩提，你認為呢？如果有善男子善女人以盛滿三千大千世界❶的七種珍寶來行布施，那麼，這般的善男子善女人將因如此的布施而獲得大量的福報？❷

佛陀的開示有些深奧難解，或許我們最好請邱尼喇嘛就每個偈誦加以闡釋說明：

在《金剛經》中，佛陀希望藉此段文字說明一個確鑿無疑的事實。在先前的段落之中，我們已經討論了企及最高境界的行為，以及傳授他人此一法教的行為等等。

事實上，這些行為，以及宇宙的其他任何事物，都不存在。但是，它們的確確存在於我們的觀感之中。因此之故，任何行布施之人確實創造了善業，積聚了福德。但任何細察這些事物背後原則（即《金剛經》所傳佈的法教）的人，任何精進思惟、進而修行的人，則創造了更偉大無限的善業，累積了更多的福德。

為了傳達此一要點，世尊問了須菩提以下的問題做為起始：「你認為呢？如果有善男子善女人以盛滿三千大千世界的七種珍寶來行布施……」

針對此段經文中的「大千世界」，《俱舍論》（Treasure House of Higher Knowledge）一書有以下的描述：

每一千小世界為一「小千世界」，

每一小世界由四大洲組成（即東聖身洲，南贍布洲，西牛貨洲，北俱盧洲），世界中央有一座山系（即須彌山），

每一界居住著特殊的眾生，

一域淨土在此世界之上。

每一千「小千世界」為一「中千世界」，

每一千「中千世界」為一「大千世界」。

佛陀進一步宣說，「如果有善男子善女人以盛滿三千大千世界的七種珍寶來行布施，即金、銀、水晶、琉璃、珍珠、瑪瑙、車渠七寶。那麼，這般的善男子善女人將因如此的布施而獲得大量的福報嗎？」

讓我們回到《金剛經》：

須菩提回答，

喔，世尊，是的，福報甚多。這般善男子善女人由於這種布施的因緣，所得到的福報是很多的。喔，世尊，他們所得到的福報是很多的。何以如此？喔，世尊，因為這些福德不具實體，從不存在，因此之故，如來便說「福德甚多，福德甚多」。❸

邱尼喇嘛解釋此段經文：

須菩提回答，福德甚多，而這些福德僅僅存在於我們的觀感之中，僅僅如夢幻般存在：這些福德本身是不存在的。就事物的表象而言，如來所說的「福德甚多，福德甚多」，就不是真正的福德，所以才名之為福德。

這段文字包含了各種不同的論點。過去所行的善業與惡業，以及未來將行的善業與

惡業，即是在過去已經終止的善業與惡業，以及未來尚未造作的善業與惡業。

每一件事都是中性的

因此之故，這些善業與惡業並不存在。然而，以更廣義的角度來看，它們確實存在。我們也必須承認，這些善業與惡業留存在造業者的意識之中，未來將產生善或惡的業果。在上述的經文之中，包含了這些以及其他難懂的議題。

《金剛經》又指出，

世尊說，

喔，須菩提，如果有善男子善女人以盛滿三千大千世界的七種珍寶來行布施。又如果有善男子善女人遵循維護這部經典，哪怕只念四句偈，並正確地為他人解說，正確地教授他人，那麼這種人所得的福報，將遠勝於那些布施的善男子善女人。這種人將成就無量無邊的功德。❹

邱尼喇嘛針對此一偈頌的解釋如下：

首先，我們應該先談一談「偈頌」的含意。雖然藏譯本的《金剛經》不是以偈頌的方式呈現，但《金剛經》的原始梵文版本卻是以偈頌的方式寫成。遵循維護這部經典的「遵循維護」意指，「將這部經典的教授謹記於心」或「背熟記住」。它也可以解釋為「手中握住一部《金剛經》，大聲朗讀經文」。

「正確地為人解說」意指念誦經文，並且正確地解釋清楚經文的含意。「正確地教授他人」意指，正確地教授經文的含意，這也是最重要的一部分。

假若有人遵循維護這部古老的經典，正確地為人解說，正確地教授他人，而非只以盛滿三千大千世界的七寶來行布施，那麼這種人將成就無量無邊的功德。

因此就某種意義來說，**我們所遭遇、經歷的每一件事都是「中性的」或「空的」**。換句話說，**無論我們從事件中獲得令人愉悅或令人厭惡的感受，那感受並非來自事件本身，而且非我們所能控制。**

更確切地說，那些感受來自我們本身，而且非我們所能控制。

心理銘印的奧祕即在於此。如我們先前所述，當我們行善或作惡之時，心理銘印透過我們的自覺，被植入於心。心理銘印植入於心的強弱程度，依各種不同的因素而定，包括我們的動機、情緒的強弱、我們對於自身行為的覺知程度、我們的行為方式、我們對於自身行為的執著程度，以及我們採取行動之對象的背景——他（她）亟需援助、他

（她）曾經對我們施予慷慨的協助，或他（她）擁有特殊的人格特質。

在心的跑道等待起飛

接下來我們要討論心理銘印如何左右我們對周遭事物的認知。根據佛教的古老經典，心的錄影機或攝影機在一彈指之間，可以記錄大約六十五個分離、不連續的影像或銘印。你可以說，這些銘印進入了我們的潛意識之中。它們在潛意識之中停留數天、數年或數十年，並於心緣起生滅的每一個剎那之間一再地重現，如同電影一格格的畫面一般，因為放映的速度之故，使我們把原本分隔的影像誤以為是連續的影像。

如同自然界的種子一般，種子被植入心中之後，呈指數般不斷成長。心理銘印被植入心中第一個月之後，到了第二個月，其強度增加為兩倍；到了第三個月，其強度增加為四倍；到了第五個月，其強度已是原先強度的十六倍。

如果你仔細思考，此一原理並無驚人之處。把一粒幾公克重的橡實，對照於幾公噸的成熟橡樹，每一公噸的橡樹，其實就是一公克的橡實。西藏的古老智慧指出，心的種子也是如此。同樣地，如果你把現今美國聯邦政府龐大的官僚體系，對照於西元一七○年代，美國開國元勳心中所構思的新政府，其實是相同的。你不妨想一想，從你小時候第一次了解金錢為何物開始，一直到之後的歲月中，你花了多少時間，多少心思追求

財富。

我們接下來所要談論的一個概念，西藏人稱之為「堪延千波」（kenyen chenpo），即獲得利益的大潛能和招致損失的大風險同時兼具之意。我們之於他人所做的行為，即使再微不足道、再無心，都會在我們的心中播下種子：待種子成熟開花之時，原本微不足道的行為已經長成巨大的經驗感受。那麼，那些種子是如何成熟開花的呢？其中運作的規則則為何？

我們的心如同一個巨大的容器，容納成千上萬個心理銘印。這些心理銘印就像在機場跑道上排成一列，等待起飛的飛機一般。根據我們先前所討論的原則，較強的銘印先起飛，較弱的銘印則遠遠落後，等待起飛。然而，當較弱的銘印在心的跑道上等待起飛的時候，它的強度每一分每一秒都在增強。無論何時，當我們又對某個人做出某種行為，那行為在心中所植入的銘印比先前存在的銘印更強烈的時候，這個新植入的銘印就移到等待隊伍的前面，如同機場的控制塔台呼叫一架飛機先行起飛一般。

當銘印的飛機起飛的時候——也就是說，位於潛意識的印記到達了意識層面——無論當下我們正在從事何種行為，它都影響左右（甚至決定）我們的整個觀感。例如，在你的面前出現了一個油桶狀物體，其上有著四條不停移動的肉色圓柱體，然後一個銘印從潛意識層面到達意識層面，要求你把這個全新的物體當做一個「人」。

銘印如何開花成熟

有四個規則說明過去的銘印如何在心中開花成熟,從而左右你看待事物的方式:

(1) **經由銘印所生成的感受,必須與銘印的內容相符。**

換句話說,經由一個負面行為——你傷害他人——所植入心中的銘印,最終只能夠促使你把傷害他人的行為視為一個不愉快的經驗。同樣地,經由一個正面行為——你幫助他人——所植入心中的銘印,最後只能夠促使你把幫助他人的行為視為一個愉悅的經驗。簡而言之,一個負面的行為只能導致負面的結果,一個正面的行為只能導致正面的結果。我們可以假設,當耶穌基督說出「葡萄絕不會從刺中生長,無花果也絕不會從薊中生長」這句話的時候,祂心中也有相同的想法。

(2) **銘印停留在潛意識的時候,它的強度持續不斷地增強,直到它茁壯成熟,迫使我**

在那個油桶形物體上方的蛋形物體中央,出現一個粉紅色的橢圓形物體;然後在粉紅色橢圓形物體之內,有一個紅色閃亮的圓柱形物體開始快速地前後顫動。在紅色閃亮圓柱體周圍的分貝強度迅速改變,夾雜著以特定方式混合的音節和母音。在此同時,於過去幾天植入潛意識層面的負面銘印升至意識層面,指示你把眼前的新情境解釋為「老闆對著我大呼小叫」等等。

們經歷一些好的或壞的感受。

我們已經探討此一現象。其要點在於，即使是十分微小、幾乎出自無心的行為都能夠在未來引發巨大的經驗感受。

(3) 從來沒有任何感受的存在，除非引發感受的銘印已經先植入心中。

重點在於，我們所經歷的每一種感受，都是由先前的銘印引發出來的。我們周遭發生的每一件人事物，甚至我們自己的思想，都起於從潛意識升至意識層面的銘印作用，使我們意識到人事物的發生。

(4) 一旦銘印被植入於心，它必定產生一種感受；沒有一個銘印是白白不起任何作用的。

第四條規則有點像第三條規則的反題。的確，從來沒有任何感受的發生，除非先前的銘印引發了感受；同樣真確的是，一旦銘印被植入於心，必定導致一種感受。銘印從來不會被白白浪費；它們總是產生作用，總是使我們產生一些感受。

順便一提的是，第二條規則引自本章節一開頭節錄的《金剛經》片段。而在本書所提出的所有要點之中，它是獲致事業成功、人生圓滿的最重要規則：如果我們了解銘印使我們對原本「中性的」「空的」世界產生錯誤的觀感，那麼我們所造的業即使微不足道，也將導致巨大的後果。

自覺的創造

為了說明此一真理，佛陀告訴他的弟子須菩提，與其給予一個人整個世界，甚或十億個覆滿珍貴珠寶的世界，倒不如閱讀《金剛經》，哪怕只是念四句偈。這是因為一個人如果仔細了解銘印如何影響我們看待世界的方式，那麼我們就能夠有自覺地創造一個圓滿的人生，一個完美無瑕的世界。我們越是了解銘印作用的過程，那麼植入心中的種子──即使是無足輕重的行為（身）、語言（語）、思想（意）的種子──越圓滿有力，改變我們周遭世界與內心世界的效力也越強大。

我們目前要做的就是確定我們所追求目標的種類，然後運用第一條規則去辨識可以使我們達成目標的特定銘印。我們稱之為「相互關係」，意思是說，**如果你渴望達成特定的結果，你可以反向運作，找出可以使你看見結果的特定銘印。**

大體而言，**為了創造人生或事業的特定目標所需的特定銘印，往往與人性的本能相反。**舉例來說，假設你的公司在市場上奮力掙扎，資金短缺已成了一個問題。幾乎任何一個陷入此一困境的人或公司，出於本能的反應，都會削減開支；公司致贈的禮品首當其衝，其次是短期出差搭乘商務艙機票的津貼。

接下來遭到削減的不完全是津貼，也不完全是薪資的項目，例如載送加班晚歸的員

工回家的服務。然後是休假津貼；接著是加薪的幅度調降；最後完全不加薪，而且還拿福利開刀——「我們發現了一個更好的健保計畫」是一家陷入困境的公司所做的宣告，它讓資深的員工感到不安，因為它通常意味著現有的福利即將遭到刪減。這種漸進削減支出的方式，也削弱了公司從上層主管至基層員工的士氣，引發各種缺乏寬容慈善的話語：

「目前資金十分吃緊，因此我們必須停止加薪幾個月。」

「公司甚至不給我們加薪，我們為什麼要做牛做馬地加班？」

「沒有一個人認真工作，我們這一次仍然不加薪。」

「如果他們一直不替我們加薪，我們為什麼要努力替公司省錢？」

「我們能夠刪減的開支都已經毫不留情地刪減了，但資金短缺的問題似乎更加嚴重。」

因此，當你面對困難的時候，提防你的本能反應是很重要的。本能的反應可能只會使問題一直存在，無法解決。在藏文之中，這種現象被稱為「擴瓦」（korwa），或「永不停息的惡性循環」。你的公司銀根吃緊，因此你開始採取行動，拒絕給予他人所需要

的援助；你也開始削減開支；而最重要的是，你的想法從開創轉變為守成。

寬容大度的心態

這每一個反應都在你的心中植入新的銘印，而且是負面的銘印。每一次你拒絕給予資金或拒絕提供援助給那些仰賴你的人，你就等於植入了一個銘印；該銘印將使你看見自己和公司被拒絕給予資金和援助。這個現象逐步增強擴大，因為根據銘印的第二條規則：銘印在潛意識停留的時間越長，銘印的力量越大（業力）。接著，當先前資金短缺的問題引發另一波新的財務問題之際，你的反應甚至比之前更強烈，更加一毛不拔，因而製造了第三波的問題。在營運陷入窘境的公司之中，這種每況愈下的情境屢見不鮮。

在我們目前所探討的內容之中，蘊藏了一個顯而易見的含意：面臨財務壓力的時候，我們應該避免刪減開支，以及小氣吝嗇的想法。對此，我必須多做解釋。

我們先前提及，植入銘印有三種不同的方法：透過行動、語言，以及思想本身。截至目前為止，在上述三種方法之中，最重要的是透過思想植入銘印；也就是說，**光是**

[態度]就可以製造最深刻的銘印。

總而言之，當我們面對財務壓力（無論是公司或個人）之時，我們必須避免吝嗇的心態。或許公司真的無法像以往一般，可以提供資金做為員工津貼；或許公司眼前確實

沒有資金，而必須刪除津貼補助，但極為重要的是，千萬不可思想淺薄，滿腦子都是錢；不可失去創造力；也不可在財務困難的侷限之中，喪失了寬宏大度的眼界。

如果你的心態沈淪，眼界狹窄，即使在目前的財務狀況之下，你仍然有能力幫助他人，但你拒絕提供協助，那麼你所製造的強大銘印將影響你的事業是否能夠起死回生。

此刻，我們應該提出另一個重點。我們不是在談論態度（意，思想）如何影響你對財務狀況的觀感。更確切地說，我們正在把一個過程的細節攤開來；而事實上，這個過程將決定你對周遭事物的觀感。我們不是在討論你無法支付帳款的感受，而是在討論你的感受實際上決定了你是否能夠支付帳款。此一前提十分深奧，但把它放在如何經營事業的系統之中，卻空前的簡單直率：**金錢本身是經由維持一個寬容大度的心態所創造而來的。**

找尋鑽石礦脈

讓我們隨便舉一個例子。

平心而論，鑽石根本一文不值。那些醜陋變形的小鑽石、褐色和黑色的圓粒金剛石，或工業用鑽石不比碎石來得高級，卻在經濟的世界中扮演了舉足輕重的角色。諸如汽車引擎、飛機的重要零件，都必須用碳鋼製成。碳鋼本身必須被削尖磨利，而鑽石是

世界上唯一的，也是最佳的削磨工具。

因此之故，人們過去把鑽石、鈾、鈰等物質一起視為戰略上重要的礦物，也是現代工業絕對必需的礦物。許多年來，美國政府儲備工業用鑽石，以因應戰爭或類似大災難發生時所需的用量。當時，只有在非洲少數國家的河底礦床之中，才找得到工業用鑽石。

在冷戰期間，美國政府甚至採取行動，以確保工業用鑽石不再輸入類似蘇聯等東歐聯盟國家。諷刺的是，美國此舉迫使俄國人在蘇聯境內全面搜尋，以尋找屬於自己的鑽石礦脈脈管。

鑽石礦脈脈管有如一條巨大的胡蘿蔔，其範圍可以從礦脈脈管露出地表之處，往下延伸數英尺至數百碼。我們在鑽石礦脈脈管上向下鑽挖數百英尺、數千英尺，越挖越深，鑽石礦脈脈管也隨著深度越來越窄，也越難開採鑽石。

事實上，鑽石礦脈脈管是古代熔岩從地心衝上地表的管道；在熔岩往地表上衝的同時，也攜帶了尚未生成的鑽石。這些管道之中充滿了名為「kimberlite」的綠色礦石；你可能必須挖出一噸綠色礦石，才能找到如鉛筆頂端那塊橡皮擦大小的鑽石。因此，與一般人所認為相反的，鑽石之所以價格高昂，是因為它真的需要投入許多成本去開採提煉。

在地球上，鑽石礦脈脈管的分部位置也是支持五大陸曾經連結在一起的證據之一，而分隔各大陸的海洋，則是大陸板塊漂移之後所形成的裂隙。

如眾人所知，第一流的鑽石礦脈脈管分布於南非，世界知名的狄畢爾（DeBeer）農人狄畢爾兄弟擁有的田地中央發現了狄畢爾礦脈脈管；在同一塊土地上，還有一片金柏利礦區（Kimberley Mine）。當時，人們在一對赤貧的波爾（Boer，波爾人，即荷裔南非人）農

大約在一八七○年左右，狄畢爾兄弟以極低廉的價格出售農地之後，狄畢爾礦脈脈管至今已經開採了數百萬克拉的鑽石。而狄畢爾礦場也把它的名號出借給全球知名的狄畢爾鑽石聯合企業（DeBeer diamond cartel）；該企業是一個握有權勢、作風強硬的組織，一百多年以來，掌控了大部分的生鑽市場。

關於鑽石，有一件十分有趣的事。當熔岩從地心攜帶尚未形成的鑽石衝出地表的時候，在地表形成一個圓錐形的熔岩小丘，有如從皮膚底下冒出來的青春痘一般；那圓錐形的熔岩小丘需要歷經一兩百萬年風吹雨打、熱脹冷縮的作用，才逐漸地被侵蝕磨平到與周圍地面同等的高度。

此時，未經琢磨的生鑽從「藍岩」（blue rock，或礦層）中「破岩而出」，大量湧入小溪流之中，然後隨著小溪流進入河川，最後流入海洋。

鑽石的傳奇之旅

在所有的礦物之中，鑽石和金擁有同等的重量，是最重的礦物之一。由於鑽石比一般的石頭堅硬許多，它們很容易從河底的床岩中掘起一個個小小的礦囊。無可避免地，有一些鑽石衝破河底床岩，隨著川流進入大海。只有那些最精純的鑽石——甚至連最微細的裂隙或裂痕都沒有——才能從數十億年的旅程中留存下來。在所有發現鑽石的地區之中，最為人津津樂道，最富傳奇色彩的，或許是位於非洲西岸，橘河（Orange River）流入大西洋的區域。

當鑽石從鑽石礦脈湧入橘河，出了海洋之後，經過幾個世紀強大洋流的推動，那些鑽石被推上了海灘。這些如同爆米花般散落海灘的鑽石，全是品質最優良、最精純的鑽石。在一九○八年，一群德國探勘人員發現了這批鑽石。最深得我心的照片之一，就是那群德國探勘人員雙手雙腳地爬在那片後來稱之為「禁區」（Sperrgebeit or "Forbidden Zone"）的海灘上，撿拾巨大、完美無瑕的鑽石。

在南美的巴西，也有幾個地區的河床佈滿豐富的鑽石，例如靠近岱門提那（Diamantina）的荷昆丁霍納河（Jequitinhonha River）流域；岱門提那是一個充滿瑞士風貌、精巧雅緻的小城，位於米納斯格瑞斯省（Minas Gerais）境內。然而在巴西境

內，根本沒有鑽石礦脈，這些分布於河床的鑽石從何而來？同樣的情形也發生在印度西部的沖積層或河川的礦床之中。早在人們發現非洲的鑽石礦床之前，印度已經出產了歷史上最初幾顆品質優良的大鑽石，其中經典之作包括「科—依—諾爾鑽石」（Koh-I-noor，獻給英國維多利亞女王之後，成為英國國寶），以及歐洛芙鑽石（Orloff）。

拿一張世界地圖過來，把南美洲和印度的末端兜在一起，兜成大陸板塊尚未漂移分離的模樣——當時南美洲和印度分別連接著南非的兩側——那麼蘊藏於河床礦床的鑽石從何而來，就一目了然：位於非洲底部邊緣的巨大礦床，歷經了日曬雨淋等侵蝕作用之後，穿出礦層，並且在各大陸尚未漂移分離之前，散落至巴西境內的河川之中，以及印度的德干高原（Deccan Plateau）。

在許多方面，南非巨大鑽石礦脈周圍土地的地質，與西伯利亞地區的地質相類似。而且正是在美國居中搞鬼，使得蘇聯難以取得非洲供應的工業用鑽石的那幾個年頭，俄國傑出的地質學家伏拉狄米爾・蘇伯列夫（Vladimir Sobolev）發現了此一事實。在蘇伯列夫的帶領之下，一組組的地質學家被派遣至天寒地凍的西伯利亞凍原，尋找鑽石礦脈。

可惜的是，當時幾乎沒有可以在空中探測鑽石礦脈位置的工具，也沒有其他的辦法。你必須得站在一個礦脈上方，才能知道底下蘊藏了鑽石，而且雪上加霜的是，礦脈

可能被覆蓋在經過數世紀堆積而成、好幾碼的泥土之下。

在鑽石界流傳一則傳說，一名女性地質學家在了無人跡的西伯利亞凍原上，四處尋找蘇伯列夫夢想中的鑽石礦脈；有一天，女地質學家出外打獵，看看能不能打到一些新鮮的野味，讓同組的地質學家嚐嚐鮮，打打牙祭。

她看到遠方出現了動靜，一隻紅狐隱入灌木叢之中。她舉起來福槍，用槍上的望遠鏡對準了那隻紅狐。然而，有如天助般幸運的是，她沒有觸動板機。她瞥見紅狐身體一側的皮毛上沾滿了青色的斑點，而那青色正是出自礦脈的鑽石礦的顏色。女地質學家一路追蹤至紅狐棲身之洞穴，並且發現那洞穴一直延伸至一處鑽石礦脈。它是俄國人發現的第一座礦脈；俄國人將此一偉大的發現命名為「和平礦場」（the Mir or "Peace mine"）。

凍原上的礦城

四十年之後，俄國人成為鑽石世界中最強大的勢力之一。在北方浩瀚無垠的西伯利亞凍原內地，佈滿了新發現的鑽石礦脈。在凍原上，有許多「礦城」，整座城市的居民都是礦工。他們居住在懸浮於永久凍土層上方的平台上；平台下方則巧妙地運用打椿的方式，把椿基深深打進凍土之中，用以支撐平台。而空氣調節裝置必須持續地把刺骨的

冷空氣吹送至平台城鎮和下方凍原之間的空隙，以防止凍原的冰雪融化，也避免平台上的城鎮塌陷至半凍半融的泥濘之中。

當俄國人首度把鑽石傾瀉至全球鑽石市場之際，全世界鑽石商的心頭不禁湧起一陣驚恐。我在普林斯敦大學唸書的時候，曾經研究過俄國的國情，再加上得自於英國倫敦附近從事研究的狄畢爾工業部門人員的協助，以及時了解俄國鑽石的最新發展狀況。

從一九七五年開始，我就對所有關於鑽石的事物充滿了貪戀不已的興趣，亟欲了解關於鑽石市場的每一個環節，因此我自願把各種俄國科學期刊上關於鑽石的文章翻譯出來。

我們深感不安，因為我們明白，俄國人已經知道如何在實驗室中製造完美無瑕的鑽石。在此之前，這項技術已搶先被美國奇異公司（General Electric）的科學家研發出來。他們利用巨大、異乎尋常的活塞，使一小片一小片的石墨（鉛筆芯）長期保持在高壓狀態之下，同時進行加熱；整個過程如同鑽石在地底深處的脈管中形成一般。

幸好，利用這種方式生產鑽石一克拉生鑽所需要的電量，相等於供應一個小城鎮幾個小時的電力；用這種方法製造鑽石，比起一噸綠色礦石中提煉鑽石來得昂貴許多，因此一般認為，人工生產鑽石太不划算。鑽石界也可以鬆一口氣，免於完美假鑽的威脅……一顆人造合成或實驗室製造出來的鑽石，無論在哪一方面，都和真鑽一樣精純美麗。

或許俄國人已經找出一個方法，可以便宜地生產人造合成鑽石——如果我們了解鑽石礦脈的開採過程，那麼這似乎是唯一的說法，可以解釋為什麼突然之間，大量的生鑽從西伯利亞傾瀉至全球鑽石市場。

根據我們所知的技術，把生鑽從青色礦石中釋出的過程，需要大量的水。傳統的做法是，利用巨大的齒輪把鑽石礦壓碎成特定大小的石塊（往往也把難得的大鑽石連帶壓成小塊）。

然後，把壓碎的較小礦石混入水中，混成一大團軟糊，散在一張覆滿類似輪軸潤滑油的厚厚油膏的寬桌上。同樣地，由於鑽石完美的原子結構之故，鑽石容易黏附在覆滿油脂的表面上，沒有其他的礦石具有此一特性。那團水和鑽石礦混成的泥漿落在油脂上之後，鑽石會附著在油脂上，剩餘的泥水則從桌邊流走。接下來，人們把那一層輪軸潤滑油刮取下來，集中放置在一個大容器中加熱，使潤滑油融成液體，如此一來，生鑽就集中在容器底部。

然而，我們知道，在北極圈的內陸地區根本無法取得儲存如此大量的水——一旦水接觸了冷空氣，馬上就會結冰。由於鑽石是製造汽車、飛機、飛彈、坦克等產品不可或缺的物件，因此在當時，關於蘇聯鑽石工業的詳情，被列為國家機密；洩漏機密的人依法被判處死刑。

鑽石恆久遠，人卻不行

因此，我們無法得知，在西伯利亞的凍原之下，確實蘊藏了鑽石礦脈；我們也無法得知，俄國人已經研發出一種聰明精巧的新方法，分離鑽石和剩餘的廢礦。你瞧，大部分的鑽石在X光的照射下，散發出微弱黯淡的光芒。有時候，即使只有一點點的太陽光，都能夠讓鑽石發出螢光，因而產生了關於「藍白」（blue-white）鑽石的神話。那些被壓碎的礦石被攤放在一張佈滿小孔的桌面上，每一個小孔下方，都有一個強力的空氣噴嘴。X光一波波地掃過礦石，感應器測出發出微弱光芒的鑽石，並且啟動空氣噴嘴，砰的一聲把它射進下方收集鑽石、有著玻璃托盤的特製箱槽之中。當然啦，他們有非常精良的鎖，可以鎖住托盤；一名警衛也坐在附近，保衛鑽石的安全。

由於人們對於俄國鑽石工業的發展一無所知，鑽石商一方面非常疑慮，一方面又非常擔心俄國人已經獲得突破性的進展，可以大量製造人造鑽石。我們知道，這個結果可能引發鑽石價格的暴跌；在鑽石業界，我們稱此為全世界經過切割處理的鑽石的累積總數的價格暴跌。

尤其在過去六十年之間，已開發國家的中產階級形成一種風氣，把足夠的錢購買鑽石戒指，做為訂下婚約，承諾共度一生的象徵。而在全球各地新發現的鑽石礦脈，增加

了鑽石的供應量，得以跟上中產階級成長的需求。

你不妨想一想，一旦鑽石從青色礦石中採出來，被製作成一顆光彩奪目、擁有五十八個璀璨琢面的寶石，那麼它在一個家族宗譜的地位就確立了。沒有人會把一顆鑽石給扔了；人們寶愛它、呵護它，把它一代一代地傳承下去。人們可能因為流行時尚的演變，而把鑽石重新鑲在不同的戒指、或垂飾、或其他珠寶首飾上，然後交送給女兒或孫女兒。做為宇宙中最堅硬的物質，鑽石似乎注定生生世世地在人間流轉。西藏智者開了個玩笑說，鑽石是那種故主老死之後，遲早都要被迫出門尋找新主人的東西。鑽石能夠恆常久遠，但我們人卻不行。

微妙棘手的賭博遊戲

相對於它們在工業界的超級大哥大而言，一般用做珠寶首飾的老鑽石根本沒有任何價值。讓我們面對現實！有許多玻璃珠子，其美麗的程度與鑽石不相上下，甚或比鑽石更加漂亮；而且鑽石的價格完全依照市場的需求而定。目前一般大眾大量持有的鑽石價值，只是一個認知的價值，是消費者相信鑽石稀有珍貴所創造出來的價值。

如果俄國人真的發展出便宜的人造鑽石——在實驗室生產製造的真鑽石——那麼勢必發生鑽石價格暴跌的情況。從過去六十年來，全世界私人收購的鑽石突然之間大量湧

入市場；鑽石的持有人驚惶失措，希望趕在鑽石變得如糖果一般稀鬆平常之前，至少把祖母留下來的鑽石戒指賣個幾塊錢。這是鑽石交易商的夢魘，幸好它從未成真。

對於散鑽市場而言，這尤其是一個敏感的議題。一家像安鼎這樣的公司，可能在任何特定的時候，提供數千種不同的珠寶設計，每一種款式設計的鑽石配置都有些許的不同，例如一只手鐲，中間鑲了一顆一克拉的鑽石，旁邊綴著幾顆二十五分的鑽石，然後再鑲上足夠的星星點點的碎鑽，以使整件手鐲符合兩克拉的法定最低限額。

但是，你從來不知道哪一天會從諸如潘妮百貨（J. C. Penney）、梅西百貨（Macy's）等大公司手中接到什麼樣的訂單。潘妮百貨公司和梅西百貨公司是我們的兩大客戶。類似潘妮百貨公司的客戶，可能會突然訂購一千件先前所描述的鑽石手鐲，並且要求在十五天內進貨，上百貨公司的專櫃。然後我們公司鑽石部門的採購人員便開始玩一種微妙棘手的賭膽遊戲——一種比試膽量遊戲的另一個版本。在我青少年時期，這種比試膽量的遊戲在我的家鄉十分風行。兩個瘋狂愚蠢的孩子在路的兩端各駕一台車，車頭對著車頭，以全速衝向對方，直到其中一個人膽怯手軟，把車掉頭為止。

在這個遊戲之中，我們必須製造一種印象，讓鑽石供應市場認為我們不需要進購鑽石，或讓他們認為，我們不急著購買鑽石，那麼鑽石交易的價格就不會被抬得離譜。鑽石供應市場則必須採取觀望的態度，不立即進行交易，直到確定我們亟需孔急，而且會

在當天以最高的價格買進鑽石為止。然而，如果兩造雙方僵持過久，那麼遊戲就到此結束，鑽石不再具有任何價值，因為此時購買的一方可能已經取得鑽石，或供應市場的鑽石價格高得離譜，令人罷手卻步。

現在這個年頭，一家鑽石公司必須提供客戶各種不同款式的珠寶，因此根本不可能有那麼多種鑽石的存貨，以備客戶的不時之需。昨天，我們或許不需要任何特定大小、特定品質的鑽石來製作那只手鐲；但此刻，我們卻需要兩千顆左右的鑽石，而且時間極為緊迫。

如此大的鑽石需求量，全世界沒有一個鑽石供應市場可以一次供足。因此我們必須通知分布在全球各地的工作人員，在我們需要特定鑽石的風聲走漏之前，悄悄地收購鑽石。如果消息走漏出去，鑽石的價格就會竄升。而我們已經和潘妮百貨談妥手鐲的價格，沒有任何漲價的空間。

潛能和心理銘印的力量

有一個非常真實的例子，可以說明潛能和心理銘印的力量。這個實例，我已經親眼目睹幾百次幾千次了，你可以相信它的真實性。我們在紐約一個名叫齊山（**Kishan**）的採購人員嗅出了這筆訂單別有苗頭；他福至心靈地從紐約市眾多的鑽石交易商中挑了一

個，並且撥了一通電話給他。

因緣巧合的是，這家公司剛剛才收到從香港分公司運抵的一大批鑽石，其大小、品質恰巧符合我們的需要。事實上，那位鑽石交易商下星期也需要一大筆款項，向位於倫敦的狄畢爾公司購買一批未經處理的鑽石。而另一家座落於四十九街的珠寶公司剛剛才打電話進來說，他們尚未收到某某百貨連鎖公司的帳款，所以手邊的現金有些吃緊。因此那位鑽石交易商就對齊山說，今天下午你可以過來把這批鑽石帶走，大概有兩、三千顆，我會給你一個很好的價錢。

在另一個大陸、另一座城市的採購人員──我們在印度孟買的朋友沙先生──也撥了幾通電話。在沙先生那一邊，事情進行得不如齊山這邊順利，但每幾個小時，就有小批小批的鑽石從孟買市內的鑽石交易商手中湧入沙先生的辦公室。沙先生費了九牛二虎之力，以及你來我往的激烈討價還價之後，很快地購齊了他負責收購的部分。另外，在紐約的總公司已經運用了手邊大部分的現金，支付購自紐約的鑽石，因此經過了這場勞心勞力的採購過程之後，沙先生還得等一段時間，才有足夠的現金支付孟買的鑽石交易商。

在以色列台拉維夫的採購人員約瀾（Yoram）先打了幾通電話給固定有生意往來的鑽石供應商。但由於全球時差的關係，在約瀾連絡那些供應商之時，他們在紐約的分公

司早已經對以色列方面發出通知，安鼎正在尋找特定的鑽石。突然之間，鑽石的價格上揚，約瀾越是打電話四處詢問，那些鑽石交易商越是覺得約瀾急著收購鑽石。他們可以嗅得出來，約瀾接到一筆訂單，必須在極短的時間內出手交貨，因此他們再次抬高鑽石價格，心想約瀾遲早會投降就範，不論他們價錢出得多高，他都會收購，好及時出貨。

如此一來，約瀾方面的訂單就遲了，價格也高了，他也得等上好一段時間才收到紐約方面支付的帳款。更別提，潘妮百貨公司在週末打電話到安鼎老闆歐佛家中，詢問歐佛，宣傳促銷那只手鐲的廣告已經如火如荼地打了兩天，為什麼百貨公司裡還看不到那些手鐲之後，約瀾年終獎金才有著落了。

此處關鍵的問題在於：為什麼三個採購人員有如此不同的結果？為什麼紐約的採購人員齊山毫不費力地完成任務？他比較有技巧嗎？他運用了什麼策略？他需要收購特定大小的鑽石的數量，比其他大小的鑽石充裕？或只是誤打誤撞的好運氣？針對上述的問題，潛能與心理銘印原則所做的回答是：跟這些因素都扯不上關係。

不錯的一天

在任何一天，任何一座城市的任何一個商品的市況行情，都只不過是另一個說明事物本身無好壞之分的範例。如果事物本身有好壞之分，那麼在那一天，那座城市的每一個交

易商、每一個採購人員都將同樣輕而易舉地買賣商品，或同樣費力地進行交易。但是你知道事實並非如此。

有一些鑽石交易商會說，今天是「不錯的一天」（「okay day」）是鑽石業界的一個委婉的說詞，代表「今天棒透了」。之所以如此委婉，是因為沒有人願意在任何一個人面前承認，當天的生意十分興隆，否則在一個星期之內，城內每一個和他有生意往來的人，都會提高交易價格）。有一些鑽石商人則會說，今天是一年當中運氣最背的一天，其實他們的情況還算不錯。

因此，市況行情是「中性」的；以佛教用語來說，它是「空」的。市況行情本身沒有所謂的好壞；它是好是壞，完全出自鑽石商人本身的觀點。市場對我們仁慈或殘酷，幾乎是隨機的。然而事實在於，**對於任何具有正確心理銘印的鑽石商人而言，他眼中的市況行情是好的，那麼市況行情就會是好的。**

兩名鑽石交易商可能在同一天，在同一個市場替相同的公司尋購相同的鑽石，但最後的結果可能天差地別。如此迥異的結果不是因為在同一天同一個時間，有兩個市場分別在兩個不同的世界，而是兩位鑽石交易商既有的心理銘印，驅使他們用兩種截然不同的方式看待市場。而這兩種不同的方式，都是真實不虛的。一個鑽石交易商將完成他的訂單，另一名交易商則否。

這個結果也帶出了本書的關鍵要點：我們如何運用此一事實，獲致人生和事業的成功？答案顯而易見：**我們只要植入一個正確的銘印，一個可以讓我們「看見」充滿利潤的市場的銘印。**而銘印的植入，主要取決於保持某種心態，持續某種特定的行為，以及如何祈請「真誠行為」的力量。

譯注

❶ 三千大千世界簡稱大千世界，泛指世界萬物。七寶又稱七珍，指供佛的七種珍貴的寶玉，其說法不一，一般指金、銀、瑪瑙、珍珠、琉璃、車渠、水晶等。布施，有財布施、法布施與無畏布施。

❷ 須菩提。於意云何。若人滿三千大千世界七寶。以用布施。是人所得福德。寧為多不。

❸ 須菩提言。甚多。世尊。何以故。是福德。即非福德性。是故如來說福德多。

❹ 若復有人。於此經中。受持乃至四句偈等。為他人說。其福勝彼。

【第七章 走出商場的黑暗森林】

聞是章句。
乃至一念生淨信者。
須菩提。
如來悉知悉見。
是諸眾生。
得如是無量福德。

在前一章節的結尾部分，我們探討了市場之「空性」。三名採購人員在市場上收購特定大小、特定品質的數千顆鑽石；一名採購人員「福至心靈」，撥了一、兩通電話，就輕而易舉地達成使命；另一名採購人員必須多打幾通電話，多費一些力氣，但最後還是完成任務；第三位採購人員基本上是失敗了。在這個範例之中，三名採購人員分別位於不同的城市，但即使三人身處同一座城市，其結果也不受影響。

跟隨本能直覺

根據古老西藏的思惟，帶領成功商人走過市場交易之黑暗森林的「福至心靈感受」或「本能直覺」，正是心理銘印成熟茁壯的直接結果。這種類型的人面對一個商業困境的時候，他們能夠迅速地、清楚地知道，應該採取哪些正確的行動。在他們的心中，沒有絲毫猶豫，沒有任何疑問。此刻，你或許已經獲得了一個概念，了解一個強烈的銘印從潛意識進入意識層面的時候，究竟是什麼樣的狀況了。

人們認為他們「聰明絕頂」或「擁有深刻的洞見」或「具有神來之力」，例如有些人在商場上叱吒風雲，賺進大筆財富；一名經常擊出全壘打的棒球選手說，就在他揮棒猛擊之前，那顆棒球看起來像西瓜一般大。沒有什麼事比成為這種類型的人更精彩有趣的了。然而，也沒有一件事比曾經擁有正確的本能直覺，如今卻不復存在來得令人沮喪

失望——這比一開始就沒有福至心靈的感受還糟糕。不論如何，如果我們知道如何獲得這些本能直覺，可是美事一樁。

讓我們再回到《金剛經》，尋找關於本能直覺的見解：

喔，須菩提，假若有人一聽到經中的話語章句，而在一念之間生起信心，喔，須菩提，如來確知這般之人，喔，須菩提，如來見到了如此這般之人，喔，須菩提，這樣的人已經積聚了不可思量的福報與功德。❶

本能直覺從何而來？在上一個章節中，我們提及「相互關係」，意指行為或思想的種類和特定的銘印之間有所關聯，或行為或思想的種類導致特定的銘印，而這些銘印把我們的人生和事業導向我們所希翼的特定結果。此刻，我們應該確認這些行為，因為如果我們在行動的時候，了解銘印以及潛能的運作過程，那麼我們就能夠積聚龐大的能量，使我們的事業如願地發展。根據此一了解做為行動基礎的人，容易吸引其他的人採取同樣的行動方式，然後他們的生意就如同滾雪球一般越滾越大。

關於「相互關係」最聞名的一段說明，可能出自印度博學之士龍樹大師（Nagarjuna）❷之作。以下的偈文摘錄自龍樹大師的著作《寶鬘論》（String of Precious

Jewels）…；它們首先指出了我們可以植入心中、最令人嚮往、擁有的銘印：

我將簡述修持菩薩慈悲之道的人所具備的美好品質：

布施、持戒、忍辱、精進、禪定、智慧、慈悲等等。

布施是給予你所擁有的事物，

持戒是善待他人，

忍辱是放下瞋怒，

精進是增長所有美好事物的喜悅，

禪定是全神貫注，遠離邪念，

智慧判斷何謂真理，

慈悲是一種融合了對眾生之愛的高度智識。

接下來的偈文則說明了這些美好品質的相互關係：

布施帶來財富，美好的世界來自持戒；

忍辱帶來美好，卓越的成就來自精進；

禪定帶來寧靜，自由來自智慧；

慈悲成就我們所有的願望。

最後的這一段偈文，揭示了培養這些銘印的最終結果：

一個具備這七種美好品質之人，

並且臻至完美之人，

將獲得如梵天所擁有的不可思議的知識。

這些偈文或許是針對特定行動、行動所造成的銘印，以及銘印如何影響我們對事物的觀感三者之間的相互關係，所做的最為人所知、最簡短的說明。（除了這些偈文之外，在其他許多地方也就數百種銘印及其造成的結果加以討論。）針對上述的偈文，我們可以總結如下：

⑴為了「看見」自己的事業飛黃騰達，財源廣進，你必須保持慷慨大度的心態，以

在潛意識中植入正確的銘印。（布施）

(2)為了「看見」自己置身一個幸福快樂的世界，你必須遵循倫理道德的生活態度，以在潛意識中植入正確的銘印。（持戒）

(3)為了「看見」自己身體強健，充滿吸引力，你必須避免憤怒，以在潛意識中植入正確的銘印。（忍辱）

(4)為了「看見」自己在私人生活和工作場合中擔任領導人物，你必須樂於利益、幫助他人，以在潛意識中植入正確的銘印。（精進）

(5)為了「看見」自己能夠心思專注，你必須進行深度的禪修，以在潛意識中植入正確的銘印。（禪定）

(6)為了「看見」自己心想事成，你必須了解潛能和心理銘印的原則，以在潛意識中植入正確的銘印。（智慧）

(7)為了「看見」自己和他人人事事滿願，你必須培養慈悲心，以在潛意識中植入正確的銘印。（慈悲）

我知道，此刻你開始納悶，如何把這所有聽起來十分崇高偉大的論調應用於真實生活之中。為了解除你心中的疑惑，我將敘述一個真實的情境，你就能夠理解潛能的原理

以及銘印如何在你自己的工作場所中運作。

刻下引導成功的銘印

舉例來說，我已經在安鼎國際鑽石公司工作好些年了，在這些年之中，我把截至目前所陳述的原則應用於工作之中：我刻意去做那些能夠在我心中留下銘印，引導我看見成功的事情。

我走進安鼎位於曼哈頓西側新大樓的大門，那幢大樓的正面鋪著一層令人愉悅的花崗岩板，如水晶般清澈透明的玻璃門通往門廳。當我打開那扇玻璃門的時候，來自哈德森河（Hudson River）的陣陣冷風從我身後撲來，冷得我直打哆嗦。進了門之後，在大廳保安崗亭的警衛約翰·法卡羅（John Vaccaro）朝我友善地點了點頭。法卡羅原是一名剽悍的地下鐵警察；他之所以聞名，是因為即使在一名哥倫比亞幫派份子的虎視眈眈之下，他也能夠安全無虞地把一盒鑽石從一幢建築送往另一幢建築。這些幫派份子經常在四十七街上遊蕩閒晃，等待一個粗心大意的鑽石商人鬆懈警覺，伺機下手。

我們剛剛所描述的景象之中的人事物，都擁有相同的潛能——每一個人事物都是易變無常的，都有可能成為正面或負面的事物。我喜歡那片花崗岩板；它們映照著晨曦中波光粼粼的哈德森河，使整座建築透著一股氣派。然而，對於站在九樓高的狹小通道上

清洗窗戶的清潔人員來說，同樣的花崗岩板則暗藏了威脅生命的危機；他們可能寧願我們使用一般的磚造外牆。

對我而言，我對花崗岩板所產生的觀感，是我先前把一個良好的銘印植入心中的一個結果。此刻，我們涉及了一個非常深奧的層面——銘印以及我們對事物所產生的觀感之間的相互關係，超越了一般人所能理解的範圍。然而，在久遠的年代，許多偉大的修行大師所撰述的古老典籍之中，已有關於相互關係的文字記載。在我眼中，這片花崗岩板之所以光滑細緻，源自對人說話和緩輕柔的銘印。

窗戶清潔工把同一片花崗岩板視為危險的物品；而可以理解的，這種銘印源自過去輕視生命的結果。對於西方人而言，單單只是因為自身文化的迷思與偏見，使得我們的心智完全不習慣這種思惟方式，而把這種解釋視為沒有事實根據的觀點。然而，在西方的文化背景之中，這種解釋正好是耶穌基督針對遵循倫理道德的生活方式所提出的論點；耶穌基督堅持主張，一個不道德的行為無法導致良善的結果，如同薊或荊棘的種子無法結出甜美的果實。

佛教經典繼續闡釋此一真理背後的含意；而此一真理正是主宰銘印，以及影響我們如何看待類似花崗岩板等「中性」事物的法則。簡而言之，它是一個聰明有效的方法，能夠使事情如我們所希望的情況發展；安鼎國際鑽石公司鑽石部門出類拔萃的表現，正

是此一真理的有力明證。如同佛陀所言，你總是可以稍做嘗試，觀察事情的發展，而最糟糕的情況也可能只是你多付出了一些寬容與慈愛，沒有什麼吃虧的。

當我們說，窗戶清潔工人曾經輕視生命，所以他們才把那片花崗岩板視為危險的事物，並不表示他們曾經做出危害他人生命的可怕舉動，而在心中植入了銘印。如我們先前探討的，所有的銘印在潛意識層停留的時候，其強度隨指數成長。**在商場上失利的原因**，例如造成資金逐漸短缺，以及員工在一、兩年之後跳槽，轉而投效競爭對手的原因，**通常是許許多多微不足道的負面行動與思想累積起來的結果**，例如小小的善意的謊言、各嗇等負面情緒的爆發，原本微小的銘印，最後長成巨大的銘印，如同盤根錯節的橡樹。而這正是一個大型企業失敗的原因。

真理的法則

十分重要的是，我們此刻不是在探討爾虞我詐、你不仁我不義的社會或心理現象。我們把這種現象稱為行為與結果之間的「表面」相互關係，並不是本書的重點。

別人對你不義，僅僅是因為你不仁在先的情況是不存在的；這種行為與結果的關係，必須從「銘印留存心中，然後開花結果」的過程來解釋。換句話說，你之所以認為某個人撒謊，是因為先前植入心中的銘印成熟茁壯，使你認為那個人在說謊。沒有一個

人會好端端地開始對著你說謊。沒有人能夠對你說謊，除非你不知不覺、無法控制地透過自欺的行為，而在心中植入銘印。你的行為方式，不是影響你如何看待事物的因素。

確切地說，**所有的事物都是經由你的銘印製造產生出來的**；你周遭的世界、周圍的人，甚至你自己，都是過去好或壞的行為、語言以及思想的產物。

當我們從真實的商場之中，列舉一些關於相互關係（因果關係）的典型實例的時候，務必把上述的觀點謹記在心；它不是你在小學一年級的時候，老師所說的童話故事

——「強尼，如果你去踩一隻蟲，你以後就會變成一隻蟲，遭人踐踏」，而是公認的、具有穩固基礎的真理。在過去兩千五百年的歲月之中，許多地位、學識出眾的智者已經親身試驗這些真理，並且成功地運用這些真理。簡而言之，這些真理確實有其功效，而且毫無失誤。

西藏的智者曾說，無論何時，當你覺得這些真理法則似乎不起作用的時候，那是因為你並沒有切實遵循這些法則；我相信，如果你真誠地面對自己，你將會發現事實的確如此。為了獲致事業的成功，你必須遵守奉行這些法則一段時間，並且帶著全然的自我誠實，以及對上述原理的敏銳理解。如果你只嘗試一段時間，然後中途放棄，就有點像你運動了三天之後，因為身上沒有長出任何肌肉，你就不再繼續健身了。

你必須使用相同於成為一名優秀的鋼琴家或一個球技精湛的高爾夫球員所需要的熱

情與堅持不懈，來遵循奉行這些可以導致人生圓滿、事業成功的原則；但是，奉行這些原則並不是一件易事。少了一些熱情或少了一分堅持不懈，都無法成事；如果你無法如此努力不懈，那麼你現在就可以把這本書放到一邊。順便一提的是，這些相互關係的原則直接源自亞洲兩本最重要的智慧典籍：一是西藏大師宗喀巴大師（Tsongkapa the Great, 1357-1419 A. D.）所著的《菩提道次第廣論》（The Great Book on the Steps of the Path）；二是印度智者法護（Dharmakshita, 1000 A. D.）所著的《刀中之王》（The Crown of Knives）。

在黑暗中前進

我們以下將根據《金剛經》的智慧，針對四十六個典型的商業問題，提出真實可行的解決方案。

問題(1)：公司財務狀況不穩定，處於長期支出的狀態。

解決方案：把你獲得的利潤，多多分享給那些幫助你創造利潤的人。哪怕只是一分一毫，絕對不取不義之財。切記，你分享利潤的多寡，不是決定銘印強度的因素；你願意分享才是關鍵，即使分享的數量不多。

問題(2)：諸如生產儀器、電腦，或交通工具等投資性事物，似乎很快地老舊過時，或品質不穩定。

解決方案：停止忌妒或羨慕其他商人或他們的事業，把你的心思集中在公司的創新、創造力，以及樂趣。不要因為他人的成功而鬱鬱寡歡。

問題(3)：你在公司的地位搖搖欲墜，似乎即將失去你的權勢。

解決方案：你必須十分小心謹慎，絕對不要趾高氣昂地對待周圍的人。你必須放下身段，移樽就教地傾聽同事的意見。

問題(4)：你發現自己無法享受千辛萬苦掙來的財富和事物。

解決方案：絕對不要忌妒或羨慕他人努力的成果：停止比較，做你自己，盡情享受、欣賞你所擁有的事物。

問題(5)：無論你的事業擴展得多大，或多麼吸引人，你總是覺得不夠，覺得被一股不滿足感驅使著。

解決方案：與問題(4)的解決辦法相同。

問題(6)：公司的員工和管理階層人員似乎總是在鬧意見。

解決方案：你必須小心謹慎，絕對不要發表任何挑明或暗示的言論來挑撥離間。這種言論可能是真的，也可能是假的，但只要你最原始的動機是促使兩個人更加分化疏離，就不是一件好事。「你有沒有聽到她是怎麼批評你的？」「你知道他對你上一次處理的案子的真正想法是什麼嗎？」你知道諸如此類的言辭會造成什麼樣的後果。

切記，我們此處討論的銘印，不一定是上個星期或上個月所發生製造的；它的時間可能更加久遠，想當然爾，它待在潛意識的時間越長，就擴張得越大。重點是，你可能已經戒除了挑撥離間的行為，但你至今仍受過去行為銘印的困擾。但是無論如何，解決問題的方法都是相同的。

你必須努力避免一而再再而三地做出這種行為，即使它們是如此的微不足道。尤其這個問題一直困擾折磨著你，你必須比其他人更加小心翼翼，避免製造分化的言論。

你是否注意到，這個問題的解決辦法不在於說服失和的人言歸於好？這個辦法的奧妙之處在於：那些人在你的眼前，在你的世界中爭執不休，完全起因於你心中的銘印，因此你必須經歷它。你必須先解決你自己的問題，才能改善你的人生，你的事業，以及你的世界。

問題(7)：你老是對你的生意夥伴心生不滿；不論你如何改變他們，你們之間總是一再地發生爭執。

解決方案：與問題(6)的解決辦法完全相同。

問題(8)：你發現自己在事後懷疑自己的決定；你越來越無法做出商業決策。

解決方案：這個問題源自兩個不同的原因：一是沒有關照愛護你的員工以及管理階層人員；二是你在你的顧客和供應商面前誇大其實。在現今充滿爾虞我詐、虛華不實的商場中，人們很難避免誇大其實，但是如果你能實實在在地表現自我——簡而言之，如果你能夠維持高度的正直誠實——那麼你的心，以及你的商業決策將會清晰俐落、堅定果斷，並且充滿效力。

你必須謹記在心，問題的關鍵不在於你的顧客將慢慢地發現你是一個坦白正直、光明磊落的人，進而對你越來越加信任。事實上，當坦白正直、光明磊落的銘印從你的潛意識層面升至意識層面的時候，它也創造了一個真實世界，在這個世界之中，人們是坦然正直的，你的決策明快俐落，輕而易舉地賺進大筆財富。

有一些人認為，這種心理層面的真實（業），不比他們原本所認為、親身經歷的真實來得真實，然而，心理層面的真實本就是如此。例如，你在街上被一輛車撞倒了，或

是你過去傷害他人的心理銘印成熟的結果（業果成熟），但在生理方面，你的腿還是被車給撞斷了。因此，即使是心理的銘印，也會在身體方面造成真實的結果。你必須習慣此一事實。

問題(9)：你想要買下另一家公司；你看見一個一定能夠獲致成功的商機，你需要一些現金，但籌措起來有些困難。

解決方案：辦法很簡單。停止在商場交易和私人生活中扮演一個一毛不拔的吝嗇鬼。你必須不停地付出、給予，達到雙贏的局面。同樣地，所謂付出，達成雙贏的局面，並不牽涉金錢的多寡，而是真誠地慷慨大度、極富創造力，以及樂見每一個人成功昌盛的心境。在美國的歷史上，富蘭克林（Ben Franklin）或許是人格最偉大崇高的政治家、科學家，以及商業家；他面對競爭的方法是，邀請所有的競爭對手加入一個名為「商會」的新興社團，共同為擴展市場尋找出路，讓每一個參與社團的成員越來越富有。

這種想法本身，為所有參與的成員創造了強而有力的銘印。一群彼此互助合作的商人，可以在每一個商人心中製造銘印，看見諸如擴張市場的共同事實。然而，這並不表示銘印可以分享或從一個人的心中轉移到另一個人心中——銘印無法分享，也無法轉

移。更確切地說，一群人共同以慈善寬容的態度行事，其創造的銘印開花結果，成為一個共享的經驗，例如一家成功的公司，或更加繁榮昌盛的國家。事實上，這也是為什麼有一些國家比其他國家更加富饒昌裕的原因──這個題目有一點太大太廣，我們在此不做討論。無論如何，如果你仔細思考其中的原因，你就能夠獲得關於富裕的驚人理解。

問題(10)：外在的因素損害你的事業。所謂外在的因素，即人們所說的「不可抗力的天災人禍」，例如惡劣天候等自然因素，或城市公共建設、電力短缺等問題。

解決方案：堅守你的承諾，尤其是如何進行商業交易，如何經營人生的特定原則，你必須更加堅持。

即使外在因素如天候、城市的交通流量等，都可能是我們自身行為模式的結果；我們的心對於這種說法感到十分反感。然而，根據古老智慧的法則，事實的確如此。切記，天候、交通流量等因素，都是「空的」或「中性的」。即使在某些路段交通最混亂的時期，有些人還是會從其他的路段平穩順暢地進入市區。當天降大雪、下大雨的時候，有一些人就大發利市，例如處理滑雪坡道的技工、雨傘製造商。

無論事件為你帶來正面或負面的影響，其影響都並非源自事件本身；很明顯地，如果你稍做思考，你就會發現，正面或負面的影響其實來自你的觀感。這些觀感並非無中

生有；它們經由你自己過去的行為模式，在你身上起了作用，使過去的行為（例如你的標準不一）產生了外在的結果（變幻莫測的天氣，以及頻頻出狀況的公共建設）。

問題(11)：你發現自己面對充滿挑戰的商業狀況或商業決策的時候，無法專注心神。

解決方案：每一天花一些時間，把你的心平和地安住在生活中較大的問題之上。如果你知道今天晚上就是自己的死期，你還會把時間花在你手邊正在處理的事情上嗎？在你的生活之中，所有的事情都有輕重緩急的順序嗎？你是否躲避關於如何過日子、如何享受人生的重大問題，而把大量的時間花在進行大筆的交易之上？

退一步審視你的生活，看看哪些事情才是重要的。每一天花一些時間審視生活的銘印從潛意識升至意識層面，成為一個幫助你全神貫注的強大能力。此處引出一個十分重要的論點是：留存在你心中的老舊銘印開花結果之後，不只創造了外在的事件以及周遭的人物，你的心和思維的運作方式，也是過去的行為和銘印，從潛意識層面突破進入意識層面的結果。

問題(12)：你發現自己無法掌握粗略的商業概念，或市場模式，或整體製造生產過程或系統的動態。

解決方案：勇敢地面對自己對於全球重大事件發生的起因缺乏概略見解的事實。在這個世界上，所有事件的發生，例如全球溫室效應、或這個月在某某個國家發生戰事、或生死大事本身，都只有三種基本的解釋；對於我們為什麼置身此地、我們如何身處此地、為什麼事件如此演變，也只有三種基本的解釋。

我們無法在忽視世界何以如此運作的同時，又期待自己能夠理解事業何以如此變動（或不這麼變動）。世界運作的方式或事業變動的方式，與信仰、宗教等諸如此類的事物毫無關聯，如同一顆核子彈要爆炸，它不會因為你是愛爾蘭人或塔司馬尼亞人就不爆炸。

在三種基本解釋之中，第一個解釋是：萬物皆無中生有，都是隨機、無規則可循的，事件發生的原因和方式完全沒有模式或邏輯可言，如同科學界的「大霹靂理論」（big-bang，或稱宇宙起源的大爆炸理論）。「每一件事情的發生都有一個起因，而科學方法仰賴因果的一致性；除了諸如萬物起源之類的重要事物是從無到有之外，每一件事的生起都有其因果。」你之所以置身於此，是因為很久很久以前，某種事物爆炸的結果：某些電子撞擊其他的電子，形成某種原子，進而組成各種不同的分子；這些分子凝結聚集的數量足以形成種種氣體，該氣體四處旋轉的時候，撞上其他微小、不知名的物體，使得氣體變成固狀的物質。物質因而形成，其中的一小部分變成太陽，一小部分成

為陸地、海洋；一些小生物出現了，你的祖父祖母（指祖先）也在那兒。你瞧，每一件事都是隨機、不規則的。如果你看了這段描述而捧腹大笑，那麼你就等於是在嘲笑你看待世界的文化基礎，而它的確十分滑稽有趣。

第二種解釋是：在你周遭世界中的每一件事物，都是一個超出我們的經驗範圍、強而有力的存在本質（例如，神）有意識地推動的結果。這個解釋並未說明此一存在本質從何而來（或由一個更強大的存在本質的意識所創造？），也未指出人生何以如此殘酷，令人難以理解，例如幼齡兒童被竄升至廉價公寓高層的火苗吞噬；有些人終其一生，逃不出寂寞孤獨、憂愁焦慮的牢籠；在我們的一生之中，我們什麼也留不下，注定和心愛的人生離死別。

第三種解釋是：沒有什麼事是隨機的，沒有什麼事是偶然發生的意外，我們必須為自己的人生負責，不應該歸咎任何人。我們的境遇，完全地取決於我們如何對待周遭的人，而不是由外人決定。而愛人者人恆愛之的道德法則，如同地心引力法則一般明確可靠、無可否認，並且殘酷無情。無論如何，每隔幾天花幾個小時誠實地觀照自省，思考整個宇宙，以及宇宙中的人事物究竟從何而來。這種觀照自省將發揮極大的利益，幫助你從更宏觀的角度、更大的格局了解市場和商業活動，使你成為一個更有成就，更加圓滿的人。

問題(13)：租金太高！你找不到一個大樓做為新成立分公司的位址。

解決方案：當其他人需要一處地方落腳的時候，務必幫助他們尋找住所。同樣地，如果說，你無法替價值數百萬美元資產的分公司找一個辦公地點，可能是因為上一回你的姨媽進城度假的時候，你連一張睡覺的床都不願意提供，那就有點把事情過度單純化了。然而，它卻完美地符合此處陳述的規則。在潛意識的一個小銘印，經過一段時間的成長之後，進入意識層面，使你眼中所見的，也是所需空間的缺乏。但是切記，切勿把這種說法視為無稽之談而棄之不顧，你不妨做一番嘗試，看一看會發生什麼樣的事情。我們此刻所談論的，是努力為其他需要的人尋找一個空間，以及連續不斷地用理智審視本書所鋪陳的原則：當你清楚地知道自己的所作所為的時候，行動的銘印將更加強而有力。

問題(14)：在你眼中，特別具有良好聲譽、才華出眾的公司團體或個人，對於和你建立關係，似乎猶疑不決。

解決方案：這種特定銘印的形成，源自拙於選擇合夥人。在商場中，典型的例子是，我們傾向尋求能夠在財務上給予最大援助的人的合作聯盟；這些人能夠提供大量的支持與援助，或其他必需的資產，特別是技術或人脈。然而在我們特殊需求的束縛之

下，我們可能忽略了潛在合作夥伴身上顯而易見的問題，包括他們的聲譽、誠實，或其他類似的特點。

到了最後，一個缺乏道德的合夥人總是會損害了商業利益，但是具有道德的合夥人將有助於事業的發展，獲致大量的財富。我們在此區分強悍、誠實交易，以及欺詐不實三者之間的差別：安鼎國際鑽石公司的董事長歐佛是你最不願意面對、最強悍難纏的談判協商對象之一。我記得，公司早期的一名經理人員曾經向我詢問，我是否能夠代替她，在歐佛的面前做年度檢閱報告。對於她的提議，我有點措手不及，於是我問她究竟為了什麼，希望我去做年度報告。

「因為他總是給我加薪加得少得可憐；他是那麼的具有說服力，等我離開他的辦公室的時候，我已經完全同意我為什麼不配再多加一點薪！」

此處的要點是，雖然歐佛談判協商的時候，如同一頭猛虎，但我知道歐佛從不食言背信。我認為，安鼎之所以成功，與歐佛的信守承諾大有關係。

問題⒂：競爭對手殘酷無情，當你們面對面交鋒之時，競爭對手似乎總是取得優勢。

解決方案：對他人口出惡言是這個特殊現象生成的主要原因之一。對於「惡言」，古老的佛教典籍提出了一個有趣的解釋。他們把惡言分為兩種類型：一種是言辭本身就

很刺耳、不中聽，二是言辭本身動聽悅耳，但卻口蜜腹劍，含有傷人的意圖。因此，你在數名同事之前，嚴責數落一名員工，很顯然地就在你的心中植下了對他人口出惡言的銘印；同樣地，你明明知道一名業務員剛剛從一名客戶的辦公室做完簡報，沒有拿到任何一筆訂單而羞愧沮喪地夾著尾巴回到公司，卻說了一句表面上毫無惡意的讚美之詞，也在你的心中留下了相同的銘印。避免任何一種類型的尖苛言辭，時時提醒自己避免植入許許多多的銘印，然後輕輕鬆鬆坐看競爭對手在商場上起伏打滾。

問題(16)：無論你和哪一個人進行深入的交易，對方似乎總是暗箭傷人，在背後捅你一刀。

解決方案：這種銘印之所以植入心中，來自我們對待他人的特定態度：當我們看到某人把一件事情弄擰搞砸的時候——無論是一個同事不小心把咖啡潑了自己一身，或是一個競爭對手因為客戶破產倒閉而損失了數百萬美元——我們暗地裡微微地感到幸災樂禍或沾沾自喜。這種人心的怪癖是如此的司空見慣，以致古老的西藏典籍把它列入十大煩惱障礙之一。我們似乎有一種病態的習慣，對於周遭人們的災難與痛苦特別感興趣；最嚴重糟糕的情況是，你可以從大眾瘋狂樂見知名人物陷入困境的心態中，看見這種不健康的癖好。

為了避免此一銘印，你必須努力去感同身受陷入困境者的苦痛，甚至競爭對手的苦痛。擁有友善的競爭對手，甚或每隔一段時間，各個公司的總裁一起外出聚餐，其中的樂趣比起落井下石地嘲笑失意對手，要大得太多了。記住一句格言：「在你意氣風發的時候，善待他人，為自己失意時留一條後路。」

對於那些聰明博學之士，特別是年輕的經理管理人才，有一句話必須謹記在心：尊重每一個人，包括居於同一位階的經理人員、最基層的員工、最激烈的競爭對手。我曾經目睹許許多多的經理人員折磨作弄手下的員工，最後這些員工得勢，地位往上竄升，原先的經理人員反而屈居其下。你可以想像這些失勢的經理人員將受到什麼樣的待遇。

問題(17)：你構思出一個重要的企劃，規劃每一個細節，努力地推動整個企劃，結果卻一敗塗地。

解決方案：這種結果同樣源自於一個非常特殊的銘印：不了解事物真正運作的方法。你要知道，不只是因為你不了解本書所探討的原則，才讓你把事情搞砸，還包括每一次你實行一個計畫的時候，你對事物如何運作所擁有的錯誤概念，例如，你認為只要夠努力，多投入幾個小時的時間，每一件事都會成功，如此一來，你在心中植入了一個銘印，繼續誤解事物運行的方式，繼續承受失敗的結果。

你的企劃失敗，與資金多寡無關，因為許多資本充裕的計畫也以失敗收場。參與企劃的人員也不是因素，因為許多優秀人才參與的計畫，也失敗了。市場也不是原因，因為在同一個市場上，某些人正順順利利地實行他們的企劃。計畫成功與否，也無關勤奮努力的程度；因為當其他人沒日沒夜地加班、犧牲週末假日拚命工作，仍然頻頻滑鐵盧的時候，某些人不費一絲一絲力氣就成功了。更明確地說，成功的關鍵在於一種心態，一種了解前述原則的狀態。如果你以這種知識、這種了解來執行計畫，一定能夠成功。就這麼簡單！正確、條理分明的思考所植入的銘印，未來將從潛意識進入意識層面，再度形成條理分明的思維。

問題(18)：當你最需要協助的時候，在你周圍的人都不願意伸出援手，助你解決困境。

解決方案：同樣地，這種情況是幸災樂禍的結果。因此在你能力所及的範圍之內，盡可能地幫助他人──無論是給隔桌犯了頭痛的人一顆阿斯匹靈，或是在最後一天挑燈夜戰，為一名重要客戶準備業務簡報的深夜，貢獻你的力量，和其他工作人員一起賣力工作。或者至少時時仔細觀照你的心，避免以他人的不幸為樂的變態行為。

問題(19)：你發現自己無法控制情緒；你對員工、供應商、顧客、天氣、電話、任何一件

事情大發雷霆。

解決方案：在潛能和銘印的世界中，這種類型的憤怒是一個耐人尋味的問題。同樣地，它是希望他人遭遇困難的結果，或至少是樂見某些人陷入窘境的結果。對於我們憎惡的對象，這是十分常見的心理現象。如果你仔細思考，你會發現，這種現象是人心最醜惡刻薄的部分之一。我們為什麼希望某個人大難臨頭，甚至希望那些等著看我們倒楣的人陷入痛苦的困境？在我們的生活中、事業上、家庭中所面臨的紛擾困境，是我們所有人共同的敵人。它如同愛滋病、癌症一般，是一種對任何人都沒有利益的苦難，以及對整個世界的破壞摧殘。

如果我們真心希望在任何層面都能獲得成功，我們必須努力試圖消滅人們心中、每一種形式的不快樂，甚至包括競爭對手心中的不快樂。

問題(20)：市場一片混亂，起起伏伏，沒有任何道理和邏輯可言。

解決方案：同樣地，這種混亂是紊亂無章的意圖的一種結果，也是希望別人失敗的結果。全球的動亂、市場的失序、事業的紊亂（無論是你的事業或競爭對手的事業），以及個人的騷動，都只是另一種形式的不快樂。而我們必須臻至一種境界，希望每一個人都無災無難。從祝願周圍的每一個人都健康安好，甚至經由祝願競爭對手如意順遂所

植入的銘印，創造了一個穩定的市場；在這個市場之中，經濟持續成長，提供每一個市場玩家多於原先所期望的利益。

此一經濟觀點所蘊含的意義十分深奧：資源有限不是正確的說法，在任何情況下，只有某些人能夠致富的觀念也不是真實的。想一想那些發明個人電腦而創造的新的、更多的財富；想一想發明電話所產生的附加財富；想一想個人電腦用戶之間和公司電腦用戶之間所形成的龐大電腦網絡，為全球所帶來的財富。

根據潛能和銘印的觀點來看，新的財富是新銘印所帶來的結果。每一個擁有新銘印的人，都受到銘印的影響；這些銘印從潛意識進入意識層面，產生了為大量的群眾創造新財富來源的概念。「日漸增多的人口共享有限的資源」這件事本身，自有其原因；如果銘印不同，那麼資源和人口可能以同樣的速度成長，或資源增加的速度微微快過人口成長的速度。我們必須具有足夠的遠見卓識，創造大量的新財富，不要把自己和我們的未來侷限於現狀之中。

問題(21)：你的事業出現了墮落腐化的問題；這個問題存在於公司行政管理的規章，公司與公司之間的互動，以及個別員工的行為態度。

解決方案：同樣地，解決這個問題的辦法十分討喜，那就是：為周圍的每一個人的

成就勝利感到欣喜——無論是你公司的小成就或大成就，或競爭對手的成功，你都要為之欣喜。欽佩誇獎一項成就，無論締造此一成就者為何人；切勿因為他人的幸運和快樂而產生忌妒的情緒。人生十分短促，你和你的競爭對手都將死去，並且迅速地被人們遺忘，而快樂也如人生一般稀有短暫。

當公司的某一個人表現出色或貢獻卓越，你應該把握機會分享他們的成就來增加自己的快樂，而不是去忌妒人生的美好時刻；因為人生是如此難得，又稍縱即逝！

當一個競爭對手創造了一個了不起的新概念，你應該在商展或慈善晚宴上，對他的偉大成就表達欽佩和欣喜之意。這種行為所製造的銘印將從潛意識進入你的意識層面，使你再一次獲得一個絕妙、成功的商業創意！這比起枯坐在家中，為他人的幸運而鬱鬱不樂來得有趣多了。

不樂來得有趣多了。

問題(22)：在你經營事業數年，業務蒸蒸日上之際，你發現健康出了一點小狀況，而且開始變得越來越嚴重。

解決方案：針對此一問題，有一個非常特別、結果令人滿意的解決辦法，那就是用一個全新的眼光、全新的角度巡視公司：你從公司的一個走廊穿梭到另一個走廊，偷偷地瞥一眼各個部門，努力找出可能對員工的健康造成負面影響的狀況。辦公室的光線是

否充足？桌椅擺放的方式，是否仔細地考慮到員工的舒適與健康？你是否如實地遵守所有防範火災和職業安全的指導方針？或只是隨便掛幾個政府特別嚴格規定執行的標示而已？你可曾花一些時間確實去了解公司的經理和員工是否工作過度勞累，還要確定他們自己沒有過度加班。關心他人的銘印在你的意識層面成熟茁壯，其結果就是你的健康因而改善。

同樣地，健康改善不是一朝一夕的結果。你可記得在此之前，我們曾經以學習彈奏鋼琴，精通高爾夫的例子來做比較，說明銘印產生的結果，需要時間的促成。為了自身的健康，你對公司員工福祉的關心必須自然然地成為你生活中的一部分，也就是說，這份關心必須出於自然，如同你彈奏一首練習得十分充分徹底的曲子，你不用注視著鍵盤，手指就能夠自然而然地在琴鍵上滑動飛舞。

問題(23)：**過去奏效的市場策略，如今再也行不通。**

解決方案：如果你已經在商場經歷過一段時間，你就知道問題產生的原因。你帶著新創意或新產品打入市場，財源滾滾而來，你唯一的大難題在於如何處理所有的訂單，以及公司極其迅速地成長之際，如何訓練新加入的員工。你站在世界的頂端，你不能犯下任何差錯，而你也開始納悶，你的事業如此成功，為什麼在你之前所成立的其他公司

不援用你的經營方法。

一、兩年過去了，有一天，你最重要的客戶給你看了一張其公司向供應廠商下訂單的明細，而你在供應廠商中，接獲訂單的數量排名第二。你甚至聽都沒聽說過那個名列第一的公司的名號。你派了一些員工到商店購買那家公司的產品，探探競爭對手的底細，努力找出該產品拔得頭籌的原因。你認為你從中想出了一些法子，於是你召集了公司的成員，發表了一篇內容堅決的談話，關於當年可口可樂讓百事可樂在市場上佔了一席之地的下場。然後，你要求每一名主管全力以赴；這些主管們也都了解情況，知道該怎麼反應；他們開始依照慣常的做法行事，而你們所有的人都相信，這種做法將如往常一般奏效。

然而日復一日、一星期接著一星期過去了，你們的策略破天荒地失效，你們如同在一條漫長、滿地泥濘的村道上行走那般艱難。以往可以依靠的成功策略，如今一個接著一個失去效用。公司的士氣大受打擊，首次出現信心危機；人們開始明白今非昔比，也開始了解過去擁有的神奇魔力，已不若以往那般唾手可得。

此時，你可以把失敗歸咎於許許多多的事物：市場的競爭越來越激烈；當初用來打入市場的商品，如今已不再容易做出突破性的進展；一些真正能夠推動經營的關鍵成員如今已離開公司；或某個外國製造廠商正在傾銷他們的產品等等。你知道所有的理由和

藉口，你把他們當做搪塞之詞已經用了千百遍了。

此時，你必須了悟的重點是，你尚未找出舊有策略為什麼不再奏效；你所做的，只不過是在聲明老舊的策略如何地不管用。真正的問題不在於威脅你的傳統策略植入心中的因素為何，而在於為什麼這些因素現在能夠威脅你的事業。同樣地，這是過去植入心中的銘印，如今在意識層面開花成熟的結果。你的失敗，不是商業策略本身失去了原本的效力。有時候，一個策略可以維持數年的效力，有些維持數月，有些根本起不了任何作用。有時候，改變策略是明智之舉，有時候以不變應萬變才是精明之道。不斷在改變的不是外在的情況，而是你自己的觀感。你將不斷依時依勢地改變策略，直到你發現真正不斷改變的是你的觀感為止。

無論如何，導致你的觀感改變的銘印——也就是實際說明為什麼你認為你的傳統策略受到威脅的銘印——不比你賺取金錢所使用的欺騙、不誠實的手段來得複雜。同樣地，我們不是在說你在販售根本滅不了火的滅火器，或你明明知道它們滅不了火，卻照賣不誤，或諸如此類不誠實的行徑。那些讓我們陷入困境的銘印，其實都是我們每天不斷植入的、小小的銘印。例如，為了敲定未來潛在客戶的第一筆訂單所說的、小小的誇大之詞；向現存客戶解釋訂單遲了所撒的、小小的無傷大雅的謊言；為了籌資推動實行你的企劃，而在交付給銀行的資產負債表上稍稍動了手腳。避免諸如此類無關緊要的

「小惡」，甚至避免最微不足道的吹噓和不誠實，你將發現，因襲的商業策略仍然持續發揮它的效用。

問題(24)：你發現無論事業順利與否，你比以往更經常覺得情緒低落。你開始覺得沮喪、意氣消沈，或開始自我疑惑、缺乏自信。

解決方案：這個現象也有一個非常簡單直接的解決方法。你必須檢視自己和屬下共事的方式。你是否鼓勵他們欺騙、捏造事實？你是否有任何言明或未加言明的政策，可能使員工認為你可以寬恕容忍針對客戶、供應廠商、員工、甚或競爭對手所做出的負面或不誠實的行徑？

在鑽石業界，一名雇主鼓勵一名員工為了自身的利益而欺騙客戶或競爭對手的行為總是令我驚愕不已。我們偶爾接觸一些公司；這些公司的擁有者訓練他們的員工如何欺騙顧客，或如何提供查帳稽核人員不實的報告，甚至捏造寶石的重量。我們曾經有一個供應廠商，供應我們數批鑽石達數星期之久；他用塑膠泡綿把寶石包裹起來，如此一來，我們無法把所有的寶石混合在一起，很難確切地計算寶石的重量。

他曾經提議供應我們一組組事先搭配好的紅寶石，以節省我們揀選、搭配寶石的時間。例如，我們需要五顆兩頭尖的橢圓形寶石或五顆船形寶石鑲成一列的手鐲，那麼一

套套事先配好的寶石就省事多了。通常來說，要確定五顆寶石擁有同樣的色澤，擁有同樣的外形，特別得花許多工夫，也需要一個訓練有素、具備一雙鑑識色澤、色度的高超眼力的「配對師傅」。對大數人來說，這種鑑識色澤、色度細微差別的眼力，通常無法持續到四十之齡，而對於色彩的感知能力早在四十歲以前就開始逐漸退化，因此一個經驗豐富的寶石配對專家實在難尋。

無論如何，我們非常感激供應廠商的提議，事先把寶石搭配成套；我們也認為，對供應廠商來說，這也是一筆很棒的交易，因為以後若有大筆訂單，我們將優先向他下訂單。我們沒有事先考慮到，寶石被裝進塑膠泡綿之後，我們就無法適切地衡量寶石的重量，但我們仍然依照往例隨機抽出幾個寶石，檢查它們的重量。

那個供應商行騙的方式十分巧妙：他虛報了每一套寶石的重量，而且每一套寶石多報重量的百分比都一模一樣；儘管他虛報的百分比是那麼的微不足道，但卻十分有利可圖，因為在鑽石這個行業，每一筆交易的利潤也就只有百分之一或百分之二。你瞧，在任何一筆牽涉了數千顆寶石的交易之中，轉手的金額是如此的龐大，銷售的速度如此迅速，即使每一筆交易只省下百分之一的利潤，到了年底，你的獲利可能就增為兩倍。因此那個供應商把虛報的重量，平均分攤在每一套寶石之上，而不冒險地大大虛報幾套寶石的重量。

我們隻字不提，想看看這名供應商是否食髓知味，而他的確如此。因此我們很快地記錄了虛報的重量，小心翼翼地保管每一張嵌壓了數百顆紅寶石的塑膠薄板。最後，我們邀請供應商前來公司，一起重新檢查寶石的重量，把不合重量的寶石從發貨單上刪除，結果一路檢查下來，他的訂單數量被刪得精光，一點也不剩。

這個部分所提出的要點是：教導屬下欺騙不實的愚蠢行為，以及一個人天真地相信，經他調教如何行使欺騙的人往後不會反過來擺他一道。

而該公司的兄弟檔老闆每一年越顯落寞寡歡，飽受諸如痛苦婚姻等事件的困擾折磨。

這種悲傷或失意是鼓勵屬下為了你自身的利益，進行不誠實的交易，而在你的心中留下銘印的直接結果。而工作的信心和喜樂則來自你從上至下，支持公司的每一名員工誠實不欺的結果。

多年之後，這名供應商面臨了公司出現內賊的嚴重問題，在某一天失竊了一萬美元。

問題(25)：即使你說的是實話，你周圍的人，無論是同事或主管，顧客或供應商，從不採信。

解決方案：大多數人都曾因為對工作場合的夥伴撒了一個小謊而感到內疚；我們偶

爾撒謊被人識破，也的確令人尷尬萬分，但如果那只是個無傷大雅的小謊，人們也不會太在意。然而，此處我們卻是談論另一種情況：你實話實說，但沒有人相信你。你知道這種情況是多麼的令人沮喪，有時候你越是抗議，人們越是覺得你不誠實。

重要的是，你必須了悟，人們對你所產生的不誠實的印象，並非來自你目前的真誠行為。關於銘印的一個規則是：銘印的內容必須和銘印的結果相一致，也就是說，你絕對無法從一個正面的銘印（坦然真誠的行為所製造的銘印），得到一個負面的結果（某個人認為你撒謊）。更確切地說，他們對你的不信任，來自你過去的欺騙行為，即使那些不實行徑是如此的微不足道，但欺騙的銘印已經植入你的心中。

用字遣詞精確無誤是解決問題的方法。切記，所謂謊言是指，你使某人對某件事物所產生的印象，不同於你對相同事物所產生的印象。因此，你的說詞全然真誠，就等於是在確定你的言辭促使其他人對某件事物所產生的印象，必須與你對相同事物所產生的印象完全相符一致。這比我們平常所認為的誠實還要困難多了！但是，如果你持續一段時間，你將發現，你獲得整個公司和整個商業界的信任和敬重。那是一種非常美妙的感受，也能夠帶來利益。

問題㉖：無論何時，只要你從事任何一種合作關係——團體計畫、為了某種商業目標所

形成的合夥關係、或公司與公司的合併——似乎都無法成功。

解決方案：解決這種問題的辦法，和你的預期有些許的出入。出人意料地，你不怎麼需要把相關的人事全都召集至一個房間，努力說服他們彼此同心協力，反而是你自己必須非常小心謹慎，必須全然地誠實。你必須一直留意自己描述事物的方式，給予人們完全相同的印象——相同於你看待同一件事物的方式。換句話說，你的說詞必須使聆聽者對特定的事物或事件產生相同理解。

人們說：「真理永遠站得住腳，謊言則否。」內在全然的誠實，特別是你察覺自己完全真誠坦然，將使你的心獲得大平靜，並在你的潛意識植入堅實的銘印，假以時日進入意識層面之後，形成大團結的概念，使你在任何一種合作關係中，都能獲致成功。

問題(27)：在你的工作環境中，人們爾虞我詐，彼此欺騙。

解決方案：我相信，你一定經常從各行各業的人們口中聽到相同的牢騷：「我已經厭倦了對簿公堂；在這個行業裡我見過的每一個律師，包括我的頂頭上司，都非正直誠實之輩。」或「在音樂界，每一個人都剝削你。」或「做珠寶生意的人都是不折不扣的訟棍。」

如果你完全正直坦率、童叟無欺地從事所有的交易，你就能夠避免此一狀況。然後

漸漸地，你遭遇向你或其他人行騙使詐的人的次數將越來越少，因為每一個你所接觸、企圖欺騙的人，其實是你自己過去沒有完全誠實，所植下銘印的結果。

問題(28)：你的上司經常對你出言不遜。

解決方案：每當憤怒的情緒出現的時候，例如，上司羞辱你的時候，小心謹慎地控制憤怒，就可以避免這個特殊的問題。如果你認認真真地研讀西藏的古老典籍，其中宣說的一個觀點將使你有醍醐灌頂之感：對於一個負面經驗所產生的自然反應，將留下一個銘印，使你再一次經歷相同的負面經驗。簡而言之，你的上司出言傷人，使你心生憤怒，留下了一個銘印；在未來，無論你的上司說了什麼，先前的銘印將再一次使你認為，你的上司極盡羞辱之能事。

如果你想要從這種衝突中撤退，你必須先放棄衝突。我們經常目睹，世界上的個人、團體或國家拒絕打破以牙還牙、以眼還眼的暴力循環，而使小衝突逐漸增強擴大為重大衝突。此處提出的概念是：即使對方尚未達成化干戈為玉帛的共識，你先棄絕暴力。你一而再再而三地拒絕冤冤相報，你拒絕一次，兩次，甚至一百次，如此一來，你移除了存留心中、以牙還牙的銘印，終止了暴力的循環。

我經常開玩笑地對朋友說，這正是解決辦公室裡的討厭鬼的方法：你不需要拔槍射

殺他們，或使用任何類似的方法，你只要停止彼此攻擊冒犯即可。如果你長期用一顆仁慈寬容的心對待那些侮辱你的人，如果你拒絕一再地以牙還牙，那麼你將發現，這些人逐漸遠離你的生活。他們突然之間被調職到另一個城市；他們提早退休；他們被其他公司挖角等等。我可以很坦白地說，我在安鼎國際鑽石公司親身實踐了此一原則數年之後，我所掌管部門的每一個員工，每天朝夕相處得十分融洽愉快。這種氣氛使工作成為一大樂事，也為我們的部門創造了極大的利益：才華洋溢的人們只要和諧融洽地齊心工作，那麼阻礙一個公司發揮真正潛能的一半因素都消失無蹤了。

問題(29)：你發現，在商場打滾數年之後，你的外表變得令人憎惡。

解決方案：把它列入商業問題似乎顯得既愚蠢又無聊，但是任何一個曾經在商場打滾一段時間的人都可能會告訴你──無論公允與否──在決定你的職位高低、薪資多寡的過程中，你的外表扮演了重要的角色。

你也知道，如果你曾經長期在一家大公司任職，該公司的價值觀和文化似乎對員工的外表造成負面的影響。剛從商學院畢業的學生，相對看起來比較生氣勃勃，充滿魅力；然後在商場上經歷了幾年真槍實彈的嚴酷搏鬥之後，頭髮灰白了，肚皮圓了，臀部也寬了。你開始把外表的變化歸咎於生活的沈重壓力，例如在許多個深夜趕訂單出貨，

經常出差，情緒隨著事業的起伏而大起大落。你猜想，如果情況稍微冷靜下來，你可能會回復原本較英俊姣好的面貌，然而你從來沒有機會去證實這個想法。

這個解決辦法有點出人意表，但非常有效。你必須十分勤奮精進地觀察自己的心，是否對他人產生出最最細微的憤怒情緒。古老的西藏典籍指出，如果你認真地採用此一方法，你必須從憤怒的情緒中退一步，謹慎努力地避免憤怒；甚至在引發憤怒的因素有機會聚集起來之前，你就必須避免憤怒。就在你開始生氣之前，你對某件事物所產生的煩亂情緒正是引發憤怒的特定因素。

如果你真的想要成為一個避免憤怒的專家，你必須先成為一個不因任何事物而心煩意亂的專家。藉由避免憤怒的前奏，來避免憤怒本身。所謂憤怒的前奏是指，你的心境因為某些事件而失去了平和寧靜，生起煩惱。例如重要客戶的訂單出了小差錯，或在前往一場重要會議的路途上，出乎預料地碰上了交通阻塞。長時間持續地避免憤怒有其成效；一些有趣的銘印將植入你的心中，使你自己和自己眼中的他人都認為，你的外表具有相當的吸引力。在工作職場的歲月一年年地流逝，但你的外貌似乎不會隨之衰老。相較於把金錢投資於國外進口的乳霜、健身計畫、或各種不同的整容手術，這個方法容易又經濟實惠多了。

問題(30)：無論你的工作表現多麼出色，來自周圍人士的批評聲浪總是不斷。

解決方案：你必須十分敏銳地留意，你的言行舉止如何影響周遭的人。換句話說，在言說、行動之前，你必須謹慎思考，你的言行可能會對工作場所的其他人員帶來什麼樣的衝擊。在一本於十六世紀之前著述完成、名為《俱舍論》的古老佛教經典中提及，每一個善行都有兩個不同特徵中的一個特徵做為基礎：你若不是以自己引以為榮的方式謹慎行事，就是用他人引以為傲的方式小心行事。換言之，當你小心翼翼、努力謹言慎行的時候，你就等於是在心中植入有益的銘印；這種做法將為你自己和你周圍的人帶來健康、正面的影響。

在美國人的心目中，一個輕率無禮，年紀輕輕即擔任經理級的主管人物的形象是：敏銳機警、孜孜不倦、機智風趣，以及不停地嘲諷能力不及於他的人。很要緊的是，我們必須了解，這種類型的人是在恃著、消耗著過去累積下來的良善能量，而老舊銘印所產生的老舊能量已經一天天地被消耗殆盡。他們現在所表現出來的驕傲自大、玩世不恭的行徑、樂此不疲地忽視自身言行對周遭人物所造成的影響，只會種下招致批評的種子；當他們在職業生涯中有所成就發展之際，他們將看見自己遭受越來越多人的苛求和非難。

切記，儘管看似如此，但蔑視他人的感受不是招致批評的直接因素。真正的原因

是，輕蔑他人感受的行為在年輕經理的心中留下了銘印，該銘印進入潛意識層面，停留了一段時間，聚積了強度和力量之後，重返意識層面，使他經歷遭人非難苛求的困境。

相反地，如果你經常遭受他人的批評，你所能做的最要緊的一件事，就是時時刻刻留意自己的一言一行可能會對周圍的人造成什麼樣的影響。

問題(31)：你交給部屬執行的企劃，從未被完成。

解決方案：藉由特別用心地協助公司其他人員完成工作的行為，可以終止引發此一問題的銘印。例如，公司的某位員工需要資訊管理系統方面的資源，即使你自己的部門必須支付提供資源的費用，你也鼎力相助，解決他們的需要。如果其他的部門需要借調幾名員工，以便在當週內完成一項企劃，那麼你就欣然同意，而且得派給他們最優秀得力的員工，而不是一些酒囊飯袋之流。如果某個人希望你提供一些數據，幫助他完成手邊的報告，那麼即使你得犧牲自己工作的時間，也務必提供數據，幫助他完成報告。

這種行為所製造的銘印十分強大，在短時間之內，你就可以看到自己交代部屬執行的計畫，都能夠以出乎意料的品質，在不超出預算的情況下準時完成。

問題(32)：你執行的商業企劃最初進行得十分順暢，但後來的進展卻令人失望。

解決方案：截至目前為止，我們已經描述了許多商業問題，但是現在你可能猜不出究竟是什麼樣的銘印造成上述的問題。不過，你只要稍做思考，你就會發現答案合情合理。在古老西藏的傳統學問中，你可以修習一種稱做「感恩禪修」（gratitude meditation）的特殊修法。

你可以坐在公司一處僻靜角落的一張座椅之上（雖然在公司之中，真正安靜的地方很少，但你一定知道它們的位置，而且那些地方一定不會受到干擾至少五到十分鐘），一件一件地回顧生命中的美好事物，並且想一想那些伸出援手，成就這些美好事物的人們。或許，今日你在工作上所運用的特殊技能，是過去另一個人花了九牛二虎之力栽培訓練的結果。或許那些都已經是陳年舊事了，然而你不認為，當初費盡心思訓練你的伯樂，在許多年之後收到一封感謝栽培之恩的短箋，將感到十分欣慰？

在你的家中，是否有人——你的配偶、父母等等——打理一切家務，讓你無後顧之憂地專心於事業？你最近一次感謝他們是在什麼時候？事實上，在你的周圍，難道沒有一大群人共同協助你成就事業？難道不包括乾洗店、牙醫、郵差、雜貨店的店家、銀行的行員、每天早上遞送晨報的送報生？你可以說：「喔，他們也是領薪水做事的。他們又不是每天早上起床，白白為我做這些事情。」

如果你這麼認為，那你就搞錯了。他們領薪水吃飯沒錯，然而，他們付出了生命中

的寶貴時光，以及一生中少數幾年身強體壯的珍貴時刻來幫助你成就心願，也是無可改變的事實。疏於認清其他人給予的支持，以及對於我們的成就，其中大部分唯有透過周遭人士的仁慈寬厚才得以促成的事實，也不心存感激，是現代西方思維的一大弱點。

在「我們感激他人的程度」和「我們的人生有多麼幸福快樂」兩者之間，也有直接的關聯：非常幸福快樂的人比較容易強烈地意識到，正是因為其他人付出了許許多多的心力與協助，他們才能夠享有幸福和舒適（一個心靈真正快樂的人不會去在意，那些人是否因為接受付費才有付出的行動）。換句話說，真正快樂的人比較容易去感謝成就他們的喜樂的每一個微不足道的仁慈善行。相反地，鬱鬱寡歡的人則傾向於規避其他人為了促成他們的幸福快樂而付出了多少，犧牲了多少的想法，而加深了自己的不快樂。

因此，如果你真的希望你的計畫順利推動，而不是虎頭蛇尾地草草收場，那麼你必須小心謹慎地植入可以使願望成真的正確銘印：不間斷地投入時間和關懷，對於那些支持鼓勵你的人表達誠摯的謝意。同樣地，雖然行動的銘印十分強而有力，但是銘印的植入不一定得透過具體的行為。最主要的是，你時時心存感激；每天早上你看著餐桌上的一碗麥片的時候，你真心感謝成百成千的人們犧牲短暫人生的寶貴時光，準備餐桌上的食物。在現代社會中，這種時時心存感激的想法十分缺乏，一旦你開始心存感激，你將擁有十分美好的感受。試一試吧！

問題⑶：為了工作的緣故，你經常置身於不愉快的環境之中，例如你必須前往街道骯髒污穢的國家出差工作；在空氣污染非常嚴重的地區上下班通勤；在一個需要使用有毒化學藥品製造某種產品的工廠工作等等類似的情況。

解決方案：這是一個十分典型的辦法，雖然出乎你的料想之外，但所有的古老典籍對於解決此一問題所必須採取的行動，都有一致的看法。你必須巡視你的公司或你的部門，實地了解是否發生任何種類、任何層次的性騷擾或淫蕩下流的行為，然後加以掃蕩肅清。

在安鼎國際鑽石公司任職最令人感到舒適愉快的部分之一，就是許多工作場合可見的、對女性的各種形式的騷擾，在安鼎幾乎完全不存在。上至公司所有人，下至基層員工，每一位女性都因其貢獻而受到尊重，完全享有加薪、升遷、晉升高階職位、獨立作業的等同資格。從公司所有人以降，沒有一名經理人員善用職權之便，對女性員工做出令人嫌惡的打量、吹口哨、出言猥褻等卑鄙下流的行徑。

全面禁絕粗俗猥褻的行為十分重要，而且令人耳目一新，精神為之一振。例如禁止涉及性和女人的黃色笑話；禁說下流的粗話；不鼓勵有婦之夫、有夫之婦背叛自己的配偶，進行辦公室婚外情。

然而，把外在環境的髒亂，歸因於自身言談或思想的卑鄙污穢的想法，或許顯得過

度單純化。對於西方人來說，這種概念過於格格不入，幾乎像是說給黃毛小兒聽的童話故事。但是，請仔細思量：所有的事物都有其成因。為什麼一個國家的某些區域飽受污染之苦，有些地方不受其擾，其中自有原因。現在你在心裡自顧咕噥著：「當然有原因啦，有些地方車子比較多、工廠的煙囪比較多，但嚴格管制污染的法律條文比較少。」

古老的西藏思維嚴格地界定「如何」以及「為什麼」兩者之間的區別。如果說某個地區污染嚴重，因為該地區有較多的污染源，僅僅只說明了污染如何被製造出來的過程，而完全沒有陳述為什麼這些污染源會在這個時間、這個地區出現。我們知道煙囪製造污染；這不是問題的所在。真正的問題是你一直想問、卻像小孩子一樣被告誡制止詢問的問題：為什麼煙囪設在這裡，而不設在其他地方？

你的心再一次反叛地說：「這是一個多麼愚蠢的問題。事情就是如此。」但是，科學不是指出每一件事物都有一個起因？難道「每一個事件都有一個合理的解釋」的說法，不是我們整個西方社會的基礎嗎？顯而易見地，煙囪是污染的起因。但是，煙囪一開始就設在那兒的原因又是什麼？難道我們不該找出這個原因嗎？「煙囪一開始就設在那兒」本身不也是一個事件嗎？所有的事件不是都有觸發的原因？

事實真相是：煙囪之所以在那兒，是因為一個從潛意識進入意識層面的銘印迫使你看見煙囪──你被迫意識到煙囪的存在。你藉由一個行為製造了污染，以及產生污染的

污染源；那個行為(1)先於該行為所引發的結果，(2)行為的內涵類似於結果的內涵。在世界的另一端，由傑出非凡的思想家所累積的數千年智慧指出，性的淫亂正是污穢的、充滿惡臭的環境的起因。

對於這個說法，你不必相信，也不必不相信，只要試一試即可。徹底根除如前所述、可能損及公司員工士氣和道德的事物，然後觀察公司的環境是否變得更加美好宜人。一切眼見為信。

問題(34)：在你周圍的人不可信賴。你交代他們一個工作，你從來不放心他們是否會替你完成。你必須把每一個任務交給三個不同的人去執行，以確保任務圓滿達成。你也必須事事躬親，緊盯每一個細節，既耗人精力又缺乏效率。

解決方案：為了確定你周圍的員工足以信賴，你可以採取主要的行動之一是：在你的婚姻關係中，或類似的家庭義務中，保持忠貞不渝、信賴可靠的態度。在現代的社會中，已經不時興談論關於婚姻和家庭的忠誠與倚賴，然而根據萬物潛能的法則以及行為銘印的法則，這是我們所能採取的一個最重要的步驟，以確保私人生活與工作生涯的穩定。

我成長的時期，正值越戰如火如荼地進行，以及伴隨戰爭而來，反對上一世代對於

發動戰爭、婚姻關係中一方對另一方的擁有權等等的愚蠢觀念。在我居住的城鎮上，我自己的母親是頭幾個離婚的人之一。我記得，她為自己的決定付出了代價，不但引來街坊的指點和議論，而且做為一個單身母親，她必須努力掙扎地謀生。

然而，一時興起閃電結婚，加上日後輕率離婚的行為——常常是在兩人生兒育女之後；孩子是離婚過程中最大的受害者——在當事人心中留下了極其惡劣的銘印，巨大地影響了人們對於周遭世界的觀感。滿載西藏智慧的偉大典籍明確地指出，缺乏西方文化所謂的社會秩序，是我們無法信守彼此之間的承諾的產物。最簡單的實例是，在美國一座城市的街道上，一個人隨地丟棄一個紙杯，絲毫不考慮此一舉動將對下一個行人造成什麼樣的影響。如果你希望你的員工可信可靠，你必須先成為配偶子女可以倚賴的人。

問題(35)：你的財務狀況不獨立，你無法自主，特別是沒有徵詢他人的意見，你無法做出任何關於財產方面的決定。

解決方案：你必須非常嚴格地尊重他人的財物和空間，才能夠化解問題。例如，在一個公司之中，你必須小心謹慎，在未獲其他部門或經理明確的同意之前，不可擅用他們的財物和資源。或者，當其他人有所需求，而你又有職權和能力滿足他們的需求的時候，你應該釋出你所擁有的資源；簡而言之，為了達成共同的目標，你應該和其他的經

理人員分享資源。

此處所提出的是一個「一體」的概念。大約著述於十三世紀之前的亞洲，一本名為《入菩薩行》（*A Guide to the Way of Life of a Warrior Saint*）的佛教典籍滔滔陳述了「一體」的概念。想一想「我的身體」或「我自己」這個概念；我們通常非常強烈地把包裹身體的肌膚做為分別「你」「我」的邊界，也就是說，如果我們兩人握手，即使有肌膚的接觸，但「我」的範圍止於我的手指，「你」的範圍始於你的手指。

當一個母親有了孩子之後，顯而易見地，「我」就有了一個全新的定義：此時，「我」的邊界向外擴展，把孩子納進了邊界之內，如果有人傷了孩子一根汗毛，就等於傷了反應如母獅一般的母親。在你買了一台新車，意味著每個月都要從薪水中支付一大筆購車分期貸款之後，你對於「你」的定義也擴大了。在紐約，「你」的定義隨著添購新車而擴大這件事，真真實實地在生活中上演。如果是在昨天，你看見一群十來歲的毛頭小夥子從街上走來，摸摸車門把柄，從車窗探看後座，你可能認為這群小夥子實在討厭，在進大樓之時，向警衛提了一提；但是今天，他們走向你的新車，那可是一件令人義憤填膺的惡行，你可能衝到街上制止他們，或慌張激動地報警。

「我」也可能縮小。舉例來說，一名外科醫師告訴你，你的一顆腎臟染上癌細胞，必須切除。經過了一番自我掙扎之後，你開始「切斷」你和腎臟之間的關聯——你經歷

了「你自己」和那顆腎臟一刀兩斷的過程，直到進行手術那一天，你完全聽從醫師的指示，把腎臟從「我」身上切除。

在一個大企業中，以「我的利益」來定義的「我」可以縮小，也可以擴大。一個健全的公司的象徵是：每一個部門經理的「我」的定義向外延伸擴展，把每一個其他部門的經理也納入在內——對你的部門有利益的事物，也利益我的部門，因為大家是在同一個公司，是一體的。體悟上述的現象並非虛構作假是很重要的；因為如果要說矯揉造作，那麼在某一天，某個人說，你是某某部門經理的時候，你把「我」的定義擴展到這「一個」部門的做法，其實和你把「我」的定義從自己的部門延伸至三個部門之間是沒有差別的。

所謂的「我」，其實是生活中每一個剎那的一個決定，「我」的範圍隨著每一個決定而變動。然而，根據古老的西藏智慧所指出的，把「我」的範圍僅僅侷限於「你切身的利害關係」，是引發所有個人和團體問題的根源。千萬不要誤會了，這可不是什麼偉大崇高的觀點。相反地，它非常切合實際。所有的人都極力主張財政和組織體制的獨立自主，此一目的可以藉由完全把自己擁有的資源，與組織內部的其他人共同分享來達成。慢慢習慣、接受這個概念。天底下，沒有什麼是憑空而來的。無論你達到何種程度的獨立自主，都是你快樂地、會意地分享資源的行為，在心中留下銘印所形成的觀感。

問題(36)：在每天的商業交易之中，你周圍的人——包括客戶、供應廠商、員工——都有欺騙誤導你的傾向。

解決方案：這又是一個你料想不到的方法。我們深深明白，在商言商的時候，我們不確定自己究竟能夠相信對方幾分的情境是多麼令人洩氣。例如，一名客戶保證，我們將在某個日期之前，收到一筆款項，然而我們後來才知道，那名客戶自始至終都在睜眼說瞎話，我們根本不可能在接近約定日期的前後收到帳款。。

一名供應商向我們保證，我們所需要用來完成一位重要客戶的一筆重要訂單的原料，一定準時送達；結果我們發現，那名供應商所屬的公司根本沒有那批原料，或者更糟糕的是，他們的確有那批原料，但是卻把原料給了在同一天出價較高的競爭對手。在一場會議中，你把一個大計畫的主要部分交由一名員工規劃；該名員工和其他共同執行任務的人員以往表現優異，因此你只是偶爾稍微盯一盯進度，而每一次的結果都讓你非常放心。但是，到了呈交企劃的那一天，你才發現，整個進度延遲，因為他們尚未完成企劃，而且事實上，從一開始到現在，完全沒有任何進展。

你可以採取兩種行動，停止這種欺騙模式。第一，敏銳地覺察任何驕慢情緒的生起，避免成為自身驕慢的受害者。商場瞬息萬變，殘酷無情，一個人可能以極快的速度竄升，成為熠熠之星，然後摔得一文不名，因此你可能認為在公司之中，驕慢是極為罕

見的問題。在西方社會，商人是最聰明理智、最具才幹的一群人之一，然而在面對驕慢的情緒時，似乎都有一個盲點，無法加以控制。在一時運氣不佳，就可以讓一個高高在上的部門副總裁，降為一個四處徵求基層行政職務的過氣經理的商場之中，驕慢是一種不必要的情緒。

或許，驕慢所製造的最嚴重問題，不是引起你周圍人士的多大不悅，而是對你自身的發展所造成的傷害。西藏犛牛牧人有一句格言說，在夏日，牧草總是先從較低處的草地長起，然後才慢慢長到覆滿冰雪的山峰上。這句格言的重點是，一個謙卑、無驕慢情緒的人，是一個較佳的傾聽者；他傾聽來自公司各個階層員工的心聲，從中學習擷取邁向成功之道──獲取更多的牧草。

只要我們願意洗耳恭聽，在每一個工作天，我們都有可能從每一個相遇的人身上學習到一些事物。這不意味著你必須接受每一個輕率的意見；畢竟，你今天躋身高位，正是因為你能夠做出成果令人滿意的決策。儘管如此，如果你每天巡視經過你的部門的時候，都能保持機警敏銳，仔細傾聽部屬片段不完整的意見，你多半都能夠從中獲益，因為，即使他們心中所想的、片片段段的方案尚未具體成形，但集思廣益的結果，應該能夠讓你思考出一個更全面的策略。

第二個方法是，你必須避免落入為了博取他人認可而活的陷阱。在商場和私人生活

領域中，每一個人必須成熟到一個境界，不要為了贏取他人的感謝和讚美，才去從事良善、正確的事物，而應該只是單純地在能力範圍內，當人不讓地行所當行、為所當為。

事實上，一個越是優秀的經理或行政管理人員，越不需要任何來自他人的認可。母親照顧幼弱的嬰兒，是在正確的時期所做出的適切行為，並且從中學習不冀求孩子的任何感謝或認可。

在一個公司之中，真正能幹稱職的經理人員應該別具慧眼，而且能夠賞識、認可他人。賞識他人不僅僅只是一個行政管理策略，而是經理人員對於周遭情勢的精確洞察。他們非常敏銳地洞悉周圍人員的貢獻；而他們賞識表彰人們的貢獻，不是因為那是一個激勵人員的好辦法，而是由衷地讚賞工作人員，而且認可每一個人在公司邁向成功的過程中，所扮演的重要的、不可或缺的角色——即使他們只是毫不起眼的機械技工或門房警衛。

戒除希望獲取他人的認可或讚美的習慣；養成努力尋求機會賞識表彰他人的習慣，然後突然之間，在你的生活中，再也沒有人——包括客戶、供應商或員工——欺騙你誤導你。同樣的，這也是誠摯地認可周圍人士的貢獻，所留下的銘印的結果。

最後我們必須強調，無功不受祿，你不必言不由衷或刻意地讚美或認可一個不值得賞識的人。重點是，不管你任職公司的規模大小，如果少了一群默默耕耘、鞠躬盡瘁的

核心工作人員，公司的營運將難以推動；而你甚至可能已經忽略了這群長期表現出色、專心一致的員工，對你所做的貢獻。無論在工作場合或私人生活中，對於越是親密、越是長期相隨的人，我們似乎越客於讚賞、回報他們的付出。你只要想一想，最近一次你捧著一束玫瑰、一盒巧克力回家給心愛的人是什麼時候，你就能夠明白其中的道理。

問題(37)：在公司中，沒有一個人尊重你的言論；你所提出的每一個意見，都被忽略或被視為愚蠢可笑。

解決方案：任何一個曾經在公司的會議廳嘗過坐冷板凳滋味的人，一定都會喜歡這個辦法。有時候，你真擔心自己會發瘋；在星期一，你參加一個六小時的董事會會議（會議從早上一直延續到中午用餐時間；老闆說：「會議結束之後，你可以休息休息，到街上的那間餐廳用餐，我請客。」然而，就在你開會六個小時，無法抽身的期間，你主管的部門出了一個亂子——你知道怎麼回事了，但這不是重點。）

重點是，在會議期間，老闆詢問如何在這一季節省開支的意見。（以下你即將閱讀的對話，來自真實的情況。）一個老闆跟前的紅人說：「讓我們把一面列印一面空白的電腦報表廢紙當做便條紙來使用；鼓勵員工不要拿影印機裡面的新紙來做筆記。我們可以把用過的電腦報表紙裝成一箱，放在影印機旁邊，供員工使用。」

老闆的眼光掃過每一個圍坐在桌邊的與會成員，似乎每一個人都同意「紅人」的提議。此時，雖然大多數人的腦子都在想，如果每一天，某個人都必須在公司內穿梭，發配回收再利用的紙張，其實真的省不了多少錢，但是這個提議還不錯，至少它的精神是正確的。

「好主意，」老闆說，「其他人呢？有沒有意見？」

我舉起手來，「我們要不要在電梯的地板上鋪一層特製的墊子，人們搭電梯外出的時候，墊子可以沾黏住從鞋上掉落下來的碎鑽？我每天搭電梯外出的時候，我都會在電梯地板上看到一大堆碎鑽。每天晚上清潔工人來的時候，都用吸塵器把它們全部清了扔了。」

你瞧，我們經常處理數千顆的鑽石，在這些鑽石之中，有些真的很小很小，好像你打了一個驚天動地的噴嚏，或是你坐在椅子上往後一靠，電話線輕輕掠過一堆鑽石，可能就會有一大堆的鑽石飛落地面。當鑽石跌落地面之際，它們經常神祕地彈過、滑過、或急速「奔」過整個房間，到達一個你怎麼找也找不到的地方。

如果從桌面跌落的是一堆小鑽石，你首先小心翼翼地站起身來（因為部分鑽石可能落在你的大腿上），接著躡手躡腳地走到房間的角落拿一柄小掃帚。你踮著腳走路是為了避面落地時，尖端朝上的鑽石嵌入你的鞋底之中，然後帶著它們出了設有保全裝置的

房門，進入洗手間或電梯，而且不知何故，很多嵌入鞋底的鑽石都在鞋主進了電梯之後，從鞋上跳了下來。這也是我建議在電梯內放置一張特製墊子的原因。

你取來小掃帚之後，你整個人趴在地板上匍匐前進；沒有人會笑你傻，因為每個人掉了鑽石的時候，都是如此。你小心翼翼地掃起鑽石，或者把身體伏得更低，使得那個角度可以讓你的眼睛看到落在幾英尺之外的「遺鑽」反射出來的光芒。就人類所知，鑽石是最堅硬的物質，擁有最高的折射率，以及把光線從鑽石表面拋射出去的絕佳能力；因此，當微亮的頭燈照射鑽石之際，每一個鑽石匠都能夠敏銳地察覺鑽石發出的獨特閃光。

你也可能在高級主管辦公室所在的區域之中，沿著鋪設地毯的走廊行走，然後瞥見一個角落發出閃光；你彎下身子，啪答一下，把一顆小得可憐的鑽石送入掌中。這一連串的動作只是一種反射動作，一種本能反應。我記得，座落於四十五街和美洲大道交界的國際紙業大樓（International Paper Building）的前方，有一條十分特殊的人行道；人們在鋪設路面的水泥陰乾之前，在水泥上灑入閃閃發光的粉末。在過去一段時間，每當我從公司回家，經過這條人行道時，我的「地上鑽石亮晶晶的本能反應」便開始發作，弄得我抓狂。我總是不由自主的彎下身去，試圖撿起那些「可憐的、迷途的鑽石」。

然而，鑽石不一定總是恰恰好以適當的角度對著頭燈，對著你的眼睛發出閃耀的光

芒。因此你必須非常小心、非常緩慢地用小掃帚掃整個房間。接著，你把從地上掃起來的一團東西全都集中到一個角落，然後你蹲下來，仔仔細細地檢查那團東西——從每一個人身上掉落地面的毛髮、頭皮屑（它們看起來還真有一點像細小的鑽石）、昨天吃過的薯條碎末、一大堆迴紋針、訂書針（鑽石可能藏身於下）、以及大約三星期之前，你遍尋不著的鑽石。但是，你絕對無法找回所有丟失的鑽石；有些鑽石遺落在電梯之中。

老闆坐在旋轉椅上左右轉動著（他自然是唯一一個坐旋轉椅的人；我始終想不明白，為什麼只有他一個人能坐旋轉椅），咆哮著說：「羅區，這是我所聽過最愚蠢可笑的提議。」在會議廳開會的時候，有一些技巧可以讓你變得像隱形人一樣，不被人注意到；老闆發出咆哮之後，我也開始如法炮製，想把自己給藏了起來。

「我有一個主意，」當月老闆跟前最紅的紅人興高采烈地說，「你們知道那些印著『安鼎第一』、逢年過年致贈供應廠商和客戶的巧克力條？它們真的太粗了。要不等那些巧克力條送來的時候，我們把外層包裝打開，刨下薄薄一層巧克力，然後用這些巧克力重新製作巧克力條，怎麼樣？」

老闆帶著得意洋洋的神態朝著座椅向後一靠，不斷地凝視著「當月最紅的紅人」。

我們其他人都不確定，她是不是在開玩笑（她是說正經的），因此我們努力保持中立，

堅不表態，直到老闆說「笨蛋」（我們就點頭附和），或「聰明」（我們就表現得更加熱烈，點頭如搗蒜）。

你知道，這整件事如何收場。一個星期之後，工友在電梯中鋪放了一張佈滿細緻纖維的黑色橡皮墊。你正要回家，你累得精疲力竭，頭向下垂著，如同一隻落敗的狗，但仍然出於本能地掃瞄電梯的地板，尋找失落的鑽石。

「嘿，你們在做什麼？」你問。

「在電梯裡鋪放一些新墊子。這真是一個好主意。你知道，每天都有一些小鑽石沾附在鞋底，被人們帶進電梯？這些墊子可以沾住從鞋底掉落的鑽石；每天晚上，我們把墊子翻轉過來回收鑽石，而不是每天晚上被清潔工用吸塵器清了扔了。」

「哇，」你說，「這主意真是太棒了。是誰出的主意？」

「喔，是老闆呀。他真行！」

這種沮喪失意的感覺，源自一種特殊的銘印；而這種銘印的植入，來自毫無意義、毫無價值的言辭。有趣的是，在數千年前撰述而成，充滿智慧的古老印度和西藏典籍描述，所謂無用的言辭是指「樂意地、快樂地從事關於性、犯罪、戰爭、政治等無用的談話」。人們經常詢問，我怎麼有時間處理安鼎在世界各地著手進行的計畫。我的回答是，我刻意避免無用的談話。人們往往花數小時的時間，一邊看著報紙一邊喝著咖啡，

談論著在世界上發生的種種事件，以及不相識的新聞人物，而這些事件和人物不可能對他們的生活造成舉足輕重的影響。

你談論從電視節目、報紙、雜誌上獲知的新聞事件；你談論電視或廣播的娛樂節目；你在某某人面前談論某某人；然而事實上，你談論的內容不是重點，你之所以談論，僅僅是為了聽自己說話。有一個「三天測驗」恰好可以檢驗刊登於報紙上或雜誌上的新聞，是否對你意義重大。在你從頭到尾仔細閱讀一份大報（因為你的飛機誤點等等類似的事件，你終於有時間閱讀整份報紙）之後三天，試著坐下來，寫下所有你仍然記憶猶新的資訊。

你將發現，你不記得超過一或兩篇的報導，也幾乎不記得任何細節。那麼，為什麼要看報紙呢？心的力量是偉大的，但不是永無止盡的，如同一台電腦，你的頭腦容納資訊的空間是有限的。

佛教哲學賦予「沈默」極高的評價；其原因非常切合實際。我們有一位客戶（在稍後章節，我將著墨更多）即將閉關數天至數星期；在閉關期間，應該刻意禁語。在美國或其他西方國家，大多數人從未嘗試諸如閉關禁語等活動；除了一些特殊的情況，例如喉頭炎、獨自臥病在家，在你一生之中，沒有交談的時間可能不超過一或兩天。當你嘗試一次禁語閉關之後，你將了解，大多數的交談都不必要，而且分散了你的注意力。

獨自靜默一段時間是獲得洞悉商業情勢的眼光的特殊方法——我們稍後再多做說明。此處的要點是：即使你的意見出色，你仍然遭受忽略，完全是從事無謂談話的銘印的結果。如果你的生活充滿此一問題，你必須比其他人更加努力避免無聊瑣碎的談話。

問題(38)：你發現自己缺乏信心。你曾經充滿自信，如今恰恰相反。

解決方案：同樣地，避免無意義的談話是解決問題的方法，但是此處應避免的無謂談話，不僅僅包括上述關於性、犯罪、戰爭、政治等內容，還包括另一種十分重要的類型。這是一種非常典型的無謂談話，在商場十分普遍；商人天花亂墜地提出各種偉大崇高的計畫，但從未真正落實。這種現象在公司召開業務會議，制定未來一年的計畫時，尤其明顯——一個小時接著一個小時，每一個與會人士提出明知不可能實行的空頭計畫和方案。

我必須釐清，這種無謂的談話不包括一個真正的企業家許下的、令人興奮激昂的承諾；也不包括那些充滿遠見、深知如何從單調乏味的苦差事之中，把不可能的夢想變成事實的稀世人物腦中，源源流洩的熾熱創意；而是一再重複的、浪費資源、耗人心神的幼稚計畫和言論。

為了確定你在未來的一年充滿信心，你必須努力嘗試，只說你真正有心去實行的事

物；切勿浪費人生的寶貴時光，盡談論一些無關緊要的話題。一般來說，在夢想和遠見之間，在空幻和希望之間，存在著微妙的平衡，其中的差異僅僅在於你是否把夢想化為真實。

問題(39)：你發現自己無法好好地休息；你不知道如何放鬆，從未真正悠閒地享受假期。

解決方案：如果你知道如何在心中植入正確的銘印，你就能夠獲得放鬆身心的能力，以及放下工作，盡情享受悠閒安逸的技巧。這種能力和技巧不是自然而然的，也不是與生俱來的，更不是只有某些人能夠擁有的福份。

在你心中植入這種特殊銘印的主要方法，即是小心謹慎地只談論具有意義、具有利益的事物，並且避免言之無物或言不及義，包括流言蜚語，或絕對不會付諸實行的愚蠢主意或計畫等等。換句話說，「談話的目的和用意」是此處貫穿的重點。當你有一個理由，有一個目的，有一個行動必須付諸實行的時候，才值得開口說話；其結果是，你實現了你的人生，履行了你的諾言，你從中獲得了滿足感和成就感。

切記，如果你已經是一個「惜言如金」、言之有物的人，絕不意味著在你的潛意識中，完全沒有過去妄言妄語所遺留下來的、較老舊的銘印，或以前尚未成熟的銘印。這些銘印停留在潛意識中養精蓄銳，蓄勢待發，讓你覺得自己是一個無法享受寧靜悠閒的

可憐蟲。

你必須了解，如果你無法享受悠閒，那麼在你的潛意識中，的確存在了妄言妄語的銘印。但是，如果你小心翼翼，不再發表任何無用的、無意義的話語，就可以阻擋妄言妄語銘印的勢力。如果特定銘印所引發的特定問題，讓你深感困擾，那麼你就必須避免重蹈覆轍，再度製造銘印。

問題(40)：你面臨了無法「掌握時機」的大問題。你在市況行情攀上高峰，正要下滑之前投入市場；你在景氣一片繁榮興盛，後續仍然持續暢旺之際，中途撤資，退出市場。你的新產品上市的時機，似乎總是碰上競爭對手也在同時推出品質稍稍取勝的商品，形成難分軒輊的局面。你向一個主要供應廠商所下的訂單，在該廠商提高價格之後幾天才送達。

解決方案：同樣地，問題出在你浪費資源、人力和心神去討論規劃一些你根本無心付諸實行的計畫。你必須確定，你言出必行，切勿言不由衷，亂開空頭支票。

問題(41)：沒有人聽從你的要求。

解決方案：這個問題和問題(37)如出一轍。如你所預料的，引發問題的銘印即是不斷

義，能夠利益周圍的人，如此才能留下正確的銘印，解決你的問題。

地談論一些無關緊要的事物。因此在你開尊口之前，必須三思；你的言談必須充滿意

問題(42)：你公司的員工似乎總是爭鬥不休。

解決方案：你深深明白，在一個公司之中，存在於個人之間的小小爭鬥，將使公司的整體營運付出何種代價。一個員工互相支持鼓勵的部門幾乎可以自行營運；反之，一個員工相互爭吵、反對彼此的部門，既無法創造利潤，也造就了一個令人心力交瘁的環境。艱難費力的工作激勵人心，團結彼此；尖酸刻薄的言辭則立即耗盡一個部門和該部門每一位員工的活力與幹勁。我在安鼎國際鑽石公司那段期間，幾乎每一個中午用餐時間都用來扮演和事佬，排解員工之間的不滿。而安鼎每個月支付我一筆多得嚇人的薪水，就僅僅為了我扮演和事佬這個角色。但是，如果我能夠居中協調，讓員工相處融洽，那麼一切都自然而然地水到渠成。

如我們在問題(6)所提及的，一個公司的內鬥——無論是你和另一個人爭鬥，或其他兩個人互相爭吵——源自包藏禍心、使人漸行漸遠的挑撥言辭或流言蜚語所種下的銘印。當事人雙方可能原本就是朋友、敵人、甚或互不熟稔的同事，卻因為你對其中一人或兩造雙方嚼舌根，使得兩人的距離更加疏遠。為了抵消此一銘印，無論何時何地，只

要你能力所及，你都必須特意地幫助他人言歸於好。

除了時時刻刻居中調停，幫助他人恢復友好融洽的關係，你必須避免對公司的任何一個人心懷惡意。在一個公司之中，每一個高級主管都會碰到其他的高級主管來找碴的時候，因此當你聽說其中一個高級主管遇上一些麻煩，甚至最後可能殃及公司的其他成員，包括你自己，你仍然感到一陣痛快。

正是這種銘印蟄伏於潛意識層，壯大聲勢之後，浮上意識層面，形成一種觀感——你周圍的人們彼此爭鬧不休。他們互相爭吵；他們反對你；見他們陷入困境，你幸災樂禍；這種幸災樂禍的心態又在你心中種下一個新的銘印，使你面臨周圍人士爭執不休的情境。

你現在可了解銘印的運作過程了吧。你原本想避免先前的銘印所引發的問題，但是你一再種下的惡劣銘印，又使你面臨相同的問題。

問題(43)：在你置身的商業和社會環境之中，好人吃虧，光明磊落一文不值；只有笨蛋才會信守倫理道德。

解決方案：這個問題觸及了所有商業問題中最嚴重棘手的部分；這些問題涉及了所謂的清淨的「世界觀」。相較於其他的領域，商場或企業領域的確比較重視道德，任何

一個經驗豐富的企業家都會告訴你，在一個高度重視道德的企業中工作，的確令人振奮；相反地，在一個把良善仁慈視為愚蠢可笑的眼界狹窄的工作環境中辛苦賣命，則令人自慚形穢。而只有鐵石心腸、無動於衷的人才感受不出其中的分別。

如果你發現自己身處一個鄙視道德的環境之中，你必須了解，尋求外在的方法來避免周圍環境的墮落腐敗，不是當務之急；換句話說，就算你改變外在的環境，你可能也無法擺脫鄙棄倫理道德之人的包圍。更確切地說，這一切都來自你自己的銘印。在過去數十年之間，我雇用了數百名擔任各種職位的員工；在這段期間，有少數幾名員工突然向我提出辭呈。

我們之間的對話通常如下：

「我已經決定離開公司。」

「為什麼？出了什麼問題？有沒有什麼事我可以幫得上忙的？」

「沒有用的。某某人（此時員工談話的對象，往往比他口中的某某人稍微位高權重）把我搞瘋了。我沒有辦法再與他共事；他真的很不稱職。我覺得，到另一家公司，為一個較具聰明才智的上司工作，我的表現會比較好。事實上，我已經參加了面試，並且接受了那家公司的職位。這是我離職前兩週的預先通知。」

「那好吧，我看我也留不住你了。我們還是繼續保持連絡，讓我知道你在新環境的

情況。」

在鑽石業界，你（雇主）通常很感謝即將離職的員工提出兩星期的預先通知；你要求那名心懷不滿的員工待在座位上，然後你撥了三通電話。其中一通電話要求安全部門派遣一名警衛，站在即將離職員工的座位旁邊，看著他（或她）清理辦公桌（以免他工作的時候，因為不滿的情緒節節高升，而「不小心」地把一些寶石「順手」收進抽屜之中）。第二通電話通知支付薪資的部門開立一張即期支票，事先支付該員工最後兩星期的薪水，要求他立即離開公司──這種做法比起他順手牽羊帶走幾顆琢磨完成的小鑽石來得划算。

無論如何，大約三星期之後，你和先前離職的員工取得聯繫，詢問他另謀高就的狀況；反正，從中打探一些競爭對手的底細也無傷大雅。結果多半是，他似乎很滿意新的職位，新的工作環境。於是你要求他在六個月之後再連絡。結果幾乎千篇一律的，你開始聽到他對新公司發出相同的抱怨和牢騷。

你瞧，你的周圍滿是惡劣人士的銘印，無法經由操縱外在的環境而改變。西藏人說，當大多數人走進一個有著十個人的房間，我們發現自己非常喜歡其中三個人，非常不喜歡另外三個人，至於剩下的四個人，我們既不喜歡也不討厭。如果我們再進入一個

有著十個人的房間，結果也是一樣。即使我們從三、四個相同的房間中選出十個深受我們喜愛的人，把他們全部集中在另一個房間，結果我們開始喜歡其中三個人，討厭另外三個人。

這不是外在現實世界起的作用；事實上，根本沒有這回事。我們心中的銘印才是問題的癥結。切勿從你身處的企業向外尋求另一個更加健全的企業。你必須改變自己的銘印，使用強而有力的道德邏輯嚴格地培養誠實正直的人格，然後坐賞企業的轉變。你的新銘印促成了企業的改變；逃離一個惡劣的環境，其實於事無補。

問題(44)：你發現自己失去了商業的敏銳度。你的腳步似乎趕不上商場的瞬息萬變。當你面對錯綜複雜的商業挑戰的時候，你的表現已不若以往靈敏迅速。

解決方案：截至目前為止，我們已經大量探討了各種銘印，影響了你每天面對的環境，以及每天接觸的人物。但是你的心，你的思惟呢？古老的西藏智慧典籍指出，清澈明晰的思惟能力也是過去植入心中的銘印的結果。它們說，如果你一直不信守「種善因得善果」的生活原則——也就是說，你一直沒有了悟此一深邃真理的存在——那麼你將失去清明的思維。

曾經有幸親炙西藏上師的人，都有一些令人津津樂道的故事，關於這些偉大的上師

處理生活中最平凡的事物之時，所展現的神祕而不可思議的洞察力。我的一個朋友偕同一個甫自西藏流亡出來的上師駕車旅遊印度。這位上師是一個上了年紀的僧人；流亡至印度之前，他居住在喜馬拉雅山區的偏遠地帶，一直到最近才坐過車子。那輛車拋了錨，駕駛下車掀起車蓋檢查引擎。

那位上師也下了車。如同古老典籍所說的，觀察別人做一些你還不知道如何處理的事情是好的，因為你可以從中學習一些事物，在未來幫助他人、利益他人。他靠了過去，躬身看著他之前從未見過的汽車引擎，然後使用他僅知的幾個英文字，詢問汽車引擎的幾個零件如何運作。接著，他指著交流發電機說：「你得把這個玩意兒修好。」

問題果真出在交流發電機上。我經常把這位上師的心想像成一台速度超快的電腦，根據他所了解的幾個零件的功能，迅速地推演出每一個零件的可能功能──換句話說，當他凝視著引擎這個新奇的玩意兒，觀想引擎內部的運轉過程的時候，幾乎等於是在心理重新製作了一具熾熱運轉的引擎──然後經由周密的邏輯思考，獲得一個結論──引擎哪一個部分出了問題。

這種比尋常人快速、清晰地推斷出問題癥結的高等思惟能力，不是基因遺傳、營養、甚或訓練出來的結果，而是過去銘印所造成的結果。而了解銘印如何運作，創造了我們眼中的世界，並且依照這層了解，遵循誠實正直的道路，便是植入這種銘印的最強

而有力的方式。

問題⑷：在你的生活之中，公義似乎不復存在。無論何時，當你受到同事或競爭對手的冤枉或無理的對待，有關當局（指你的頂頭上司或法官）似乎從不提供援助，以及你所希望得到的保護。

解決方案：你無法從任何當權人士身上獲得應享的協助和保護，代表了事物最基本的秩序已經混亂瓦解。在生活之中，或許沒有一件事比自身受到侵害，進而尋求正當合法的補償，而沒有獲得公平正義的對待來得令人心灰意冷。這種特別感受的產生，自有其特殊的肇因：你不願意認清事物運作的秩序，尤其不認同銘印運作的第一條法則，而在心中種下了銘印。銘印運作的第一條法則指出，透過有意識地、蓄意地傷害他人的負面行為所種下的銘印，只會導致一個負面的結果，包括負面的感受，以及面臨外在世界或內心世界的負面經驗。

每當你的信念和行為違反銘印運作的第一條法則的時候──更實際地說，每當你刻意傷害他人，卻希望獲得善意的回報的時候，你輕蔑此一法則，棄法則於不顧。例如，你撒了幾個小謊（負面銘印），希望生意能夠成交（令人滿意的結果）；你不實報稅（負面銘印），希望能夠為自己留下更多的金錢（令人滿意的結果）；尋找不用支付貨物

進口稅（負面銘印），以降低商品的價格，使商品更具競爭力（令人滿意的結果）。你必須了解，就行為的內容來說，一個負面的肇因（例如傷害或欺騙他人）不可能導致正面的結果（例如個人與事業的成功）。

換句話說，若想要從一個負面的銘印獲得一個令人滿意的結果，簡直是天方夜譚。每當你產生這種錯誤的想法，每當你暗示地或直接地否認萬物的自然秩序，你又在心中種下了一個銘印，迫使你經歷外在社會秩序的翻覆。即使你是「對」的，你的上司或法庭也將予以反對。

解決的辦法非常簡單：花一些時間，不厭其煩地熟悉此處所提出的新概念（對於西方人士來說，它的確是一個新的概念），以及熟悉「你的誠信與否創造了你的世界」的概念。文化的怠惰使我們拒絕思考整個世界和宇宙的由來，以及充斥於世界中的惡劣事物從何而來；這種怠惰將招致危險，我們必須加以克服。在商場上，當每一個商人基本上採取相同的行動的時候，為什麼會出現幾家歡樂幾家愁的局面？負面的結果必定源自負面的行為；你必須了解導致負面結果的原因和過程，然後你就可以坐觀龍爭虎鬥。

問題(46)：在商場經歷了一段時間之後，你逐漸地發現，你的誠信水準已經顯著地下滑。

解決方案：這是一本關於商業誠信的書籍；本章節最後一個問題的解決方式，可能

完全出乎你的意料之外。你今天失去誠信，是過去蔑視誠信的結果。簡而言之，長期以來，你一直抱持著在商言商，無關誠信的想法，如今你必須面對自己失去誠信的事實。

最糟糕的是，曾經使你功成名就、飛黃騰達的潛能，將反過來對抗你，因為使你誤解事物的真正起源的銘印，恰恰是最難以克服的銘印。為什麼呢？因為你必須了解銘印，才能克服銘印。它是一個循環；如果你無法了解獲致人生事業成功的方法，那麼你將困在「誤解」的循環之中。

審視自身的信念

你必須努力克服對於本書提出的觀點所產生的天生的抗拒。如果你仔細思考，你將發現，許許多多關於成功從何而來的主張和信念，早在你極為年幼的時期，就已經植入你的心中。你對於人生的許多見解，其實是小學一、二年級的老師所灌輸的；如果現在你們見面交談，他們可能反倒認為你荒謬可笑。

為了獲得真正的圓滿成功，你必須學習去戰勝過去數十年來，老是導致不良後果，或充其量，偶爾讓你嘗到甜頭的思考和行為模式。在每一個時代，在世界的每一個角落，真正權存留在於國家與文化中的偏見，以及未經檢視的假設，主宰了人生和事業的成切勿讓存在於國家與文化中的偏見，以及未經檢視的假設，主宰了人生和事業的成落，真正權傾一時、一呼百諾的人物，必定一再地審視伴隨他們成長的信念。

數。記住，你的文化所定義的好、壞、對、錯、成功、失敗，會隨著時代的變遷而有所改變，甚至在你有生之年，你都能夠親眼目睹其中的變化。我成長於美國的西南部，當時有一種叫做「跑數字」的活動，是危害最鉅、涉及犯罪的活動之一。

我不知道「跑數字」是什麼意思，於是我問我的母親。她說，只有壞人才會去玩；這種勾當通常在穿過城鎮的鐵軌的南方進行。他們在手臂上注射海洛因，在酒吧買醉，並且跑數字。他們走進一個漆黑的房間，把錢交給一個男人，換一個數字。等到參加的人數夠多，累積的金錢夠多，每一個人都拿到號碼之後，那個男人就閉上眼睛，抽出一個號碼；被抽中號碼的人可以獨得所有的獎金（那個男人已事先拿走一部分的賭金，做為他的「服務費」）。

今天在美國，人們稱它為「樂透」，由政府來經營。那些跑數字的人違法犯紀，被送進監牢，但是玩樂透的人，則是在幫助社會大眾；然而，跑數字和玩樂透其實是換湯不換藥，半斤八兩。在一九二○年代的美國，私藏酒精或使用酒精是觸犯了聯邦法令的罪行；如今已經合法化，而且蔚為風尚。那些優秀傑出的美國開國元勳贊同蓄養黑奴；數十年來，人們不停地辯論黑人究竟是動物還是人種。在紐約，虐待寵物是非法的，因為人們推測，寵物大概也有感覺。然而在美國，每年卻有數百萬頭的動物遭受屠宰，用來祭人類的五臟廟，嗯，想必這些動物是沒有感覺的囉？

上述的言論無關賭博、種族主義、食肉或不食肉；它只有一個用意，便是在說明人們相信文化所告知的每一件事。無論是小學老師、父母、或教堂、寺廟教導你這些「文化信條」，你就是不能盲目地相信，盲目地成長。你就是不能盲目地接受那些廣為流傳、被大眾認可、合法的事物，或接受那個被你稱之為「家」的小世界所相信的事物。你不能僅僅因為其他人都遵循同樣的經營方法，你就盲從奉行。

理解成功與失敗之因

有一件事總是令我感到驚訝。每隔幾個月，安鼎國際鑽石公司的所有人歐佛就會把我們召進會議室，得意洋洋地揮舞著一本書說：「就是這個！瞧瞧我搭機前往達拉斯途中，在機場的書店發現了什麼！這是解決我們所有的商業問題的答案！它是一本關於如何做生意的最新暢銷書。」

「歐佛，你知道這本書的作者嗎？」

「喔，知道，當然知道，他在全美各地發表演說，談論事業成功之道，非常鼓舞人心。」

「那你知道他一年賺多少錢嗎？」

「這我就不知道了。讓我瞧一瞧。他一年大約賺個八、九萬（美元）。」

「那你一年賺多少錢?」

「嗯,我一年賺幾百萬(美元)。」

「那麼你為什麼要讀這本無聊乏味的書?那個作者一年賺的錢,只不過是你賺的錢的零頭而已。你有沒有發現,這個人所陳述的成功之道,和去年他在另一本書中所說的完全相反?」

你既然投入了如此大量的時間從商,你應該也願意花一點點的時間思考,事業究竟是如何運作的。如果你真的能夠理解事業成功或失敗的基本原因,到了最後,你可以省下許多寶貴的光陰。無論是個人或事業的圓滿成功,都是一個結果,而所有的結果都有一個起因。當你一再重複相同的「因」,你就會得到相同的「果」。如果你從商的方法,沒有一直讓你獲得相同的結果,那麼你尚未找到獲致成功的因。如果你不知道什麼是邁向成功的因,而你又不斷地嘗試一些你明知行不通的方法,那麼你就太怠惰了。因此,如果你沒有功成名就,也不用太驚訝。

在古老典籍之中,一致同意心的能力;心的潛能是無限的。我建議大家閱讀本書,而且是一遍又一遍地閱讀,特別是「相互關係」和特定商業問題的解決辦法等部分。你不一定要記住每一個問題對應的解決辦法,因為你只要打開書本,順著題號就能夠輕易地找到答案。然而,你必須開始深入地了解,每天行善作惡所種下的銘印,如何決定了

事業的成功或失敗。然後，你就可以好好地規劃未來，靜待夢想成真。

譯注

❶ 聞是章句。乃至一念生淨信者。須菩提。如來悉知悉見。是諸眾生。得如是無量福德。

❷ Nagarjuna，印度大乘佛教中觀學派創始人。

【真誠行動，如願成真】

藉由勝者的加持，
藉由潛能的力量，
藉由事物最深本質的力量，
藉由內心深深祈求的真誠力量，
願我們所祈求的，
皆如願成真。

藉由勝者的加持，

藉由潛能的力量，

藉由事物最深本質的力量，

藉由內心深深祈求的真誠的力量，

願我們所祈求的，

皆如願成真。

西藏人用以下的兩行文句表達了真誠行動的意義：

假若我的所作所為是真誠的，

那麼，願我的祈求皆能成真。

讓我們單刀直入，把話攤開來說。我們屢見最為良善正直、真誠坦率的人，經過了商場冷酷無情的蹂躪之後，變得一無所有；而那些自私自利、貪得無厭、泯滅道德的人，卻平步青雲、飛黃騰達。這些事實不是違反先前所陳述的銘印法則嗎？

因果法則及運作過程

「何以邪惡之人繁榮昌盛，」如《聖經》所說，何以不見廉正誠實之人繁榮昌盛；這其中有個非常簡單的解釋，包含了以下幾個基本原則。

⑴因先於果

顯而易見地，我們徹底遺漏了最明顯的事物。根據我們先前所描述的法則，如果某人坐擁萬貫財富，那必定是因為他過去待人慷慨寬厚，所留下銘印的結果。那麼他眼前享有的功成名就，便是源自過去慷慨大方的心態。

這並不意味著，目前享有成就的人擁有慷慨寬厚的心態；如同廚房餐桌上有一盤蘋果派，不代表在廚房下方的地底，正有一棵蘋果樹開始發芽成長。蘋果派是蘋果樹開花成熟之後的結果；而目前開始成長的蘋果樹，則是未來結成蘋果的因。

如此一來，每一件事都變得合情合理。一個成功的商人享受過去慷慨銘印的果實；同時，他也因為目前的貪婪或吝嗇，而種下了引發未來金融災難的新銘印。

⑵因小於果

切記，在特殊的情況下植入的銘印——例如滿懷強烈的慈悲心所做出的一個微小善行，或在一個人亟需孔急的時候，所給予的一個小禮物——具有無限強大的力量。而所有的銘印蟄伏於潛意識的時候，以指數成長的速度養精蓄銳。一個享受巨額財富的人，可能在過去，於類似的特殊情況下，對他人做出了微小的善行。

(3)因的成熟需要時間

毋庸置疑地，銘印運作的方式如同植物的成長。沒有人在星期一，在花園播下一些花種之後，隔天一整天就站在花園裡等待花開，如果到了傍晚，花朵尚未綻放，他們就變得憤怒沮喪。

我盡可能的以現代的方式呈現書中的訊息，但仍然嚴謹地固守古老經典的原意。然而，有一點我必須事先提出說明；尤其在事事講求快速功利的速食文化時代的思維之中，它可能不太受人歡迎。我必須聲明，種植和照料銘印需要時間和耐心。

我已經教授許多人這個方法，但總有一些人半途而廢。你必須連續好幾個月，不間斷地遵循書中的原則，才能獲得具體的成果。

沒有從中獲益的人不外乎有兩個原因：第一，他們遵循書中法則的時間不夠長久；第二，他們的方法不對（他們總是認為自己的方法是對的，直到他們停下來思考，才發

現自己是錯的）。記住，銘印植入的速度是每一彈指六十五個銘印，也就是每一秒六十五個。在一整天面對周圍人事物的煩惱之中，偶然生起的幾個善念其實不會產生顯著的結果，而你也不應該有所期待。

西藏早期的佛教徒，也就是為人所熟知的噶當派（kadampas），是一群非常單純樸實的人們；他們有的是牧人，有的是木匠，有的是小農民。他們用簡單卻敏銳的方式，欣喜地接受嶄新的佛教觀點，如魚得水。他們隨身攜帶一個裝了一半白色鵝卵石一半黑色鵝卵石的小袋子。每當他們心中生起一個非常良善的念頭，或對某人說了一些非常正面的話語，或行了一件善行，他們就從袋中取出一粒白色鵝卵石，放進左邊的口袋。每當他們心中生起邪念，或口出惡言，行為殘酷苛薄，他們便從袋中取出一粒黑色鵝卵石，放進右邊的口袋。

一天結束，臨就寢之前，他們從兩邊的口袋掏出所有的鵝卵石，清點白色鵝卵石與黑色鵝卵石的數量。他們立即發現——你也將有相同的發現——黑色鵝卵石的數量遠遠超過白色鵝卵石的數量。這不意味著我們所有人都是惡魔，或應該時時感到內疚或自慚形穢，而是我們的心大多如此運作——惡念多於善念。儘管如此，我們的心具有一個非常非常重要的特質：它是可以訓練的。只要一點點的練習，你的心幾乎可以學習任何事情；而其中的關鍵僅僅在於你是否專注精進。

⑷追蹤記錄系統及六時書

安鼎國際鑽石公司的鑽石部門原本座落於曼哈頓一幢建築的四樓。從該幢建築的地下室一直往上幾層樓曾是一個大規模的珠寶製造場所，後來大部分的製造設施都移往海外。製作珠寶不若生產一台有著數千個零件的汽車；製作一件珠寶通常只需要兩樣東西：鑲座，以及寶石。

然而，一只鑽戒在鋪貨進入百貨公司的專櫃之前，所必須經歷的步驟多得令人吃驚。首先始於促銷規劃；某個人構思出一個新款的設計，大略描繪出一個草圖之後，交給設計師。然後設計師依據草稿，畫出一個完整、具原尺寸大小的設計圖，讓重要的相關人物過目之後，稍作調整修正，再轉給工程設計人員。

工程設計人員從工程學的角度檢視設計圖：那只鑽戒的戒身（shank）是否足夠堅韌，可以經受一般的撞擊傷害？（有一次，我們收到一個客戶退還的一只戒指。那只戒指面目全非，整個扁掉了。那名客戶原本聲稱那枚戒指有瑕疵，但經過我們施壓之後，她才坦白承認，那枚戒指是在她清洗馬桶的時候，被翻落下來的馬桶座給砸爛的。不管怎樣，我們還是換了一枚新的戒指給她。）戒指的鑲座足以防止鑽石的脫落嗎？戒指的樣式可以順利地進行大量生產製造嗎？是否有足夠的光線可以從鑽石的側面和後部進

入，使鑽石發出閃耀的光芒？工程設計人員必須考量諸如此類的問題。

接著由計算成本的人員從經濟的角度來評估生產製造的可行性。購買這只鑽戒的顧客會感到物超所值嗎？鑲在戒指上的鑽石看起來和原本的大小一樣大，還是更大？相較於市面上類似款式的商品，這只戒指的價格如何？我們能不能去掉一些金子的份量，而不影響戒指的外觀和耐用的程度？大量製造、存有現貨的風險是什麼？

經過以上的程序之後，工匠製作一、兩件實物，並進行測試。自從數千年前，埃及的金匠發明了戒指鍍金的方法以來，鍍金的程序幾乎沒有任何改變。為戒指鍍金的手續，被稱之為「脫蠟過程」（lost-wax）。首先，製模匠依照設計圖樣，小心翼翼地從一塊質地特別精純、經久耐用的蠟上雕刻出戒指的原版模型。

然後，這塊原版蠟模被浸入一個方形的液態橡膠之中：液態橡膠包覆蠟模，形成堅硬的外殼。接著，模型切割師傅拿著一把外科醫師用的精密解剖刀，小心謹慎地從橡膠方塊的一邊橫切進去，如同切一個漢堡麵包一般，直到他們能夠挖出原版蠟模為止。然後再從橡膠方塊的一個表面挖出一道溝，直通戒指形狀的凹槽。這塊橡膠就成了一個模型，師傅可以把蠟從那道溝灌入凹槽，製作蠟戒。

注蠟的技師用一條堅韌的橡皮圈，把新製橡膠模型的兩半綁在一起，再把一台機器的乳頭狀噴嘴塞進溝槽之內，注入熱蠟，填滿戒指形狀的凹槽。當熱蠟冷卻之後，取下

橡皮圈，輕柔地取出蠟戒。如果蠟戒上有任何的刮痕或瑕疵，整蠟匠（wax finisher）會拿一把小刷子，把蠟戒的表面刷得平整光滑。修整蠟戒比稍後修整一枚金戒指簡單多了。

接下來，一個製作戒樹的工匠（tree maker）利用製作蠟戒之時，在灌注熱蠟的溝槽所形成如細枝狀的蠟條（稱之為「澆注口」），把一堆蠟戒一個一個地黏在蠟柱之上，如同一棵聖誕樹。整棵戒樹以底部朝上的方式，放入一個滿是熟石膏的小缸。

等到熟石膏硬化之後，放入一個特殊的烤爐烘烤。蠟質戒樹遇熱溶解，只留下一個佈滿注蠟溝槽與戒指狀凹槽的石膏模型。此時，鑄造師父帶來裝滿純金塊或銀塊的小布袋，開始混合製作賦予戒指適當顏色與硬度的合金。

鑄造師父面臨的挑戰，絕不僅僅限於製作正確外觀與硬度的合金，更重要的是金與其他合金分毫不差的比例，以獲得真正的十四K金或十八K金，金的比例不能多也不能少。一家珠寶公司獲利的關鍵之一，即在於此。在全球主要的珠寶市場，工資基本上是相同的，金子的價格也完全固定，每個人或許也支付相同的貨物稅等等。

因此，唯一的差別僅僅在於你控制戒指含金量的百分比，能夠到達多麼精細的程度。如果你銷售的是十四K金的戒指，那麼戒指的含金量必須符合法定的百分比，即二十四分之十四，否則將落得聲譽掃地的下場。另一方面，你必須緊密控制，不要讓合金

量超過二十四分之十四，哪怕只是一分一毫，否則你可損失大了。目前在寶石業界，有

一種價值數十萬美元的高度精密分析儀，可以用來分析戒指成品的含金比例，準確度極

高，即使含金量超出萬分之一，也能夠檢測出來。

我們曾經使用一台分析儀來檢驗一批由泰籍商供應商供應的貨物，是否含有足夠的金

量。當我們顯示了分析儀分析的結果——貨品含金量過高，他損失了多少金錢時——他

顯得有點震驚。你瞧，你希望你的供應商也能夠獲利，否則他們將提高貨品的價格，你

的商品在市場上的競爭力也因此降低了。

鑄造師傅混合了合金，把合金融成液體之後，強力注入熟石膏模型的各個溝槽之

中。當金子冷卻之後，鑄造師傅把熟石膏模型敲碎，留下一棵金光閃閃的聖誕樹，只不

過樹梢上掛著的是一枚枚的金戒指，而不是聖誕飾品。接下來的工作由珠寶匠接手。在

珠寶製造業，珠寶匠和經營一家珠寶店扯不上關係；他負責在珠寶飾品完成鑄造程序之

後，為它們進行削剪或鉋光。

珠寶匠使用厚重的錫剪，或一把能夠剪下一大厚塊金子，同時也能夠把你的手指分

家的氣壓切具，開始把戒指從戒樹上剪下。切剪的訣竅十分簡單：剪得越接近戒指越

好，不要在戒指上留下一塊突出的金塊，可浪費了。另一方面，你也不要剪得太靠近戒

身，免得在史密斯小姐的訂婚戒指上留下一個缺口。現在戒指已經正式成為「鑄造

品」，準備放進轉筒待一個晚上。

當金戒樹在熟石膏模型內冷卻之際，金戒樹的外層呈現些許氧化，醜陋得像一層樹皮。因此，鑄造品看起來一點也不像閃耀著亮麗光芒的金戒指；它們黯淡無光，像是一些烤焦的玩意兒，因此得剝下幾微米（一微米等於百萬分之一米）的外皮。你不是把這些小玩意兒放進令人作嘔的酸液或砷（即砒霜）之中泡個澡，或把它們丟進一個持續翻轉的機器之中。

那個轉筒是一個圓柱狀滾筒，或是一個佈滿特製金屬或塑膠珠子的轉輪，混入液體的泥漿。你把一堆從戒樹上剪下來的鑄造品扔進轉筒，啟動轉筒之後，一直讓它運轉到隔天清晨。任何可以在夜間完成，不需要旁人監督的手續是最好最受歡迎的，因為你把戒指完成，交給客戶的約定時間，往往緊迫到以小時來計算，而不是用天來計算。

把閃著黯淡光芒的鑄造品從轉筒取出之後，由寶石鑲嵌匠接手。寶石鑲嵌匠異於常人，似乎源自其他種族。他們往往身形巨大，個性友好善良，坐在僅僅離地面一、兩英尺的小凳子上（這迫使他們工作的時候，挺直背脊）。在他們的前方，有一張伸著木舌的桌子；桌子的上方佈滿了各種大小尺寸鑽頭的鑽頭支架。

寶石鑲嵌匠從鑽石部門取來一小包裹的鑽石，一股腦地倒進一個小杯子中。然後他執起一把鑽頭，在鑄造品上開出一個小小的、漂亮的、鑲嵌寶石的空間。這個空間可能

模擬戒指若是被一個活動過度的青少年買去，在穿戴的頭幾個月所可能受到的震動。如

殘留自拋光輪的碎末，並且撞擊震動戒指上的鑽石數千次。超音波撞擊鑽石，其實是在

不小心在戒指上留下的鑿痕。然後戒指被放入沸騰的、由超音波震動的溶液之中，洗去

完成鑲嵌之後，輪到拋光匠把戒指擦亮，顯露出細緻的光澤，並且處理寶石鑲嵌匠

的數量會在鑲嵌階段遭到毀損。

中，祖母綠（綠寶石）是最軟的一種。在珠寶製造工廠所使用的綠寶石，超過四分之一

鑲嵌匠的薪酬較高，只因為他必須承受鑲嵌某種寶石的風險。例如，在所有的寶石之

光使用蠻力，可能會壓碎鑽石，那麼寶石鑲嵌匠就必須賠償一部分的成本。有一些寶石

此，在這個過程之中，仍然要「剛柔並濟」，既需要蠻力，也需要輕巧的技藝，因為光

僅僅需要蠻力；因此，有很多寶石鑲嵌匠從腰部以上的身形，活像一隻大猩猩。儘管如

然後，他拿起一把狀似小開罐器的工具，把鑽石緊緊地嵌入金戒指之中。這個步驟

在這個行業，寶石鑲嵌匠非得有一雙最穩定的雙手不可。

罩，敏捷熟練地把圓錐形蠟翻轉過來，把鑽石塞進凹洞之中，儼然一個心臟外科醫師。

錐形蠟的尖端，如同把一粒蘋果放在一根甘蔗的頂端，努力保持平衡。他戴著特製的眼

在上面雕出刻痕。接著，他拿起一小塊圓錐形的蠟，把一顆鑽石的上端慢慢地放置在圓

是一個新開的凹洞，要不然就是原本即已存在的分岔，寶石鑲嵌匠只依照原先的設計，

果鑽石沒有脫落，那枚戒指大概就可以戴了。

雖然製作一枚鑽石戒指的過程比你料想的還要繁複，但事實上，一枚鑽石戒指需要組裝的部分仍然不超過兩個。因此，令人驚訝的是，一般工廠所生產製造的戒指之中，大約有三成品質出了問題，必須回到某個生產步驟，重新處理。一枚戒指的利潤大概只有幾美元，而每一次，一枚戒指必須重回生產線，再加工處理，所耗費的成本可能多過銷售一枚戒指所賺取的利潤；比起說你是在免費奉送那枚戒指給購買的顧客，這是一種客氣的說法。

想像你自己和十二位副總裁、公司所有人一起圍坐在會議廳的桌邊，桌上覆滿數百只鑲著各種顏色的寶石、光彩奪目的美麗戒指；有黃寶石戒指、紅寶石戒指、電氣石戒指、鑽石戒指、珍珠戒指，以及紫水晶戒指。每一枚戒指都有一些刮痕，完全喪失了上市銷售給顧客的價值。會議桌上的每一枚戒指都將作廢。那是一個令人心碎的過程；每一件動人的創作，以及生產製作所投入的血汗，全都被丟入沸騰的酸液之中。酸液融化金子，留下寶石；然後再過濾出酸液中的金子，重新使用。

經過幾個小時熱烈激昂的討論（沒有人願意承認是他們管轄的生產部門弄出了那些刮痕），你很清楚地知道，那些刮痕是打哪來的。然而，現在那個部門恰好有幾個非常頑固的員工，如果你公開譴責他們工作品質惡劣，他們可能會想辦法在新一批的戒指

上，再多弄出幾道刮痕。因此在安鼎國際鑽石公司，我們想出了一套辦法，簡單稱之為「數數」。

你把話傳給部門之中，不負眾望、經其他員工私下認同推舉的帶頭人物（這些帶頭人物和那些不受部門員工歡迎、經由行政任命的中級主管恰恰相反，能夠影響多數的其他員工），要求他們提出一個數字，看看有多少戒指的刮痕是他們部門特有的刮痕。你只是要追蹤記錄刮痕的來源和數量。沒有指責，沒有責備，也沒有懲罰，只要讓我們知道，每一個星期有多少只戒指出現刮痕。

你知道接下來會發生什麼事了。一旦開始追蹤記錄，幾天之內，刮痕就不再出現了，而且沒有人覺得不痛快。你獲得了你所希望的結果，同時也沒有人感到罪惡內疚，因為罪惡內疚往往引發新的問題。然而，這和銘印有什麼關聯？

萬物具有任何發展的潛能，而經由過去行為所種下的銘印運用此一潛能，並且決定了人們看待每一件事物的方法，甚至決定了人們的思想。你或許能夠徹底地了解此一理論，但遵循此一理論，獲致事業的成功卻完全是另一回事。實踐此一理論的最好方式，便是建立一個追蹤記錄系統。你只要持續記錄自己的狀況即可，其中沒有任何評斷，也不必為自己感到內疚。

在西藏，這個追蹤記錄系統稱為「吞讀」（tundruk），即「一天六次」之意；我們稱它為「六時書」。如果你奉行此一系統，你將獲得成果；反之亦然。這是本書最重要的一個要點，如果你真的想要功成名就，就得仔細聽從。

你出門去買一本可以塞進口袋、用來規劃每天行程的日誌。然後瀏覽上一章節所陳述的四十六個商業問題，從中選出最切身的三個問題。那些是你最大的三個問題，也是你必須全神貫注的三個問題。當其中一個問題消失解決了，或達到某種程度的改善，再從問題清單挑出第四大的問題替補，如此類推。

把幾頁日誌分別畫出六個框框，每一個框框可以寫下五、六個句子。把框框編上編號，然後在頭三個框框（第一號至第三號）分別寫下幾個字，提醒自己解決每一個問題的辦法。然後在第四號至第六號框框重複此一步驟。頭三個框框在中午前使用，後三個框框在中午後使用。

每天早晨，在你出門上班之前，檢查第一個框框的解決辦法。例如，你面臨了問題(36)：公司裡外的人似乎都在欺騙你。解決問題的方法是，你必須小心翼翼地避免驕慢，以及病態地渴望他人的認可；言辭正面積極，傾聽每一個人的意見，並且從中學習；讚美認可值得賞識的人。

現在，在框框的左邊放上一個小小的符號「＋」，並在符號的旁邊寫下前一天你曾

經想過（意）、說過（語）、做過（身）最接近解決問題的行為，例如，你花了一些時間想了想某位員工的好處，然後表達了你的感激之意。你不需要長篇大論，否則你將感到厭倦，而放棄追蹤記錄系統。你只要做幾秒鐘誠實的自我反省，做簡短快速的記錄即可。

然而，空洞無物的泛泛之談也不在記錄的範圍之內，因為它們起不了作用。我們不需要記錄「在工作場所，我是一個非常正派的好人」之類的句子，而是「星期二下午三點十五分，我走到蘇珊的座位，在每一個人面前感謝她過去六個月來，默默地把存貨盤點報表整理得如此妥善完好。」這種記錄你的小成就的舉動，創造了一個非常強烈的銘印；很快地，你也將發現，人們欺騙你的問題甚至在你發覺之前就消失了。

在符號「＋」下面，劃下一個符號「－」，然後回想前一天你所做的負面行為。例如你可能寫下「昨天下午兩點三十分，我站在馬克座位的附近，拒絕聽他提出關於採購政策方面的意見。」同樣地，當你做記錄的時候，必須明確具體。這是六時書唯一能夠發揮效用的做法。切記，在蟄伏於潛意識期間，銘印不斷地成長，即使是一個微不足道的銘印，也將產生巨大的結果，但前提是，它們必須明確具體。

最後，在符號「＝」的下方寫下「要做的事」的字樣。在這個項目底下所記錄的事物，是當天的行動目標；它非常簡單，但也是你想要改變自己的強烈象徵。它可能簡單

如「想一想羅勃曾經提出的兩個好意見」或「今天至少要感謝有色寶石部門的一個工作人員」。這些「要做的事」不要太多太大；事實上，你在六時書所記錄的每一件事情，都必須以輕鬆簡短為宜。你是一個大忙人，如果你事事長篇大論，到最後你會精疲力竭，失去興致。

最重要的是，你必須記得你為什麼持有、記錄六時書。持有六時書的用意不是在提醒你做錯了什麼，使你感到罪惡愧疚。事實上，在藏文中，沒有用來表達「罪惡愧疚」的字眼，最接近的意義也只不過是「理性的懊悔，下定決心改頭換面」。改變你的未來，使你的未來更加豐足更有意義，是一個非常徹底、非常慎重的嘗試。

這種嘗試沒有什麼不對，尤其你的充實未來來自你寬厚慈善待人的結果，就更加無可厚非了。現在，你又多了一件「心靈園藝」的工作：你研究哪一種銘印可以幫助你達成目標，然後在心中種下那個銘印或種子。你有意識地播下那些種子之後，便可以坐享未來的非凡成就。

在一天之中，大約每隔兩個小時就追蹤記錄一次。你獨自在辦公桌前靜靜地記錄（每一個人都會認為你是一個大主管，正在檢視忙碌的行程）；如果周圍人聲鼎沸，或電話應接不暇等等，你可以暫時離開座位，走到一個較安靜的角落，記錄你的六時書。我就曾經以上洗手間的名義，於會議進行期間離席，記錄我的六時書。

把記錄的項目分散在一天中執行是很重要的；這也是它被稱為「六時書」的原因。

它的用意在於，在任何負面的、巨大的銘印種入心中之前，持續地或每隔幾個小時地審視自己。如果你在上午八點做了一次記錄，那麼在上午十點三十分休息喝咖啡的時候再做一次。然後午休的時候做一次，下午一次，或許在回家的路上再做一次。在晚間完成最後一次的記錄，然後於就寢之前，回顧所有的紀錄，把一整天之中，你所從事的最好的三件事和最糟糕的三件事做一區隔。切記，不要評斷自己，或感到罪惡愧疚；你只是記錄一天的身、語、意的行為。藉由追蹤記錄，你不知不覺地脫胎換骨。藉由自身的改變，你的世界也隨之改變，成為你所嚮往的世界。如果你持續記錄一段時間，你將獲得令人驚訝的成果。

⑤了解使銘印更強大

現在你應該可以了解，為什麼有人誠信從商，一生奉行不渝，卻沒有及時獲得善報！你必須一整天，持續不斷地行善，即使它是多麼的微不足道。你也必須持續好一段時間。最後，你必須讓植物有生長的時間——這正是因果法則（cause and effect，業果）的本質，以及銘印潛能的本質。

此外，另有幾個細節可以顯著加速銘印運作的過程。當你追蹤記錄六時書的時候，

如果你了解銘印運作的方式，那麼六時書將發揮更大更好的效能。也就是說，每當你進行記錄的時候，停下來仔細真誠地反省觀照。在事業方面，你正面臨了一個難題，然而許多人置身同一個市場，同一家公司或同一個部門，卻沒有遭遇相同的難題，這是因為你心中的銘印使你用異於他人的觀點看待事物。因此，你必須找出心中的銘印，並且種下相反的銘印，使原先的銘印喪失功能。

徹底了解銘印的運作過程，並且把心專注於其上，可以使銘印的運作更加迅速，力量更加強大。這同時也說明了，為什麼有些人在商場上待人以真，處事以誠，事業卻始終不見起色。然而，如果你在商場上嚴格遵守倫理道德規範，只是因為本能直覺，或出於法律的束縛，企業的文化習俗，同儕的行為舉止，或他人的強烈建議，是不夠的。你之所以奉行倫理道德的生活形態或從商方式，必須是受到一個清澈的、有意識的覺知驅策的結果；你清楚地知道，你的行為將在潛意識植入何種銘印，而銘印將如何影響你的事業發展。

(6) 真誠的行動

為了獲得人生和事業的圓滿成功，你必須為人真誠坦白。然而，分分秒秒，日復一日地身體力行卻是另一回事。清楚地明白獲致成功的銘印的運作過程，則又是另一個更

高的層次。為了使銘印立即發揮它的力量，讓你改頭換面，以新的眼光看待世界，還缺臨門一腳。

而真誠的行動即是所謂的臨門一腳。在一天結束之後，或許是在回家的途中，拿出你的六時書，仔細審視在過去二十四小時之中，你所記錄下來的正面行為。想像每一個正面的行為在你的心中留下了多麼強而有力的銘印，使你看見一個嶄新的未來，並且在事業和生活上獲得超出目前你所能想像的圓滿成功。盡情享受你每一個正面行為所帶來的成就，即使那些成就是如此的微不足道，都能夠激勵你繼續奉行全然真誠的道路。

然後想一想這種真誠所包含的深意。回顧一整天的言行舉止，你可以誠實地說，在這一天之中，每分每秒你都全然真誠——你真誠地待人（身，行為），你所說的一字一句都經過深思熟慮（語），即使是最深層最隱密的思惟（意）都充滿了真實誠懇。你善待周圍的每一個人，你待人以誠，生活以誠，然後你回顧所有的一切，你可以說，是的，這是全然真誠的一天。

無論何時，當你擁有這樣的一天（它需要時間來練習），或擁有類似的一天，那麼請繼續臨門的一腳，即所謂的真誠的行動。你祈請一個真誠行動的力量賦予當天種下的所有銘印一個全新層次的效用。祈請的方式如下：

在這一整天之中，如果我確實時刻留意自己的身、語、意，以全然的真誠對待每一個與我結緣的人，那麼我祈請一個全新力量的展現。願藉由此一嶄新的力量，我及所有其他眾生都能夠獲得快樂與繁盛。

當西藏人祈請真誠行動的力量之時，他們也觀想無數道的金黃色強光從心間射出，彷彿太陽在他們的胸膛之中一般。他們觀想從心間射出金黃色光芒觸及周圍所有的眾生，例如先觸及那些同坐在公車上的人，每一個在同一個時刻回家的人，以及每一個在家中等待親人返家的人。

然後你祈願他們之中的每一個人都能夠在生活和事業上，獲得你所希冀的成就。如果本書所提出的潛能與銘印的原則是真實的，那麼每一個運用這些原則的人，都能夠同時獲得繁榮昌盛，而且可能是滿溢的充裕富足。

附錄①：六時書記錄原則

一、找出目前最切身的三個問題（可參考第七章所列舉之常見的四十六個商業問題）：
例如，問題(36)：公司裡外的人似乎都在欺騙你。

二、在隨身的幾頁日誌中，畫出六個框框，並加以編號，一天中分六次使用。

三、早上出門前檢查問題的幾個解決方法，分別以加減符號表示前一天的正負面行為，並明確、具體記錄之。

四、在加減符號之後，寫下「要做的事」，做為當天的行動目標。

五、就寢之前，回顧所有的紀錄，將你所做的最好與最糟的三件事做一區隔。

六、記錄要誠實、簡短，追蹤自己的身語意，但不加以評斷。

附錄②：六時書之範例

中午前	中午後
❶ 8：00am 問題（36）之解決方法： ◎避免驕慢 ◎不要病態地渴望他的認可 ◎言辭正面積極，傾聽別人意見，從中學習 ◎讚美別人 **＋（前一天的正面行為）** 昨天下午3：50，我走到蘇珊的座位，感謝她過去六個月來，默默把盤點報表整理得很好。 **－（前一天的負面行為）** 昨天下午2：30，我站在馬克座位附近，拒絕聽他提出有關採購的意見。 **要做的事（今天的行動目標）** 今天至少要感謝有色寶石部門的每一個工作人員。	❹ 15：30pm 方法同左。
❷ 10：30am 方法同上。	❺ 17：00pm 方法同左。
❸ 13：00pm 方法同上。	❻ 19：30pm 方法同左。

第二部分

享受財富
安頓身心

【在寧靜中安頓生活】

在每天的靜默時光中，
你獨自靜坐，
理清你的思緒，
為一天做好準備。
觀想自己達成目標，
成為你希望成為的人。

現在你應該已經了解《金剛經》的精髓要義；你明白，沒有一件事物本身具有某種特定的本質，否則每一個人對同一件事物都會產生相同的看法與感受。既然對事物所產生的觀感不是源自事物本身，於是你也認識到，你自身即是事物觀感的源頭。然後你領悟到，過去所從事的身、語、意三方面的善業或惡業，在你心中種下了善的或惡的種子或銘印，支配左右了你對事物的觀感。

最後你了解到，只要持續追蹤記錄每天的行為、思想，你就可以規劃自己的未來。這麼做的結果是，你企及了歷史上每一個人，以及商業史上的每一個人所希冀的目標：你掌握了自己的命運，你知道如何獲致成功。

靜默，開始一天生活

在此，我想要進一步介紹幾個不同的方法，讓你享受成功的最大歡悅。佛教思想家言道，獲致成功是一回事——以獲得物質的、有形的成功來說——享受成功卻完全是另一回事。在這個章節以及接下來的幾個章節，我們將要探討，在追求成功的同時，每天保持快樂的各種方法。首先，我們必須學習如何「安頓日子」。

西藏智者稱安頓日子的過程為「偏巴湯」（penpa tang），意指在每一天早晨，花一些時間靜默獨處，來安頓一整天的身心狀態；在藏文中，「偏巴湯」這個字句，與另一

個表達「射箭」含意的字句意義相近。**在每一天早晨的靜默時光之中，你獨自靜坐，理清你的思緒，為一天做好準備。**這一段靜默的時間如同六時書一般重要；在你創造未來的生活與事業成就的過程中，它扮演了不可或缺的角色。這個靜坐的修行法門源自佛陀的教授，例如兩千多年前，由佛陀宣說的《金光明經》（*Book of the Golden Light*），即是其中之一。儘管現今的世界有了些許變化，不同於兩千多年前的世界，但是如何安頓一天的基本原則卻不曾改變。數十個世紀以來，這些基本原則經由上師完整地、不間斷地傳給弟子，做為一種深奧的、個人的終身修行。每天早晨，你也可以依法修行。方法如下。

有一種十分深邃殊勝的傳承指出，事實上，這種修法應該始於前一天晚間。在你上床就寢之後，首先依照我們先前所描述的方法，回顧一整天的作為。審視一天之中，你所做的（身）、說的（語）、想的（意）最好的或最壞的三件事；尤其把你的心思專注於最好的三件事之上。在你入睡之際——也就是進入夢鄉之際；偉大的西藏上師指出，在許多方面，睡夢階段近似所謂的「中陰」階段，即介於人死亡之後、再度輪迴轉世之前的那段時間——先想一想隔天早晨鬧鐘響起的那一刻，先想一想隔天早晨醒來的第一個念頭，先想一想你伸懶腰、打哈欠、睜開眼睛的最初時刻。或許你早已經注意到，這幾分鐘靜默觀照的時間——事實上，也包括接下來的一個小時左右——是安頓一天，開始

一個正面積極的一天的重要關鍵。而獲得一個好的開始的最佳方法，即是花一段時間獨處靜坐，自我反思觀照，以達到安頓身心的目的。

獨處靜坐有幾個基本的技巧；這些技巧是由西藏的偉大上師歷經了數世紀發展出來的成果。如果你知道這些靜坐技巧，並且加以遵循奉行，那麼即使每一天只花短短數分鐘的時間來修持靜坐，它都將成為你生命中最重要、最珍貴的一個部分。這些技巧始於尋找一個處所，即在你居住的房子或公寓之中，尋找一個靜坐的地方。

在一個獨立的、分隔的地方進行晨間靜坐是很重要的。這麼說吧！你一覺醒來，就在床上靜坐是一個很糟糕的主意。你剛剛才在那張床上睡眠了好長一段時間；那張床──那個處所──仍然佈滿了困倦和黑暗的氛圍。在你的想法之中，床就是一個安安靜靜，讓人進入夢鄉的場所。因此，如果你在床上進行靜坐，你可能感到昏昏欲睡。離開你的床，活動活動是很重要的。

闢一方靜謐聖地

在西藏，僧侶起床之後，先用水把臉潑濕，然後使勁地擤鼻涕，如此一來，他們在晨間靜坐之時，就能夠極為安靜，不發出任何聲響地呼吸調息。在我們的寺院之中，每天早晨一大群僧人用力地擤著鼻涕，那些起彼落的聲響仿如一曲以鼻子吹奏的交響樂。

接著你刷牙，如此在靜坐時，就能夠保持清新愉悅此口氣，也可以避免注意力分散。然後你取來可以補充身體水分的飲料，例如茶、果汁等等。如果你習慣喝咖啡，也可以喝一點點。你一邊啜飲，一邊清理你即將靜坐的一方處所。

這一方處所是你家中或公寓中的一個特別角落；你總是固定在此進行晨間靜坐。首先，它必須是一個靜謐的處所，而且家中其他成員都達成共識，當你在此處靜坐之時，不得受到任何干擾。我認識一些商界人士，在地下室清出一小塊地方，好好地整頓安排之後，做為靜坐的場所。有些人的居住空間較為狹小，則添置了一些精緻優美的日式隔簾，隔出一個角落。有些人和家中成員打好商量，可以在早晨的某一段時間，例如七點至七點三十分，獨自使用客廳，進行靜坐。你可以隨意選擇一個場地，只要確定其他人將尊重你靜坐的空間與時間即可。你也必須移除所有可能造成干擾的物品。

所謂移除所有可能的干擾來源是指：暫時切斷電話線；確定其他人不會在附近高音量地收聽收音機或觀賞電視節目；把來自外界的噪音減低到最小的程度，例如關閉迎向喧鬧馬路或街道的窗戶。靜坐的時間和空間應該盡可能地保持靜謐，散發一種特殊的氛圍。如果在七點，家中或外界的噪音太多太嘈雜，那麼你可能要把時間再往前挪一點。

然而，為了達到理想的靜坐成果，良好的睡眠品質也是非常重要的；你可以依照自己的需求，滿足自己的睡眠時間。

如果靜坐的角落使你產生特殊的感受，幾乎如同一方聖地，那麼靜坐的效果會更好。它必須保持整齊清潔；事實上，每天早晨，我們靜坐之前的第一件事，即是清潔打掃，或撢去灰塵，或清理整頓一番。即使它已經非常整齊乾淨，我們還是得稍作打掃，如此可以活動活動筋骨。**西藏智者言道，當你慢慢地幹活、清理打掃之際，你應該觀想，這是在清淨你的事業、你的生活，以及你的心。**

如果你把清潔打掃變成一種固定的習慣（你必須如此，否則收不到任何成效），你將發現，沒有多少東西是需要清掃的；或許只有一些灰塵或零星的紙屑。那麼我們可以接著進入一個更細微的層次，掃除地面上任何的微小污物。這個過程意味著，你的事業與人生已經臻至如此完善圓滿的境界，只需要做一些些維修保持的工作即可。當你進行維持的工作之時，別忘了思考此舉在事業上所象徵的意義。

如果你靜坐修持的處所乾淨整齊，將使你的心更加寧靜。下一個步驟是尋找一個舒適的座位；在那個座位之上，你可以進入寧靜的狀態。進入寧靜的狀態，有如進入一場白日夢之中，或傾聽著你最喜愛的音樂。你的身體微微後靠，閉上雙眼，或凝視著眼前的虛空。在你的身體保持靜止不動，完全放鬆的同時，自由釋放你的念頭。

要點是，你必須找到一個可以如此「泊靠」（安住）身體的座位，讓你深深地進入心的寧靜。換句話說，你靜坐的處所與姿勢，必須使你感到舒適，直到你和你的心決定

結束靜坐為止。

把心繫於一呼一吸

在西藏的古老教授之中，如果靜坐的姿勢能夠包含幾個要點，那是最好不過的。最重要的一點是，你的背脊必須保持挺直。西藏人說，背部挺直與神經系統的內部運作有關；坐姿挺直，則神經系統的運作較佳，並且能夠幫助你專注心神。此外，坐在一個柔軟，但稍微堅硬穩固的物件上是有助益的；並且用一塊枕頭稍稍墊高你的尾椎骨，可以幫助你保持背部的挺直。如果舒適的話，你可以雙腿交盤（即呈蓮花坐姿）。不過，如果你想要維持平常的坐姿，即雙腿下垂，雙足置於地面，也是可以的。

把你的雙手輕輕地放在大腿之上，掌心向上，試著放鬆全身。進行一連串緩慢但深層的呼吸是放鬆全身的好方法。這種呼吸調息的方法，至少在十六個世紀以前，就已經出現在一部名為《俱舍論》（ook joong-ngoop）的經典之中。這種呼吸調息的作用在於，把心繫於一呼一吸之上，阻絕其他的念頭和感受，使內心專注。

只不過，我們呼吸調息的時候，必須先呼氣，再吸氣！你把心集中於兩個鼻孔的深處，想像自己是一個站崗的哨兵，在這兩個小小的洞穴之中，監看是否有閒雜人等進

出。當你一呼一吸之際，努力試著去覺察在鼻內流動的空氣的觸感：吸進的空氣比較涼爽乾燥，呼出去的空氣則溫暖濕潤。切記，你必須緊守崗哨：你的心必須專注於鼻子內部，以及呼吸空氣的觸感；你的心不可偏離。如果有人猛地關門，或大聲喧嘩，你可能因而稍微分心，但你必須盡快地收攝自己的心思，重新專注於一呼一吸之間。

依據古老的慣例，你應該重複數息十次（一呼一吸算做一次，數到十）。如果你大大地分心而亂了數目，你必須從一再開始數起。例如，你呼出一口氣的時候，你數「一」，吸進一口氣的時候，你再數「一」，算做一次，以此類推。

據說，這種數息方式（它恰恰與我們平常的呼吸方式相反。例如，我們游泳的時候，我們先吸氣，然後屏氣，最後呼氣，算做一次）具有額外的力量，可以把我們的心帶入內在的層次，專注於內在的念頭。如果你經常發現自己在數到十之前，就亂了數目，表示你很難凝神專注。這個現象將影響你事業各個層面的表現。因此，你應該更加固定地於每天早晨，特別留心地靜坐修持。

你可以閉上雙眼或睜開眼睛，只要你不被分心，睜眼或閉眼都無關緊要。如果你閉上眼睛，你可能發覺自己感到昏昏欲睡；同樣地，這也是一睡覺，眼睛就閉起來的習慣的緣故。如果你睜開眼睛，你或許發現自己東張西望，心思散亂。古老的西藏經典指出，如果你張開眼睛，你應該努力嘗試，不要把眼睛專注於任何事物之上，只要凝視面

前的虛空，彷彿大做白日夢一般，不去看任何地方。不過，如果你的眼睫毛能夠稍稍下垂，眼睛微微往下注視，是很好的。

每天，同一時間

此刻，你正保持著正確的坐姿，接下來該如何靜坐呢？該靜坐多久？我們先回答第二個問題。如果你每天能夠靜坐十五至三十分鐘，那是再好也不過的了。「每天」是一個很重要的部分；諸如此類的修行，如果不是每天持之以恆，從不間斷地修持，根本無法發揮作用。**確保自己每天靜坐修持的最佳法寶，即在每一天的「同一個時間」靜坐。**

在過去，我每天早晨都在同一時間，從紐澤西州中部通勤前往紐約曼哈頓，進入林肯隧道約半個小時的車程中，公車在高速公路上直駛前進，最後幾分鐘繞行環路之後，進入林肯隧道（Lincoln Tunnel），然後抵達曼哈頓。在通勤途中，我總是打盹片刻，而且每一天都在同一個時間，就在公車駛入林肯隧道之前醒來，打上領帶，穿上領帶。

在返回紐澤西途中，我先小睡一番，藉以從忙亂異常的一天中恢復體力，並且補充前一天晚上的睡眠不足。而我幾乎總是在相同的時間──六點十五分──開始打起盹來。這種習慣持續超過十年，因此即使我休假不上班或在度假期間，無論置身何處，只要六點十五分一到，我便昏昏入睡。同樣的情況也發生在中午用餐時間。許多年來，我

們都在下午一點開始用午餐，因此無論我在世界的哪一個角落，無論我在從事何種工作，只要美國東岸的下午一點一到，我就開始覺得饑腸轆轆。相同的原則也適用於靜坐。

每天在同一個時段，為自己挪出一些時間，例如每天早上七點。剛開始，靜坐對你來說有點困難。你既不習慣靜坐，對靜坐也一竅不通。但是，如果你持之以恆，每天在同一時間靜坐修持，它便開始成為一種反射動作，如同吃飯或睡覺一般。然後，你靜坐修持的工夫越來越成熟，過了一段時間之後，它就會成為你一天中最喜愛的時光。

那麼，我們該如何靜坐？當你端視著達賴喇嘛在晨間靜坐修持的法照之時，你可能會認為，達賴喇嘛只是坐在那兒，什麼也沒做一般。然而，事實並非如此。**從開始靜坐一直到結束靜坐，你經歷了一連串非常特殊的心智鍛鍊活動**，很像一名足球選手固定上體育場健身一般。到了你嫻熟靜坐修持的境界，你的心，以及經營事業的反應能力，都將如同職業運動選手般強健、敏捷、堅定。

當你坐定之時，務必感覺舒適。如果你不是真正地感覺舒適，靜坐的時間一久，你必定開始不斷地扭動身體。調整你的坐姿，背脊務必挺直，然後坐一、兩分鐘，讓自己習慣周圍的靜謐。盡可能讓身體保持安靜，試著不要亂動。你慢慢地把心帶到呼吸之上，開始深呼吸，慢慢地數息至十。當你深呼吸之時，不要屏住氣，或做不自然的呼

吸。有意識地關閉所有的感官：：眼睛不注視任何物體，耳朵不聽任何聲響，鼻子不聞嗅在餐桌上等著你享用的早餐等等。當你數息至十，你便已經準備就緒，可以開始把心專注於當天所選擇的問題之上。在整個靜坐過程之中，如果你單單只是觀察自己的呼吸，是沒有任何助益的，因為觀察呼吸只能暫時平靜你的心，一旦你面臨了當天工作上的頭號棘手問題，平靜的心立即崩潰大亂。

解鈴還需繫鈴人

靜坐之時，你應該積極謹慎地把大部分的時間用來處理阻礙你獲致人生或事業成功的難題。例如，你發現自己經常得費盡心力處理本書先前章節所描述的問題(18)：在你亟需援助的關鍵時刻，整個公司，上至管理階層，下至一般員工，沒有一個人願意挺身而出。**把你的心平靜下來，數息至十，然後停留在此一境界之中，享受靜謐，接著有意識地把寧靜的心轉向你所面臨的問題。**

首先，回想大約上個星期左右，同樣的問題重演的實際情況（這一點也不難）。你必須小心留意，切勿概化問題。事實上，你必須回想，當你需要援助被拒之時的具體情境。在你的心中，觀想事件發生的那一天，那一個地點，以及那一段時間；例如你觀想當天你置身的房間，坐在你身旁的人，以及站在附近的其他人。回想你如何請求協助，

仔細觀想你如何遭到拒絕。回想那些拒絕提供援助的人的面孔和話語，回想你當時的感受。此時，你恐怕需要一些自我克制，才不會再次感到沮喪失望或怒火中燒。因此，當你回想之時，必須小心謹慎。

接著回顧整個事件所顯現的空性或潛能。切記，在你回顧的過程中，你也必須思考人們對於同一個事件會產生多麼迥異的觀感。顯而易見地，那個拒絕伸出援手的人，根本不在乎你所面臨了一個困境，事實上，他們可能完全不認為那是一個難題。然而，你認為如此，你把它視為一個大問題。

這意味著，那個問題並非出自問題本身，否則每一個人都會認為它是一個問題。事實上，那個問題本身是空白的，是空的，是中性的。有些人把它視為一個麻煩，有些人則否。這代表了這個問題的本質源自他處，而非問題本身。如同我們先前所提及的，這**個問題無非來自我們的心。**

如此一來，你是不是無中生有，憑空製造了一個問題？完全不是如此。僅僅因為你的心把它視為一個問題，並不代表它不是一個問題。事實上，正是這種想法把任何事情都變成了問題。同樣地，如果你決定不把它當做一個問題，也不意味它不會成為一個問題。求援被拒或許真的只是一種觀感，然而這種觀感及其結果卻相當真實：你無法完成你的工作，而老闆也不會放你一馬。你可以花一整天的時間許願，希望那個問題不是一

個問題；你也可以以下定決心，不把那問題當做一個問題，然而，它就是一個問題，它會把你給害得慘兮兮。

接下來，你進入靜坐的靜謐，把你的心轉向問題的根源。現在你明白，問題的根源是你過去為其他人製造了相同的問題，而在心中烙下銘印的結果。銘印種入心中之後，在潛意識中泅泳，如同一尾貪婪的、狼吞虎嚥的魚逐漸肥大，待時機成熟之際，浮上意識層面。在你求援被拒之時，此一銘印影響，甚至創造了你的觀感。拒絕提供援助的壞蛋不是某某經理或某某員工，而是你自己，因此解鈴還需繫鈴人。

角色扮演遊戲

現在，有意識地把你的心帶到未來，試圖參與一個可能發生的類似情境。努力去觀想你可能坐在何處，身旁可能有哪些人，以及當你尋求援助的時候，對方可能說些什麼話來加以拒絕。接著，在你的心中，玩一玩角色扮演的遊戲。觀想你過去如何應對類似的情境。在過去的一個經驗中，某某經理不願意幫助你解決困境，因此你暗自打定主意，他們將來也休想獲得你部門的支援。

然而此刻你已經明白，「正常」或「人之常情」的反應，恰恰與「正確」的反應背道而馳。在你拒絕伸出援手，以挾怨報復自己求援被拒的那一刻，你已經在心中烙下了

一個新的銘印。此一銘印將使你在未來嘗到被人拒絕，孤立無援的結果。因此，當他人拒絕提供協助之時，你最不應該產生的反應即是以牙還牙。事實上，你應該以德報怨；你應該種下一個新的銘印，使你自己在未來享受他人鼎力相助的果實。而享受此一果實的唯一方法，即是主動協助他人，即使你曾經求援被拒，也要提供他們所需要的援助。想像一下，如果這個世界上的每一個人都能領悟此一絕妙的道理，那麼世界將有多大的改觀！

在你靜坐期間，這種心理的角色扮演遊戲並非崇高偉大、遙不可及；它是一個非常合適的練習，可以帶來人生和事業的成功。在接下來的一或兩天，你所想像的情境將真實地上演。當它真的發生之時，你已經胸有成竹，準備就緒。透過情境的邏輯推理，以及事先盤算如何應對所建立的行為模式，幾乎成為一種自動的、不自覺的反應。然而事件發生之後，又開始因循舊有的習慣，使用正常的老方法來應對。因此，在靜坐期間的持續練習，可以使你停止沿襲舊習，提醒自己用新的、正確的方法來應對。你拒絕人生的失敗一再上演，你拒絕種下一再嘗到求援被拒的苦果；使用正確的方法來應對，打破了原本的惡性循環。

你可以了解，這一段靜坐獨處的時間，對於你即將展開的工作天，具有多麼大的利益與價值！**在古老的西藏，人們在問題實際發生之前，即未雨綢繆，練習處理問題，**這

是多麼聰明的想法！有助於靜坐的氣氛和地點，可以在你心中植入強烈的銘印（種子），做出正確的反應。因此，**每天早晨數分鐘的靜坐，便成了接下來數個小時的無價投資。**

成為你希望成為的人

在西藏的傳統中，有一個十分特殊的步驟來結束靜坐。**在靜坐最後，你觀想自己達成目標，成為你希望成為的人。**例如，觀想你已經研讀本書，熟習潛能與銘印的原則，並且從中獲益，財源滾滾而來，最棒的是，你知道如何獲致財富，也通曉如何使財富源源不絕的祕訣。除此之外，你也知道享受財富的所有方法。你小心謹慎地記錄六時書，並且在晨間靜坐修持，立即處理新的問題，避免製造新的問題。

但是，別就此打住。請你仔細思量：那是你所有的想望嗎？我不相信，一個有血有肉的人不會希冀更多。你除了擁有萬貫財富之外，何不也成為一個出色的慈善家；你賺進大筆財富，也布施大量的金錢；全世界的人景仰你、欽佩你，因為你不僅創造財富，也知道如何正確地運用財富，知道如何使金錢幫助他人，從中獲得最終極的滿足。

嘿！你何不觀想自己如二十歲的年輕小伙子或妙齡女郎一般青春健康？因為，只要你照料他人的生活和健康，所種下的銘印就可以讓你獲得青春的果實。最後，就我個人來

說，我也觀想自己擁有許多偉大的人格特質，例如忠誠、靈敏、關愛、誠實、人見人愛的朋友、所有孩童與商業家的榜樣、好丈夫或好妻子、好父親或好母親；你知道嘛，就是童子軍的所有美好德行嘛！這正是我們所有人內心深處的真正想望。

西藏智者指出，在靜坐修持的最後，應該盡可能地觀想自己是一個最有成就、最有智慧、最具慈悲的人。在結束靜坐起身之前，保持幾分鐘的靜默，努力觀想自己成為自己所希望成為的人。它將在你心中留下深強的銘印，在未來達成你的目標。請拭目以待。現在，趕快起身去上班，你可能已經遲了！

【保持心靈的清澈明淨】

何以故。須菩提。
如我昔為歌利王割截身體。
我於爾時無我相無人相
無眾生相無壽者相。何以故。
我於往昔節節支解時。
若有我相人相眾生相壽者相。
應生瞋恨。

如果你持之以恆地記錄六時書，並且在晨間修持靜坐，很快地，你將發現，你的工作情況逐漸有了轉變。你拒絕負面行為不斷循環的做法，將緩慢但穩當地清淨你的周遭世界，一點一點地，從一個角落到另一個角落。

首先，你所面臨的問題一個接著一個地遠離消失；原本令你惱怒的人轉而成為朋友，或調職或另謀高就。最後，你的周圍都是自己所喜愛的人，在工作上互相激勵，共創成功。晨間靜坐除了提供應付工作困境的方法之外，也能夠使你的心更加滿足，更加平靜沈著。

照顧你的心

在本章節以及下一章節之中，我將進一步介紹享受成功最大愉悅的方法。更確切地說，即是在功成名就之後，如何獲得身心健康的法門。在商場中，一個令人感到黯然神傷的事實是，許多人犧牲自己的健康和家庭，換取事業的飛黃騰達。

在此，我們將略加探討兼顧事業與健康的方法；也就是如何在公司中，成為最出色的經理人員，同時擁有最強健的身體。而保持身體年輕強健的最佳方法，即是悉心照料你的心，保護它免於受到西藏人所說的「煩惱」的侵襲。

在古老的佛教哲學之中，「煩惱」的定義是指「任何干擾一個人平靜心境的情

緒」。你也可以稱它為「邪念」。煩惱有成千上萬種，但總括來說，有六種煩惱為害最大，包括用錯誤的方法喜愛事物（貪）、用錯誤的方法憎惡事物（瞋）、不了解事物真正運作的過程（癡）、驕傲（慢）、怠惰懷疑真理（疑），以及錯誤的見地（惡見）。

所謂貪、瞋有其特定的含意。相反於一些對於佛陀思想的錯誤理解，喜歡或憎惡事物並非是錯誤的。例如，你應該喜愛你的家人、上師，以及本尊。佛陀喜歡看見我們快樂，不喜歡我們常常把自己弄得鬱鬱寡歡。

如果你喜歡某件事物的方式，到了令你心煩意亂的程度，或為了得到你喜愛的事物，而不擇手段地傷害他人，那麼這就是一種煩惱，我們稱之為愚蠢的喜愛，因為傷害他人來達到自己的目的，正是自己無法達到目的的因。

本章的要點即在於了解煩惱將一分一秒地危害你的健康。保存於喜馬拉雅山區的祕藏之中，描述了更多關於煩惱的細節：煩惱（負面的念頭）如何影響身體健康；而衰老過程本身，與煩惱密切相關。

換句話說，在工作場合，每當你感到心煩意亂，每當你感到憤怒或惱火，每當你心生忌妒的時候，你體內的某些部分受到壓抑，或灰白了一、兩根頭髮，加深了臉上的皺紋，心臟抽緊等等。最後，這些負面情緒造成的身體變化全部加總起來，使你變得衰老，失去年少小伙子的旺盛精力。這些祕藏也指出，煩惱甚至是死亡的肇因。

本章的目的在於提供一些方法，幫助你處理負面的念頭。我們先回到《金剛經》；在此，佛陀描述了他多生多世之前所經歷的一個遭遇。故事內容大略是，佛陀曾是一名僧侶，以「忍辱之師」的名號為人所熟知。有一天，他在森林中，用背部倚著一棵大樹禪坐修法。這座森林是歌利王（Kalingka）❶及其隨從出遊狩獵之地。那天，王后及其隨從也一起出宮，在她的丈夫和獵手尋找獵物之時，在林中採摘鮮花，四處閒逛。

王后走著走著，進入了林間一片空地，發現了正在靜坐修法的僧侶。王后極為虔誠，一直在等待時機，詢問一個具備各種優秀品質的上師關於靈修方面的問題。因此，她打斷了僧侶的修持，而僧侶也竭盡所能地解開王后的疑問。

在此同時，國王及其獵手正在追獵一頭野鹿；那頭野鹿也闖入了同一片空地。國王從坐騎上往下看，瞥見王后和僧侶正在熱切地交談；他心想，他倆之間必有不可告人的姦情。於是國王命令手下，把僧侶綁在木樁上，四肢大開地置於林地之上。然後國王慢慢地，一個關節一個關節地切下僧侶的手指、腳趾，以及身體其他部位。

人相、我相、眾生相、壽者相

佛陀在《金剛經》中描述了此一事件。這段文字有些晦澀難懂，不可思議，但別緊張，我們將一一詳加解釋說明，到了本章結束之際，你將獲得透徹了解。

何以如此？喔，須菩提，因為歌利王曾經一節一節地割下我的肢體，我的手指與腳趾。在那個時刻，我的心中沒有產生自我的概念（我相），也沒有眾生的概念（眾生相），也沒有永生不滅的概念（壽者相），也沒有他人的概念（人相）。❷我的心中完全沒有任何概念（無想）。不過，我的心中也不是沒有任何概念（非無想）。

讓我們請邱尼喇嘛解釋這段經文：

為什麼會這樣呢？因為很久以前，喔，須菩提，歌利王心中產生邪念，懷疑我與他的妻子有染。因此他一節一節地割下我的肢體，我的手指與腳趾。在那個時刻，我修持忍辱，把心安住在三要素的非真實存在。當我專注於「我」的表象之時，我的心中沒有「我」真實存在的概念；因此，我的心中沒有一個真實存在的「自我」的概念（我相），也沒有一個真實存在的「人」的概念（人相）。

在那個時刻，我完全沒有「事物是真實存在」的概念。同時，我也不是沒有其他表象的概念。

於是須菩提說，我確實有必須修持忍辱的念頭；；我確實有忍耐痛苦的念頭，而不去怨恨傷害我的人。而我確實擁有「沒有任何存在的事物是獨立真實存在」的概念。

佛陀繼續加以說明：

何以如此？喔，須菩提，假若我在身體被一節一節割下的時候，心中存有我相，那麼我的心中便會生出瞋恨，生出傷害他人的念頭。如果我的心中存有眾生相、壽者相、人相，那麼我的心中便會生出瞋恨，生出傷害他人的念頭。❸

邱尼喇嘛解釋這段經文：

為什麼呢？假若我在身體被一節一節地割下的時候，心中存有我相，認為「我」是真實存在的。或心中存有人相、眾生相、壽者相，那麼我的心中便會生出瞋恨，生出傷害他人的念頭。然而，我心中沒有任何概念。❹

這段文字的意義大約可以總結如下：

那國王切下我的手指、腳趾，以及身體其他部位，做為莫須有罪名的懲罰。如果當時我把我們兩個都視為人，我可能因此而發怒，生起傷害他的念頭。但我沒有把我們視為人，因此我能夠避免瞋怒的情緒。

這段文字非常難解。而且，這段經文的內容，與不要因為工作的負面情緒而傷身之間，有什麼關聯？首先，我們先探討人們對這段文字可能產生的誤解（數個世紀以來，誤解這段文字的人不計其數），然後再解釋它的真實含意。

人們對於諸如此類的佛教典籍，以及否定「自我」或「個人」的存在的佛學書籍，都產生了錯誤的認識。人們誤以為，當自己面臨了一個困境之時，可以進入一個空虛的虛空之中；在此一虛空之中，人們可以視每一件事物為不真實存在的，然後困境就會消失，或不必執著於困境。

例如，擁有這種錯誤認知的人會說，你和某人相處不愉快，那個人生你的氣，你可以假裝那個人不存在，或者忽視那個問題，那麼你就不會問題纏身了。他們認為，這就是所謂的「無我」。在《金剛經》的這段文字中，佛陀把「無我」的意義延伸為「沒有

眾生，沒有永恆不滅，沒有人」。

上述錯誤的認知完全不符合佛陀「無我」的教授，也無法助你解決工作的負面情緒。例如，想像那些負面情緒不存在，或你並非真實感受了負面的情緒，或不執著於負面的情緒，都於事無補。

當你坐在牙科手術椅上，接受根管治療的時候，牙醫師手上的電鑽不小心碰撞了一條神經之時──或你如佛陀於多生多世之前所遭遇的經歷一般，四肢大張地被綁在地上，被人慢慢地切下手指、腳趾，以及身體的其他部位──你光只是想像牙醫師不存在，或你自己不存在是沒有用的，你還是會痛徹心扉。你不妨親身一試。這並非佛陀教授的真義。

關於「沒有概念」（無想）這一部分，也很容易遭人誤解。人們讀了類似的文句之後認為，佛教徒解決困境的方法即是打坐，以及不去思考任何事情；他們試圖清空心中所有的念頭和想法，或坐視念頭的生起，而不加以理會。這也不是佛陀的本意初衷。

下一次，當牙醫師拿著電鑽鑽你的牙齒的時候，你也可以試一試，驗證情況是否真的如此。

你將發現，這種錯誤的認知一點也不管用，也無法止住疼痛。那麼，佛陀所宣講的真義為何？

鑽石戰場

讓我們引用鑽石業界的一個真實情境。由於會議室或工廠將成為你的戰場，因此我們援用一個商業實例。當我在安鼎國際鑽石公司擔任副總裁的時候，我經常出差至亞洲，花一些時間在西藏寺院中研讀學習。我和老闆達成協議，我將停留在可以使用電話聯繫，並且隨時可以從孟買（距離寺院不遠）或比利時採購鑽石的處所。

在當時，「保持聯繫」可不是一件容易的事。我們的寺院座落於南印度的濃密森林之中；剛開始，所謂的寺院只是幾座帳篷，而寺院中的一百名僧人是中國政府入侵西藏期間，越過喜馬拉雅山區，逃亡至印度的倖存者（我們的寺院原本擁有八百多名僧人，大多數人遭到殺害或被迫還俗）。

到了我進入寺院就讀之際，已有數百名僧人，一座簡約的會堂，以及供僧人居住的簡陋小屋。距離寺院最近，可以撥打長途電話到美國的電話亭位於馬達凱利（Madakeri），大約三小時的車程。如果電話能夠撥通的話，打一通「保持聯繫」的電話，幾乎得花上一整天的時間。

因此，我在座落於印度森林的高山頂端的一座小土屋之中，彎著身子，努力地想從那具老舊的電話中，聽到電話那一頭，坐鎮於舒適玻璃帷幕辦公室，可以眺望世界貿易

中心的通明燈火，以及哈德遜河的歐佛的喊叫聲。

「我們需要鑽石！我們收到大筆訂單！在十年之內把一萬克拉的鑽石送到紐約！跟孟買那邊連絡！跟安特沃普（Antwerp）那邊連絡！快去辦！」

此時此刻，一萬克拉的鑽石可能代表了一百萬顆小鑽石：也就是說，你從市場採購回來的每一顆鑽石，是從兩、三顆鑽石中揀選出來的。因此，購買一百萬顆鑽石，意味著在十天之內，你必須檢查數百萬顆鑽石。假設你拿起一顆鑽石，用放大鏡檢視需要十秒鐘，那麼六顆鑽石就需要一分鐘，三百六十顆鑽石就是一小時。假如你每天可以持續揀選的工作達五小時，那麼你每天最多可以揀選兩千顆鑽石。如此一來，你至少需要一千個工作天，才能接近完成訂單。於是，我又問了歐佛一次：

「一萬克拉，對嗎，歐佛？」

「對，立刻去辦；今天晚上就去，不停地打電話，就算把全世界都叫醒也無所謂！祝你好運！」卡嗒（歐佛掛上電話）。

我在日誌上記錄了鑽石的數量和種類，然後花幾個小時連絡世界各地的鑽石採購人員。當我離開馬達凱利的電話亭之際，天色幾乎一片漆黑。我們出了電話亭，走上一個可以俯瞰一座美麗的巨大山谷的小花園，盡情享受夜晚的氣息，聞嗅著印度野花的芳郁，觀賞天上的星辰。我感到暢快，不顧一切困難忠人所託的暢快。然後，我們擠進屬

於寺院，搖搖晃晃的老爺車中，返回寺院，親炙世界上最偉大的幾位上師，做為期一星期左右的密集學習。

空性中的混亂與美妙

當鑽石從世界各地湧入紐約的總公司之際，我也正風塵僕僕，全身曬得紅通通地抵達紐約。歐佛喚我到他的辦公室；我信心滿滿，從容自在地步入辦公室。我坐定，靜待歐佛讚許我完成不可能的艱鉅使命。

「這究竟是怎麼一回事？」他劈頭就問。

「什麼怎麼回事？」

「那些鑽石是怎麼回事？你知道你這麼一攪和，現金周轉出了什麼亂子？你是怎麼了？瘋了嗎？」

你知道那種感覺，那種虛脫低沈的感覺。那不只是另一次的溝通不良或商業疏失，也點出了整個世界，我們所身處的世界的狀況。為什麼事情出了差錯，不能圓滿完成？

「等一等，歐佛。是你吩咐我去買那些鑽石，你說你需要一萬克拉的鑽石，越快越好！」

「一萬克拉！你有沒有搞錯！我說一千克拉！你胡說些什麼？我要一萬克拉的鑽石

「做什麼！」

「但你確實要去買一萬克拉的鑽石。我記得我問了你兩、三次。我甚至在日誌上做了紀錄。你看，就寫在這兒，一萬克拉！」

「我怎麼知道你是什麼時候寫上去的？搞不好是今天早上才寫的！我從來沒有說要一萬克拉，誰會說一萬克拉？」

在關於負面情緒的研究中，此時此刻便是訓練自己，避免產生讓自己未老先衰的負面念頭的關鍵時刻。大體來說，從事商業活動需要敏捷的思考和快速的反應，但是，沒有一件事比控制自己的負面念頭更需要敏捷快速的反應。在你受到強大的憤怒、痛苦的情緒襲擊之前，你大約有三秒鐘的時間採取防衛的行動。在這三秒鐘之內，你必須採取積極的行動，強而有力的行動，否則就太遲了。而這行動，關乎佛陀所宣講的「無我」「無想」的教授。不過，我們必須先理解佛陀所謂「無我」「無想」的真實意義。讓我們借用上述的實例，並且援用佛陀對須菩提宣講自己被歌利王節節支解時，所提及的三要素來加以說明。

這「三要素」是指此刻正在發生的情況所包含的三個部分：咆哮的老闆（歐佛），被怒斥的副總裁（很不幸地，那個人就是我），以及正在上演的整個事件。**每一個要素都有其空性，即本書一直提及的「潛能」**。事實上，這個情境充滿了空性：**這空性製造**

了混亂，也顯露了萬物蘊含的空性何以如此美妙。

思考銘印的運作

老闆歐佛所蘊含的空性為何？此刻，他面目可憎，但切記，如果他的合作搭檔，也就是他的妻子歐佛爾雅走進辦公室，她可會說歐佛看起來俊呆了：他把公司從一個不負責任、發瘋買一大堆我們不需要也支付不起的笨蛋手中拯救出來。因此，歐佛本身既不是一個齜牙咧嘴的怪物，也不是一個拯救公司的天才；他是怪物或天才，端賴觀者自身的觀感。如我們之前一再重複指出的，他本身是空的。此刻，無論他看起來是良善或邪惡，全憑我過去在心中種下了何種銘印。

另外，我們必須謹記在心的是：雖然此刻歐佛的良善或邪惡是由心造的，但不意味我只要祈願，他就會變成一個好人。這是因為我（不同於他的妻子）心中的銘印，強迫我把他視為一個非常心煩意亂的上司。而此刻，我所能做的唯一一件事，即是小心翼翼地避免植入新的銘印。

我們應該避免哪一些新銘印？如何避免遵照老闆的指示，卻遭怒斥的銘印？一個人如何種下諸如此類的銘印？事實上，只有一個方法，即如老闆歐佛一般，認為他的副總裁（也就是我）確實犯了滔天大錯，而對著副總裁大吼大叫。那麼，在你遭受上司怒罵

的當下，最愚蠢的反應是什麼？你應該已經心知肚明了，那就是頂撞回去。

在沮喪挫折與憤怒橫掃而至之前的三秒鐘期間，如果你能夠思考銘印運作的過程，甚至只是大部分的過程，將產生幾種後果。首先，你避免種下日後將帶來諸多禍端的銘印。想像你正要端起置於桌緣的一杯咖啡，卻不小心拿起一杯鹽酸（在珠寶製造工廠，如果你夠粗心大意，這種疏失真會發生）。當時，你正和某人熱烈地交談，因此你沒有注意到自己誤拿了一杯鹽酸。你舉起杯子，把它湊到嘴邊。在千鈞一髮之際，你碰觸到一點點鹽酸，迅速地放下那只杯子，大大地鬆了一口氣。在最後一刻，停止你的沮喪和憤怒——在那三秒鐘之間，你擊敗憤怒，避免種下負面的銘印——也同樣可以讓你鬆一口氣。

切記，片刻的憤怒，或在心中植入類似的銘印，將使你在未來經歷數天、數週、甚或更長時期的業果。**當你能夠運用古老的智慧平息一剎那的憤怒，那麼你為了了解本書的內容所作的努力便值得了。你拯救了自己免於無量的痛苦；你選擇了不同的道路，避**

免了原先應遇的災禍。

那麼，什麼是「無我」？什麼是「無想」？透過上述的真實例子，現在了解何謂「想」就容易多了。「無我」是指，即使在咆哮的時刻，老闆歐佛也不具有任何「做為一個大吼大叫，令人厭惡的人」的自我本質——他沒有本質天性，沒有與生俱來的本質

天性。如果他真的具備了令人厭惡的本質天性，那麼他的妻子也應該認為他令人厭惡至極，然而，他的妻子卻不認為如此。所謂「無我」是指，無論你對老闆的觀感為何，那觀感都來自你本身，而非來自老闆。這不意味著老闆歐佛並不存在，或者你應該假裝他不存在。

「無想」是指，你停止用錯誤的方法來看待老闆；也就是說，你停止認為，他的惡形惡狀來自他本身，而應該把他視為一面空白的螢幕，在他的妻子眼中，螢幕播放的是一部熱門電影，在你眼中，則是一部恐怖片。而你的心，自然是影片投影機；「過去行為的銘印」則是讓投影機運轉的電力。

記住，整個事件、你眼中和他人眼中的自己，以及你眼中和他人眼中的老闆三個要素，的的確確是真實的。真實的人會痛苦，真實的公司會遭受損失，真實的副總裁的假期獎金會泡湯，然而，引發這些事實的原因，都不是你習慣認為的原因，它完全源自你過去的行為。

化憤怒為力量

那麼，我們現在該怎麼辦呢？有一件事，我們必須獲得透徹的了解：如果那三秒鐘結束之時，你採取負面的反應，你將種下相同的、新的負面銘印，然後在未來自食其

果。關於這一點，我們已經有所探討。現在，讓我們談一談負面行為的立即後果。我們不妨面對現實，憤怒根本於事無補。

在一本古老的印度佛教經典之中，記載了一個非常著名的偈頌：

鬱鬱寡歡又有何用？

假若困境無解，

何必心煩意亂？

假若困境可解，

從這個段落開始，我們要探討拒絕憤怒的立即利益。你已經通過了主要的挑戰；你拒絕負面的反應，因而避免日後舊事重演。接著，你進入你的心，拒絕發怒，即使那怒氣是如此微弱。

事實上，你必須更進一步，努力地把你的心導向一個正面的態度。不要爭論採購一萬克拉的鑽石，執對執錯；也不要為了擾亂了資金的周轉而吵鬧不休；你應該立即把心轉向解決當下情境的方向。

在本章中，最重要的要點在於：甚至在憤怒的情緒佔滿你的心之前，你已經擊退了

憤怒，因此你將發現，你能夠立即「化憤怒為力量」，解決眼前的問題。你的心清晰明澈，你的面容平靜沈著，你的心跳正常，你的呼吸平穩。

當你面臨一個嚴重的困境之時，這正是你所希望擁有的態度。而且**對於身體以及長遠的健康來說，平靜沈著的心境無異是最佳的助益。**

每當你拒絕發怒或避免任何負面情緒的時候，你的健康與快樂也隨之延長。當你的心清澈明淨，平靜沈著的時候，你也能夠用更聰明更理智的方式解決商業問題。

最後的建議是，你或許已經注意到，本書提供的修行法門非常類似園藝。我們的前提是，所有的問題都是過去植入的銘印或種子的產物。

一旦這些銘印蓄積了某種程度的力量，就會長成一株植物，此時再做亡羊補牢的工作，為時已晚。相反地，如果你認為，你可以在早晨播下一粒種子，然後在傍晚即可豐收，那也太天真了。

重點是，你應該訓練自己，事先觀察行動可能導致的立即結果。你或許能夠立刻平靜下來，用冷靜理性的頭腦處理問題，但這不表示在你周圍的人也能夠冷靜下來，也不意味你提出的解決方案可行。

別忘了，結果完全繫於你過去播下的種子。然而，你的確如同養花蒔草的園丁一般，悉心照料你的未來；這意味著，事態緊繃的情況將越來越少。

譯注

❶ 古印度波羅奈國王，被認為是無道暴虐之王。

❷ 何以故。須菩提。如我昔為歌利王割截身體。我於爾時無我相無人相無眾生相無壽者相。

❸ 何以故。我於往昔節節支解時。若有我相人相眾生相壽者相。應生瞋恨。

❹ 即心中不存我相、人相、眾生相、壽者相四相。

第十一章

【圓圈日的寂靜】

當你坐在圓圈之中，
你正使用稀有、珍貴、
不可取代的時光，
進入心的寧靜。
脫離工作常軌與單一心態，
暴露於創造力的源頭，
準備就緒，
再創一個新世界。

在前一個章節中，我們已經了解到觀照自心的方法，以及避免負面情緒的產生，不僅能夠創造更光明美好的未來，也能夠為你帶來立即的與長遠的身體健康。更別提如果你能夠繼續奮鬥，最後完完全全地戰勝所有的負面心態，那麼每天的工作氣氛就更加宜人、更有樂趣了。

在本章節中，我要介紹長期以來，偉大的西藏智者維持身體強健、心智擁有高度創造力的竅門。如果你發現西藏僧人在六、七十歲之齡，仍然展現了持續增長的、對於智識的愛好與好奇心，並且保有西方人到了四十歲就失去的半走半跳下樓梯的體力，一點也不稀奇。這個竅門稱之為「藏」（tsam）。

尋求靈感的圓圈法則

在藏文中，「藏」意指「邊界」或「界線」。這個字用來形容每隔一段時間，暫時放下手邊工作的技巧；就某種意義來說，你離開工作的場所，前往另一個地方，在你的周圍劃下一個圓圈（範圍，界），你可以安安靜靜地坐在圓圈之內進行思考。

在我任職於安鼎國際鑽石公司的十五多年期間，我一直奉行「圓圈」的法則。我和安鼎的老闆達成了雙方必須嚴格遵守的協議，那就是每逢星期三，我非得休假不可。如此一來，我可以暫時離開辦公室，尋求靈感。剛開始，我要求並且同意公司扣除星期三

缺勤的薪資。後來，當遵循圓圈法則的利益清楚顯現的時候，我的薪資急起直追，超過那些每天上班的人。

我之所以選擇每逢星期三休假，那是因為星期三最不會中斷我的行政工作的需要；我總是用連著兩天的時間，星期一星期二，或星期四星期五，處理生意協商或需要一天以上時間的私人問題。

從切合實際的角度來衡量，我去「圓圈」的自由，也為公司帶來了新的力量和新的貢獻。它也為我們的部門創造了高度的行政效能，尤其在生產製造的高峰期最有助益。在有重大決定的時候，部門成員已經習慣接受我或我的助手（第二把交椅）的指令，如此一來，無論何時，部門的勞力突然擴增了兩成，甚或三成，我們的行政負擔也不會如此吃緊。

順便一提的是，在鑽石和珠寶工業，由於聖誕假期的銷售量大約佔了總銷售量的百分之六十左右，因此這種勞力突然擴增的現象司空見慣。在秋季，我們每星期生產製造八千枚或一萬枚的戒指；新年過後，每星期的製造量則縮減到一千或兩千枚。這意味著，你必須具備隨著季節變化，大幅擴增或縮減人事的能耐，並且擁有足夠的領導能力，統御比六個月前擴增兩倍的部門。

雖然每週三的圓圈日對於紓解我每天通勤於紐澤西州和紐約曼哈頓之間，往返各兩

個小時，身體所承受的緊張壓力確實有所助益，但不要把圓圈日視為休假，或勤勉工作的高級主管享受的一種福利，是很重要的。更確切地說，為了獲得最大的利益，圓圈日必須嚴謹地規劃和執行。圓圈日的主要目的在於打破慣例，利用一些時間思考「為什麼」，而非「如何」執行工作。這段時間是用來計畫、用來反思的；它或許也是獲得新的靈感來源的最重要時刻。

閒暇時間測驗

在我任職於安鼎國際鑽石公司期間，我面試並且雇用了數百名員工；他們之中，大多數都相當成功。我在雇用員工之時，自然也希望從他們身上找到一般的人格特質，例如誠實、忠誠、注重團隊精神、設身處地為他人著想，以及聰明理智。老實說，我倒不十分重視他們的技能和才幹。

根據我的經驗，人類的心是如此強而有力，你可以在相當快速的時間內，教導任何人，使他們駕輕就熟於任何工作。然而，要戒除個人的陋習，以及諸如說謊、漠視他人等性格，卻需要經年累月的時間。對於工作者來說，這些不良的習慣和性格，比缺乏才幹更具破壞力。

儘管如此，我仍要分享一個識人雇人的技巧，稱之為「閒暇時間測驗」。我發現，

你可以問應徵人員最重要的一個問題是：他們在空閒的時候，都從事些什麼活動。在安鼎國際鑽石公司上班很不容易，尤其碰上忙碌的假期，每天工作的時數十分吃緊。你顧了這邊，就顧不了那邊，時間根本不敷使用。而且經年累月下來，你能夠從同一部門同一批人身上學習的新事物實在有限。

如果你從不涉足其他場所，從不觀看新的事物，從不與新鮮的人交談，那麼你的創造力肯定會受到扼殺。毫不誇張地說，幾分鐘的創意所創造出來的新制度，比投入數個星期或數個月的時間，固守舊有的制度更有利益。如此一來，你花一些時間去發現未來的員工具有何種創意，便是值得的；而他們的創造力通常顯露於他們如何運用工作之餘的閒暇。

根據我個人的經驗發現，幾乎每一個回答「大部分時間都在看電視」的人，都是非常平凡的員工。而那些博覽群書（不包括言情小說）的人，往往深思熟慮，創意十足。那些撰寫散文，尤其是寫詩的人，具有絕佳的想像力，能夠輕易地構思出新穎的解決問題方案。

順便一提的是，你應該避免詢問年輕的父母，因為他們的答案清一色都是全心照料子女；而孩子是最偉大的創意來源之一。最後，那些挪出空閒時間，全心服務奉獻他人的人，無論是在教堂幫忙，或指導參加少年棒球聯盟的小孩打球，或週末在當地醫院擔

任志工，是最穩定、最具創造力的員工。

無論如何，其要點在於，為了獲得新的創意來源，一個高級主管擁有工作以外的第二種生活，第二種熾烈的熱情是很重要的。這種熱情可以是寫作、攝影、運動、或擔任志工。舉例來說，我記得有一次，我從一段較長的圓圈日返回公司之後（我於稍後章節再多加描述），端坐在一只鑽石儲存盒之前（那只盒子有點像一個鞋盒，內有價值一百萬美元的鑽石），盯著包裹鑽石的紙張，彷彿我從未見過這些紙張一般。

全新的構想

數個世紀以來，人們一直用這種小塊的、摺疊的紙張來包裹鑽石。如你所猜想的，摺疊這些紙張有一定的技巧，鑽石才不至於從中滑落。我猜想，幾個世紀以來，那紙張摺疊的基本形狀應該都不曾改變，在紙張外面註記包裹內容的方式也不曾改變。

在紙張的上方，大略描述了包裹在紙張內部的物品，例如，「四分之一克拉，圓形鑽石」。大約在中間部位，標明了鑽石的品質，例如，「white naats，J color」。在右下角，則註明了鑽石的重量，精細到百分之一克拉的程度，例如，「一〇·二七克拉」。

當然，在紙張內部摺口的某個地方，有一個小小的、標明鑽石價格的代號，例如，ZLD4 可能表示「要價兩千美元，售價一千八百美元，無論在任何情況下，都不能低於

一千六百美元」。

在過去，珠寶公司立了一條規定，如果某人從鑽石包裹中取走一顆鑽石，就得在內部摺口處加以註明。例如，「某某某在八月四日取走三顆鑽石，製作戒指樣本」。當紙包內的鑽石用罄，某個人會粗略地計算鑽石的數量，看看是否合情合理。除非那個數目差得離譜，鑽石可能不翼而飛，否則幾乎沒有人會太去留意數目究竟對或不對。

因此，我用一個從每周圈圈日所獲得的新角度，盯著這些包裹鑽石的紙張：它給了我一個全新的構想。

這個想法一直在我腦中盤旋了三十六個小時左右；我無法入睡，並且持續加入更多的細節。其基本的概念是：那些紙張在被摺疊之前，都事先印上了特殊的、一行一行的線條，因此無論鑽石存貨記錄人員想或不想，一看到這些線條，就會自動在行間做一些登錄，寫下剩餘鑽石的數目。當那些行間都用完了，就必須更換紙張，並且檢查鑽石的數目和重量。我刻意加寬線與線之間的距離，如此一來，紙張換得更勤，經手的人越多，檢查的次數也更加頻繁。

此外，我們也想出了一個主意，用各種顏色來區分包裹在紙張內的寶石，於是在幾個星期之內，我們的部門中，充滿了如彩虹般的七彩紙張。如此一來，你不需拿起紙包，看一看上面所註明的鑽石品質和形狀，而且人們很輕易地就能夠記得，不要把不同

顏色的紙包混在一起（當你在處理許多形狀僅僅只有些微差異的鑽石的時候，把它們混在一起，無異是一場災難）。

幾個小時之後，我們又靈機一動，想出了一個辦法：在印製這些紙張的時候，事先在紙張上打孔；使用過之後，可以攤平，放入文件夾中保存。如此一來，我們就有了一個永久的紀錄，上面載有取用每一顆鑽石的人的親筆簽名；而且萬一電腦的存貨清單不準確，我們仍有備份。

接著，我們試驗紙張的大小、不同的線條，以及許許多多其他的新方法、新制度，使我們的存貨盤存和損失控制的系統，成為寶石界最精密的系統。

由於在國際鑽石工業的領域中，未經切割琢磨的寶石大部分都被壟斷企業所獨佔操控（沒有所謂議價的空間），而且技藝純熟的切割琢磨工匠的工資，全球的水準大約一致，因此在獲利空間有限的情況下，擁有精密的存貨盤存與損失控制系統，肯定可以使你比其他同業賺取更多的利潤。

身體力行圓圈日

當我日後坐在世界各地的寶石公司中，看著他們模仿（往往加以改良）我們所發展出來的存貨盤存與損失控制的系統，實在是一種非常令人欣慰的經驗。過去這些年來，

如果這套系統曾經為安鼎所有的鑽石省下百分之一的成本，那麼就等於多賺了數百萬美元的利潤。而這些全都來自一個暫時遠離工作的圓圈日，所獲得的清新靈感。

我總是感到驚訝，其他公司如何無所不用其極，分分秒秒地壓榨經理人員，讓他們一刻也不得空閒，然後才吃驚地發現，他們如此精疲力竭，以致無法產生任何新穎的構想，或每天只待在辦公室中埋頭苦幹，從不接觸任何可以啟發新鮮靈感的事物。此刻，你已經明白了圓圈日的意義，接著讓我們看一看該如何身體力行。

規劃圓圈日有幾個基本的規則。最重要的是，你必須在每一個星期或每兩個星期的同一天定期地實行，而且那一天絕不可以挪做他用。換句話說，如果你選定星期三做為你的圓圈日，那麼你絕不可以破壞規定，在星期三從事一般的工作。

其中的道理十分簡單。在公司中，大多數具有才幹的人都是工作狂。無論必須與否，他們都會拚命工作；而這些工作往往超出他們能力所及的範圍。這種挑戰使得日子變得有趣，也使得腎上腺素不斷地分泌，在體內流竄；任何一個經理級的高級主管都深深明白，腎上腺素可以讓人心醉成癮。

在安鼎國際鑽石公司，即使人們工作多年之後，能夠輕易地在其他地方獲得更高的薪酬，而仍然願意繼續留任，正是因為安鼎總是不斷地成長，每一天都充滿了挑戰。你可能認為，圓圈日這個主意棒極了；你也可能連續兩、三個星期，都挪出星期三做為圓

圈日，但很肯定的是，到了那個月的最後一個星期，你一定會用一些「真的很重要」的緊急事件做為回到公司上班的藉口；從這次開始，就前功盡棄，藉口越來越多。

如同本書所描述的許多其他高深的修行方法和概念，除非你持之以恆，從不間斷地實行，否則圓圈日不會發揮任何作用。很重要的一點是，剛開始，你必須相信，如果你在一星期的工作天中，停止工作一天，你將會為公司帶來許多絕妙的創意，而這些創意將為你休假一天所損失的薪水，帶來超過數百倍的報償。

在圓圈日之中，你必須保持靜默，才能聽到這些絕佳的創意在你的心中竊竊私語。

圓圈日的上半天，例如下午兩點以前，你必須靜默獨處。你不接電話、不看電視，以及任何使你分心傾聽內心絕妙創意的噪音；不聽收音機、音樂，不看報紙、雜誌、小說，沒有孩子、配偶、修理工人或寵物的干擾。到你從事晨間靜坐的處所，獨自安安靜靜地坐著。

對於大多數日理萬機的高級主管來說，安安靜靜地坐著過一天實在令他們感到倉皇無措。他們的第一個自然反應是：這簡直是在浪費時間。當他們坐在那兒，什麼事也不做的時候，其他人卻在公司裡做牛做馬地埋頭苦幹，忙進忙出，電話應接不暇，處理各種緊急狀況。雪上加霜的是，隔天早上你得完成一個大案子，現在來看，根本不可能如期完成，而你此刻正坐在這兒，讓處理案子的時間白白消逝。

給身體特別的一天

或者，你的配偶、朋友，以及孩子知道你要一整天待在家中，而開始要求你替他們跑跑腿辦辦事。「如果星期三早上，你只是光坐在那兒，我不明白你為什麼不能到銀行一趟，在家等一件包裹。這些事情也不會花掉你超過半個小時的時間。」告訴他們休想。

那個圓圈必須是一個完全靜謐、完全集中專注的空間；如果你受到干擾，即使那只是短短幾分鐘的干擾，圓圈就起不了任何作用。**當你坐在圓圈之中的時候，你正使用生命中稀有、珍貴、不可取代的時光，進入心的寧靜，尋找人生和事業挑戰的深沈答案。**絕不要犯下錯誤，認為花一段時間靜坐獨處一點也不值得。在這段時間之中，你不僅僅開啟了存於心中更深奧玄妙的創造力，你也因為具備了破除舊有模式的先見之明，而預防了許多可能產生的健康問題。這種舊有模式將使你落入何種田地，已昭然若揭，不需要明眼人來一探究竟。你不妨翻看任何一期《紐約時報》刊登的訃聞，看一看有多少精明幹練的商業家操勞至死。別以為你不會是下一個。

在靜謐之處靜坐一個小時到一個半小時左右之後，開始做一些輕微的運動。古老的西藏典籍指出，在一種非常細微深奧的程度上，身與心是相互連結的；你的身體越沈

重，越不挺直，那麼心的念頭的細微能量越加難以流動。在美國，商人慣常從事的運動不外乎打打高爾夫球、慢跑，或輕量的舉重等等。這些運動都是很好的選擇。

找一個最適合你的運動；如果你喜愛這項運動，你比較可能持之以恆。記住，我們不是為了運動而運動，或只是為了虛榮心而運動。如果你的身體健康強壯，你的心越清明，你的事業也將蒸蒸日上。一個真正清澈的心，能夠超越一般商動機的限制；換句話說，你超越沒頭沒腦賺錢的境界，進入一個有目的、有意義地賺錢的境界。

你可能想要嘗試一些更特殊的運動；比起其他運動，它們能夠為你的心帶來更加強而有力的影響。我曾經認識幾個商界人士，在最近幾年突破「難為情」的障礙，參加瑜珈、太極、甚或現代舞蹈的課程。

他們參加的可不是百貨公司所設計的課程，僅僅淺嘗涉獵幾個星期就完事，結果沒有一樣是精通的。投入一些時間，花費一些金錢，去找一個真正精通這些藝術的大師，收你為門生，做一對一的訓練教學。

追隨一個真正的專家，維持一段親密長久的師徒關係。你必須學習應用經營事業的紀律，使你的身體運作順暢。同樣地，此舉不是為了擁有一個美好的外表，而是為了更高深的目的。

在圓圈日，你也必須改變你的用餐習慣。例如，試著在下午一點或兩點以前，只喝

一些液體，你晨間靜坐和運動的效果會更好。在你享用第一頓餐點之前，靜靜地坐一會兒，閱讀一些談論人生更崇高意義、引人深思的書籍；它可以是甘地（1869～1948，印度民族運動領袖）或史懷哲（1875～1965，哲學家、醫師，畢生在非洲從事醫療工作）或教宗或達賴喇嘛的著作，也可以是《聖經》，或任何諸如此類的書籍。但是，**這些書籍必須闡揚人類生存的目的，而非生存的手段，或如何謀生。**

在靜坐期間，與偉大的思想家共處是圓圈日的宗旨之一；你遠離了工作環境，跳脫了井底之蛙的淺薄侷限，把自己的心沈浸於數世紀以來，最偉大的思想家的思想之中。**你所置身的靜謐，使你能夠聽聞自心的竊竊私語，而不斷地閱讀偉大思想家的精神與見解，使心中的低語更加意味深長。**

享用一頓清淡簡便的午餐之後，如果你有需要，可以小睡片刻，別覺得難為情。在偉大的古印度經典之中，順應個人需求所採取的適量睡眠，與飲食、靜心專注等事物，一併被列為四類生理需求之一。在你的圓圈日期間，補足睡眠的需求不僅可以清新你的心境，也能夠重振你的體力，補償工作的緊張壓力所造成的身心耗損。

帶離自我中心的焦點

在下午晚近時分，從事一些具有實際功用的學習研究；它可以是學習攝影或操作電

腦或園藝，但它不應該與你所從事的職業有直接實際的關聯。換句話說，你不能花時間鑽研如何應用電腦的資料庫，以備隔天的工作需要，然而你卻可以投入一些時間，把配套元件組裝成一台家用電腦。

如果你能夠走出家門，與真正精通這些技藝的人共同學習研究，那是最好的情況。無論他們嫻熟的是各種花朵或音樂或工藝，一個活生生、精通某項事物的人即是最佳的靈感來源。要點是，**去接觸具有創造力、優秀傑出的人物；而學習一個大師的思考方式，擁有一個大師所具備的熱情所獲得的利益，遠遠超過精通他或她的教授所獲得的利益。**

在傍晚，刻意安排出門幫助他人。你協助的對象可以是一支兒童運動隊伍，可以是一位年長的鄰人，可以是你的配偶或家人。在一個家庭之中，一個負擔全家生計的人往往產生自我中心的心態，也就是說，如果你每天出門工作回家，那麼你就不需要幫忙柴米油鹽醬醋茶之類的俗務，例如陪伴家人、處理家務、或服務社區等等。

那種一個小時賺進數百美元的人覺得，在傍晚接送老者到雜貨店購物，簡直是大材小用、浪費時間，讓那些領取最低工資的人來做就可以了。他們比較喜歡服務地方的大型慈善團體。

然而，這種想法就失了重點。我們休假一天，**進入圓圈的目的，即在於脫離日常工**

作的常軌與單一的心態，進入各種不同的方向和領域。我們刻意地把心抽離工作的技術

細節，而把心暴露於清新創造力的源頭，即靜默，以及過去的偉大思想；其中最重要

的，或許是把我們的心帶離自我中心的焦點。

換句話說，我們不僅僅藉由投入一天的時間，遠離反覆使用的思考模式來鼓舞我們

的靈魂和才智，也透過揚棄自我中心的心態來重振我們的心靈和思維。

沒有一件事比服務需要幫助的人，更能鼓舞我們的心靈。貫穿歷史，這是所有偉大

人物獲得內在力量與創造力的最偉大的來源。你應該了解此一事實，欣賞此一事實，並

且努力揚棄自我中心的心態，不求任何感激回報地，幫助周遭因為衰老或貧窮或寂寞等

等原因而需要幫助的人。根據東方的智慧，沒有一件事比不求回報地幫助他人，更能在

隔天的工作中，賦予你更多的力量。

在圓圈日的最後，你即將就寢，整座房子以及家人都陷入寂靜之際，你再回到靜僻

之處，花一些時間靜靜地獨處。這時，你回顧一整天的種種，審視你的思想念頭，並且

完成你的六時書。

試著不要去想公事，以及隔天早晨你將面對的事物。這個技巧的用意在於，讓圓圈

日的寂靜，以及來自外界的創造力（閱讀、跟隨專家大師學習）在夜晚以及你處於睡眠

期間，影響你的心。隔天，當你需要靈感的時候，它就會出現在你面前；而靈感的種子

也需要寧靜（你睡眠時所提供的寧靜），才能夠完全地成熟茁壯。

關於圓圈日最後需要留意的是：圓圈日似乎像是休假，安安靜靜自我觀照的時光；在其後的一或兩天，它賦予了你創造的能力。然而，在我們了解了《金剛經》所蘊含的所有智慧之後，我們明白，我們隔天所湧現的靈感，其來有因。

靈思泉湧是保持完全的寧靜，接近偉大思想家的精神與思想，以及願意服務周遭人物所種下銘印的結果。這與我們先前所探討的種種原則沒有任何不同；事實上，除非過去所做善行的銘印，使你得見善果的成熟茁壯，否則善果不會憑空出現。我們都是園丁，一直在栽培照料我們的未來。

森林圓圈日

這就是我們所謂的每周圓圈日。另外一種圓圈日，著實是我在安鼎國際鑽石公司擔任副總裁期間，最佳的祕密武器之一。它叫做森林圓圈日，你一定得試一試。沒有一種方法，比森林圓圈日更加強而有力，能夠深入洞察你事業生涯的未來遠景，能夠讓你在事業上大步邁進，迅速達成最終的目標。

為了實行森林圓圈日，首先，你必須遠離工作至少兩個星期。這兩個星期不是一般的休假，而是休假之外的兩個星期。我們如何取得這兩個星期的時間？

首先，你必須明白自己為什麼需要這段時間。例如，我們一天三餐，不是因為我們需要一天吃三頓飯，而是我們真的想要吃三餐。在佛教傳統中，僧人立誓過午不食，一天中有絕大部分的時間不進食。在西藏寺院之中，這項傳統不但沒有使僧人變得虛弱或削瘦，反而使大部分的僧人強壯、輕靈，並且心思敏銳。我們挪出時間吃三頓飯，我們尋找食物、地點去吃三頓飯，僅僅是因為我們相信我們要吃三頓飯。**如果你相信森林圈圈日的價值，你將想盡辦法挪出時間去實踐它。**

讓我先說明在森林圓圈日該做些什麼，然後再討論取得兩星期時間的策略。首先，你必須確定，時間到了，你一定得放下手邊的工作。如果你是主管級人員，第一次實行的時候，可能難如登天。你今天之所以居於高位，即是因為你知道如何把工作做好，而且你喜愛工作，而你安排的企劃，全都依照你所要求的速度進行。把所有正在進行的計畫交由他人執行，或把時間表延遲兩個星期，或在你離開辦公室，實行森林圓圈日的最後一個小時，從容優雅地終止所有的計畫，需要極大的智慧。

當星期五下午來臨，你將展開森林圓圈日之時，把工作完完全全地拋諸腦後，不去想也不去做。絕對不要落入「只不過是再一天」甚或「只不過是再一個小時」的陷阱，去完成企劃中非常重要的最後一個步驟。

一直到工作的最後一分鐘，你都必須透徹地思考，清楚地了解你去實行森林圓圈日

的原因。你為什麼要去實踐森林圓圈日呢？那是因為，如果圓圈日圓滿成功，你將為工作帶來新的構想、新的創意、新的活力幹勁，足以補償你丟下工作，而延誤幾個企劃的小小損失。

為了實行森林圓圈日，你必須尋找一個完全靜謐，容你一人獨處的處所。例如位於林間或淡季海濱的小屋。遠離城鎮的處所是最好的，你可以散步，但不碰見任何人；沒有人敲你的門；也沒有車輛喧囂、人聲鼎沸等等。

當你抵達處所之際，清除所有的刺激來源：把書籍、雜誌、報紙打包收進箱子；把電視、收音機放進一個得費一些勁兒才能取出這些物品的櫥櫃之中，以避免意志力薄弱之時，觀看電視或收聽收音機；並且不收任何郵件，不見任何訪客。

這是森林圓圈日發揮效用的關鍵。你必須擁有全然的靜謐，一種你全然獨處而進入你心中的靜謐。事先規劃，如此一來，你就不必會見任何人，不必與任何人談話；你必須確定，你的家人親友清楚地了解這一點。切斷電話線，或最好找一個沒有電話設施的處所。購買足以維持整整兩個星期的日常用品，並且不要進城。

實行森林圓圈日的最佳場所，即是不見人煙之處——沒有車輛，沒有孩童，甚至沒有任何露營者之處。切記，**森林圓圈日不是度假日；它是一個企及內在較高層次的認真企圖，它也是一段由你自己完成、最強而有力的旅程。**

迎接內在靈光的洞見

此刻，你獨自在你所選擇的處所，接下來你應該怎麼做呢？如每周圓圈日一般，你安排佈置一個安靜宜人的角落——房子或房間中一個特別的角落，只供靜坐之用，別無它途。你最好不要在那個角落進食，也不要太靠近你睡覺的處所。那個角落必須只有一個用途，即是專心一致，投入全副精力地靜坐。在那個角落，你不必擺置正式的禪坐坐墊，或諸如此類的物品；一張舒適、有著可以強迫你挺直背脊的靠背座椅就足夠了。

在森林圓圈日期間，最基本的作息是：大約一個小時的靜坐，僅僅思考人生與事業的重大事件；一個小時安安靜靜地研讀偉大思想家的精神與思想（或許也包括本書闡釋的空性原則，特別是關於商業問題及其解決辦法的部分）；一個小時靜靜地出外散步，或從事其他運動；一個小時吃一頓簡餐，稍事休息；如此交替進行。

重要的是，你必須攝取非常健康，非常清淡的飲食——大量的青蔬，富含蛋白質的食物，避免削減或抑制創造力的糖分與碳水化合物。如果寂靜使你感到焦慮或頭昏眼花，務必從事足量的運動，並且攝取一些諸如起士通心粉、奶油爆米花或義大利千層麵等油膩的食物。

經過了一天之後，你可能對森林圓圈日產生相同的疑問，如同你懷疑每周圓圈日的

功用一般。對一個忙碌的主管級人員來說，你很難去克服你無所事事、白白浪費時間的感覺。在這些懷疑的時刻，你必須提醒自己實行森林圓圈日的真正目的——靜謐以及全然拋開工作促使所有內在創造能力的開展。

在此之前的成人生活之中，你從未如此做過，從未刻意地避免外在的刺激，以開啟內心的創造力。你將發現，在處理工作與家庭問題方面，你的心更富創造力，更有力量。在靜默獨處之時，問題的答案在意識之下隱然形成；過了五天或一個星期之後，那些答案如同靈光一閃般出現在你面前。

放鬆自己，並且信任此一過程：在過去數千年來，千千萬萬個東方智者遵循此一過程，成效非凡，同樣地，它也適用於你。但是，你得放手一試。

記住，隨身攜帶一本小小的筆記本，做為日誌或札記。多多使用你的筆記本，記錄於森林圓圈日開始之初所湧現的所有微小構思，並且準備在第十天至第十二天之後，迎接排山倒海而至的靈感與深刻的洞見。同樣地，你也必須準備面對實行森林圓圈日一週左右，所產生的低潮；這是正常的現象，也是此一過程的一部分。

在森林圓圈日期間，心的正面和負面的力量都增強了，因此你將發現自己開始迷戀家人的美好，又深受主要供應廠商延遲交貨的困擾。此時，你必須學習把心專注於前者，並且放下後者，不要因此而產生煩惱。

在森林圓圈日的最後三、四天，你應該針對人生與事業做總體的檢討回顧。在這三、四天的每一天中，你挪出一段特定的時間，寫下你想到的所有絕妙的企劃構思，然後開始規劃新的日程表，包括一個簡短可行的生活解決方案。

在靜謐的影響之下，你的心將比以往更加清晰強壯，而你的生活形態、事業，以及家庭狀況將自動地有所改變。重要的是，你必須了悟，這可能是你一生之中，心境如此清澈細膩的唯一幾個時刻之一；你必須認清此一事實，信任此一事實，即使在森林圓圈日結束、返回日常生活之後，你仍要信賴在圓圈日期間所形成的決定和解決方案。

稍後，當你坐上返回家庭與事業生活的特快火車之時，你在森林圓圈日所做的人生與事業的決定，將顯得不切實際，甚至幼稚天真。別相信這種感覺。當你的心重返喧囂擾攘的世間之時，在靜謐時刻誕生的洞見，本就顯得不切實際。**森林圓圈日的主要目的，即在於準備就緒返回喧鬧的世界，再創一個新世界。而創造一個新世界，都需要一點點的冒險與勇氣。**

為了幫助每一個人而做

最後你必須謹記在心的是，在森林圓圈日所獲得的絕妙構想，如同外界的事物一般，都來自過去善待他人而在心中種下的銘印。有益於靜坐和自我反思的氣氛，以及獨

自置身自然，而產生的寧靜心思，使得善的銘印更快速地浮上意識層面。

在你進入森林圓圈日之前的一、兩個星期，特別體貼友善、開誠佈公地處理你與同事、家人之間的問題，一點損失也沒有。相反地，你卻帶著這些正確的銘印進入你的森林圓圈日；而這些銘印肯定會在森林中成熟茁壯。

在此，我們依照原先的承諾，提供一些如何取得額外兩個星期休假的建議。坦白來說，唯一的方法就是花錢買時間；也就是說，你提議從薪資中扣除同等或超過兩星期薪水的薪資。相較於公家機關，在私人公司中，這個方法簡單容易多了，但總歸一句話，如果你自己願意做一些犧牲，並且擁有足夠的決心，你就會找出解決之道。

你必須記住，不僅僅是你的事業陷入危急，還包括你的健康、你平靜的心、你的幸福快樂，以及你的創造力。用一、兩個星期的薪水來換取時間，再值得也不過。而且，如果你下定決心，你的老闆或上司也將能夠體會你的嚴肅認真。

無論何時，特別當我需要請假以實行森林圓圈日的時候，我都提議公司扣除請假時期的薪資，而公司也仁慈地同意！無論如何，它向資方傳遞了一個訊息——你深信你能夠從森林圓圈日中獲益。你也必須獲得家人的許可。無論是在家庭或事業兩方面，你都必須慎重考量，擔負責任，才不至於構成同事或配偶子女的不公平的負擔。

每一個人了解你的目標，每一個人全心全意地支持你實行森林圓圈日是很重要的；

如此一來，你將擁有更佳的能量，也更可能成功。

但這不意味，如果你在開始遭遇一些阻力，你就應該放棄森林圓圈日的活動。森林圓圈日不是一種奢華享受或一種休閒，而是決定你的人生和事業是否圓滿成功，是否能夠利益所有的人的內在活動。剛開始，他們都不認為如此，因此**你必須堅定果決。你是為了幫助每一個人而做。**

關於森林圓圈日，仍有一些細節需要學習，而且最好跟隨上師一起學習，如同在運動領域，最有效率的方法就是向經驗豐富的教練學習。

【化危機為轉機的空性】

你認為那是一個問題，
它就是一個問題。
一件事物好壞，
全是你自身的觀感。
是問題還是新契機，
要專注凝神，敞開心胸來轉化，
痛苦帶領我們
遇見最美好的事物。

在討論如何創造財富，又兼顧身心健康的方法之時，一個被稱為「化危機為轉機」的古老佛教技巧是不可或缺的。這個技巧分為兩個層面：立即的或終極的層面。

你記得在第十章，我們購買了一萬克拉的鑽石，幾乎使公司破產的故事嗎？那個故事的要點在於如何成功地處理來自老闆毫不留情的批評與指責；在被怒斥的頭幾秒鐘，如何平息憤怒與挫折，甚至在它們有時間形成之前，即平息憤怒與挫折。

此舉的立即結果是，你帶著清晰明澈的心境離開老闆的辦公室，胸有成竹地準備處理手邊的問題。而長期的結果是，你停止植入新的銘印——再次面對暴跳如雷的老闆的銘印。從此以後，你的工作生活將越來越平順流暢。

問題或是新契機

假設我們能夠冷靜沈著地走出辦公室，那麼一萬克拉的鑽石該怎麼處理呢？你應該立刻把你的想法專注於每一個問題所蘊含的空性之上，此舉的立即結果是你保護了你的心，免於傷害；長期的結果是你避免身體受到新的損害。此處的**空性意指**，**只要你的銘印使你認為那是一個問題，那麼它就是一個問題。當你了解了空性的意義，你就能夠化任何危機為轉機。**

此時此刻，了解一萬克拉的鑽石可以被視為一個問題或一個新契機的開端是很重要

的。把它視為一個問題，已經讓你感到緊張不安；它使你心生防衛，壓抑你的創造能力。你應該做如是想：上個星期，我有一個絕妙的主意，才需要一萬克拉的鑽石；；只是現在我想不起來罷了。那麼，仔細想一想那是什麼樣的好主意吧！

在安鼎國際鑽石公司，我們常用的一個策略是：利用我們不小心購買過剩的鑽石，重新設計一種產品。在這種情境之下，保持鎮定，不要驚慌失措，即能夠避免創意遭到壓制（創意遭到壓制，將阻礙解決問題方法的產生）；它也能夠防止負面銘印在接下來的數天或數週，從潛意識浮上意識層面，促使你把機會視為問題。

因此，保持冷靜沈著，並且專心回想處理一萬克拉鑽石的好主意，是很重要的。假設所有的鑽石都是混合了各種形狀及各種切割的小鑽石，想要在市場上出售難上加難。

在足智多謀的印度鑽石交易商想出一個價廉的切割方法，把它們切割琢磨成為著名的「一克拉心型鑽」之前，這些小鑽石最後的命運都是被鑲嵌在油井鑽的鑽頭之上。

對於擁有一大批混合了各種形狀鑽石、苦於無法脫手的鑽石交易商與珠寶公司來說，一克拉心型鑽的出現無異是天賜之物。在安鼎國際鑽石公司，我們把此一概念發揮到極致。

首先，我們把所有的鑽石（一百萬顆碎鑽）一股腦地扔進鑽石篩網，經過附有細小金屬條的圓柱形鋼筒一整天不停地擊打之後，鑽石被迫通過一連串細小的洞孔，最後大

小相同的碎鑽則自成一堆。然後，你用一個靈敏度極高的鑽石秤盤，衡量每一堆鑽石的每一顆鑽石的平均重量（記住，每一顆鑽石的重量大約只有百萬分之一磅）。

在你面前，大約有五堆鑽石，每一堆鑽石的大小僅有些微的差異。然後你取來一個有著五十個呈心型排列的杯狀小孔的金製垂物，把碎鑽放進每一個小孔之中；在金製垂物的襯托之下，原本不起眼的鑽石更添璀璨。你坐在那兒，用一只計算機計算哪一種組合可以使選自五堆鑽石的五十顆碎鑽，完美地達到百分之九十九點五克拉的重量，即當時一克拉鑽石的合法的最小重量。

那天結束之際，整個事件的處理結果令人激賞；由於你精密準確地控制金子與鑽石重量，那些璀璨耀眼的鑽石商品因此可以賣出一個好價錢。最後的結果是，當這些鑽石商品在商店熱賣，造成一股旋風之時，你已經把購買一萬克拉鑽石的疏失，轉化成一個出乎意料的成功之舉。你知道在此之後的發展了。你的老闆囑咐你再去購買一模一樣的一萬克拉鑽石回來如法炮製，而你可能還無法如前一次一般順利達成使命。

困境開啟新道路

這個練習的要點顯而易見。在這個世界上，每一個存在的事物皆是空的。換句話說，在這個世界上，沒有一件事物本身是好的或壞的；一個人眼中的蜜糖，可能是另一

個人眼中的毒藥。**一件事物的好壞，完全取決於你自身的觀感；而過去種入心中的好的或壞的銘印，則支配了你對事物的觀感。**問題本身不是問題；更確切地說，你心中的銘印促使你把問題視為一個問題。因此，**每一個問題都能夠被轉化為一個契機。**

你不妨嘗試這個練習。下一次，當你面臨了一個商業困境，當競爭對手拋給你一個難題之時，你假裝你的競爭對手是一個愛護你的公司，試圖讓你成功的貴人。為了讓你獲得成功，他們認為，他們必須推動你往不同的方向前進。為了讓你走上不同的方向，他們必須阻擋你在舊有方向的進展。當事情的進展不盡人意的時候，不要擔憂或心煩意亂，相反地，你應該**完全地敞開心胸，邁向新的方向──**試著去探看他們希望你走上的新的陌生道路，不要頻頻緬懷過去熟悉的道路。

這種看待事物的態度切合實際嗎？或許是，或許不是。切合實際與否，真的無關緊要。無論如何，最終的結果如出一轍。擔憂、心煩意亂，只會在心中留下負面的銘印。煩亂擔憂只會當你的心被煩亂佔據的時候，代表解決問題的創意空間相對減少了許多。煩亂擔憂只會使情況惡化。**專注凝神地思考如何去發掘潛藏於問題之中的契機，不但能夠鼓舞你的心，也種下了正面的，享受成功未來的銘印。**因此，用這種態度看待事物，十分合情合理。

在本章的開頭，我們提及化危機為轉機的兩個層次：立即的層次與最終的層次。而

每一個問題的最終契機，即是深刻地洞見所有事物的空性。

何以見得？問題本身，即是我們所能擁有的最重要的契機。古老的西藏智慧指出，如果事事順遂，那是最糟糕也不過的了。因為，如果事事稱心如意，我們就不會對人生的境遇有所疑問。你絕不會看到一個好運當頭的人搥胸頓足，哭著問：「為什麼是我，為什麼這種事發生在我身上？」**只有面臨了煩惱苦痛，我們才會思考何處是幸福與痛苦的源頭。**

沒有什麼比一個自滿、坐享成功太久、太穩定的公司或高級主管，更令人傷感、更棘手的了。世事變化無常；而深入艱困地尋找痛苦與快樂源頭的人們，無法從自滿中找到答案。因此，問題本身即是最佳契機的說法，不是曲高和寡、遙不可及的論調。痛苦敦促我們去尋找所有事物的源頭；如果痛苦也帶領我們去發現空性與銘印的法則，那就是我們所遭遇的最美好的事物。

第三部分

回首前塵
了悟價值

第十三章

【萬物皆有盡時】

學習看清依緣而生之萬物
如同星辰，
如同你眼中之困境，
如同一盞油燈，一個幻象，
如同露珠，或如同泡沫；
如同一場夢境，或如同閃電，
或如同一朵雲彩。

截至目前為止，《金剛經》的智慧已經引領我們進入了兩個深奧奇妙的領域。一個是潛在可能與銘印的領域；在此一領域之中，周遭世界是由一面空白的螢幕組成，我們完全仰賴過去行為的銘印，把對事業與人生成敗的觀感投射其上。簡而言之，我們已經了解金錢財富的真正來源，以及獲致財富的方法。

如果我們無法享受財富，運用財富，那麼金錢本身完全喪失了意義。同時，我們也必須學習如何保持強健的體魄，以及清晰明徹的心境；如何維持朝氣蓬勃的活力與創意，長長久久地經營事業以及事業以外的人生。

儘管如此，我們終究必須論及一些無可避免的必然事物；也就是說，無論你的事業多麼成功，並且維持清澈明淨的心去享受財富，你的事業，甚至你的人生終有結束之時。

在佛教傳統之中，一個賺進巨額財富的人，並不算是一個真正成功的商人；甚至一個賺進巨額財富，並且熟諳享受財富之道的人，也不算是一個真正成功的商人。最終的結果與起頭和中間的過程同等重要；你必須能夠走到盡頭，走到一個不可避免的、必然的盡頭，然後回顧前塵往事，可以俯仰無愧地說，這一生活得有意義、有價值，所有的努力都有了某種真實的意義。

然而，**除非你能夠從萬事萬物皆有其盡頭的觀點來審視你的人生與事業，否則你不**

會決心讓你的事業發揮某種意義，**造福世界**。除非你能夠時時練習，假設自己已經到了生命盡頭，回顧一生的所作所為，你才會猛然覺醒，決心讓生命充滿意義。因此之故，本章的內容將環繞一個名叫雪萊（Shelly）的女士。

無常之詩

為了介紹雪萊其人其事，我們必須回到《金剛經》。在《金剛經》中，最為著名的部分或許是最後的幾行文字；這些文字被稱之為〈無常之詩〉（Verse on Impermanence），在佛教界具有舉足輕重的地位，每逢滿月以及新月之時，西藏僧人必須完整、毫無失誤地吟誦此一詩文。〈無常之詩〉的內容如下：

學習看清依緣而生之萬物

如同星辰，

如同你眼中之困境，

如同一盞油燈，一個幻象，

如同露珠，或如同泡沫；

如同一場夢境，或如同閃電，

或如同一朵雲彩。❶

邱尼喇嘛對此一詩文的闡釋如下。你將發現，邱尼喇嘛不僅認為此一詩文在探討無常，也強烈地蘊含了萬物空性之理。

以下的結論顯示了**依緣而生之萬物**的空性，以及萬物之無常。而這一切的道理全都蘊藏於此段詩文之中。

我們可以援用人身五蘊，❷例如身體（色）等等，或其他諸如此類的事物做為例子。這所有的事物都將在下列的隱喻中加以描述。

星辰於夜幕低垂之際閃耀天際，於白晝降臨之時消失退隱。一個人的身體部位或其他事物將因而生，也是如此。如果一個人的心充滿黑暗無明，那麼星辰或其他事物將因而存在顯現。假若太陽升起──覺知沒有任何一件事物是自生的智慧之光出現──那麼這些事物將不復存在。如此，我們應該把這些事物視為

星辰。

假設你的眼睛被**困境**所蒙蔽──被塵土或諸如此類的物體所蒙蔽，那麼你試圖觀看的事物便失去了它真實的面貌，更確切地說，你對它產生了不同的觀感。

心之眼也是如此；當它被無明所蒙蔽之時，心便不再認為萬事萬物皆依緣而生。

一盞**油燈**的火焰藉由一根纖細的燈芯才得以燃燒閃爍，待燈芯燒盡，火焰也隨之熄滅。每一件依緣而生的事物，皆依靠各種不同的因與緣才得以生成；當緣起之時，事物依緣而生，當緣滅之時，事物也隨火焰之熄滅一般不復存在。

一個**幻象**不同於它原本真實的面貌。如此，一個錯誤的心境將誤認依緣而生的事物是自生的。

露珠稍縱即逝；依緣而生的事物亦是如此，迅速地止息消逝。當水被攪動或類似情況發生之時，**泡沫**迅速生成，又突然地破裂消失。依緣而生的事物也是如此；當各種不同的緣聚合之時，它們生成，隨之迅速消逝。

夢境是一個由睡眠引起的錯誤認知的例子；被無明影響的心，誤認依緣而生的事物真實存在。

閃電來去無蹤。依緣而生的事物也是如此，迅速生起迅速消滅，完全依靠緣的聚合而生。

天上**雲彩**的聚集消散，全憑天龍的旨意。依緣而生的事物亦是如此，端賴生起滅盡的銘印的支配影響。

上述每一個隱喻的用意，都在於揭示依緣而生的事物，無一是自生的。

前述的說明是以「所有依緣而生的事物」為解釋範圍；以下引自龍樹大師所著

經典的一段偈頌，則針對較狹小的範圍加以闡釋：

色如泡影，

受如浪潮尖端之白沫，

想如海市蜃樓，

行如空心杖，

識如幻象——

佛陀如是說。❸

這些即是前述的人身五蘊。

迦摩羅什羅大師❹把最後三個隱喻——夢境、閃電、雲彩——指為「三世」，

即過去世、現在世、未來世。這種說法與此處的解釋稍稍不同，但兩者不相抵

觸。

簡而言之，佛陀指出，我們應該「把每一件依緣而生的事物視為無常，事物的

緣起緣滅，有生有死

本質是空的，如同上述的九個例子一般。」我們也應該認清，人不具有任何與生俱來的本質，事物也不具有任何本質。

龍樹大師的偈頌，主要點出了人之無常。身為一個人，我們必定會走向事業的盡頭，走向生命的盡頭。再更深一層地說，這個偈頌也可以用來說明銘印與潛能；也就是說，我們心中的銘印創造了我們對周遭世界的觀感，甚至創造了我們對於身體與心靈的觀感。這些銘印如同其他形式的能量，也是在各種因緣之下，不停地生起滅盡。

具有「生命」的、流動的事物，或如同銘印一般的事物，必有停止滅盡的時候，如同緣起緣滅，有生便有死一般。根據佛教的觀點，萬物生滅的過程是一樣的。當你用球棒擊出棒球的時候，你知道，球一定會在某個地點落下，在某個時候停止轉動。

同樣地，你展開了事業，那麼事業必有結束之時；你一旦出生了，便一定會面臨死亡。你必須努力讓你的事業與人生在面臨不可避免的盡頭之時，充滿意義。

那一天，當我走進安鼎國際鑽石公司接受我第一份正式的工作之時，我遇見了雪

萊；遇見她一點也不難，因為她是當時公司唯一的一名員工。那時，我剛剛從一座小寺院結束為期八年密集地追隨上師學習禪定，紐約市的喧囂與惡臭，使每天早晨從紐澤西州搭乘將近兩小時公車進入紐約市的我感到厭惡作嘔。然而，看著雪萊，讓我的心情豁然開朗。

雪萊是一個堅強、自豪的牙買加女人，有著一頭平順滑潤的黑髮，以及一臉燦爛的笑容。她在亞利桑那州長大成人。在此之前，我從未遇見任何一個來自島嶼的人；當我看著雪萊如燦爛的陽光般在走廊上穿梭，用愉悅動人、輕快活潑的英國節奏唱著美麗的歌曲之時，我為之陶醉狂喜。我和雪萊及其丈夫泰德（Ted）很快地打成一片，情同家人。

當安鼎國際鑽石公司的營運有了起色，銷售量雙倍或三倍成長之時，我們和安鼎的老闆歐佛與爾雅患難與共，直到創造了目前每年超過一億美元銷售額的成績為止。最後，雪萊和我掌管公司的兩大部門，雪萊負責鋪貨銷售，我負責鑽石部門。

雪萊不受任何事物動搖影響的好脾氣與愉悅心情，以及她對所有周遭人士所傾注的愛是出了名的。有時候，我們工作到凌晨一、兩點，雪萊仍然如一天之始那般與高采烈，滿面笑容。她的唇上總是跳躍著音符，即使在指揮將近一百名員工，趕在指定交貨日期之前，每天包裝運送一萬件精緻的珠寶首飾的壓力之下，她仍然歌不離口。

在早晨，她第一個進公司；在晚間，她最後一個離開公司。雪萊願意為部屬赴湯蹈火，兩肋插刀；這個特點以及其他的特點，使她贏得了部屬熾烈不渝的忠誠和愛戴。從她眼中流露出來的內在力量，以及對於基督教深刻不移的信念，使她成為我們所有人的中流砥柱、堅固磐石。

我記得第一個問題發生的情景。人們說，雪萊的身體出了毛病，我們要不要到醫院去探望她。當某個你認為強壯不屈的人突然間倒下，那是多麼深刻的震驚！當我的母親的胸部出現一個巨大的腫塊之際，或當我的父親外出打獵，突然間昏了過去，開始從山上滾落，而我一個十來歲的男孩拚命試著不讓他巨大的身軀跌落山崖之際，便有了這種深刻的震驚。

我們探病的結果是，雪萊罹患了十分嚴重的糖尿病，但是，如果她能夠稍稍放鬆，注意營養，飲食規律，每天在固定的時間服用一些藥丸，她就會沒事了。

你必須了解，我們的公司在市場上獨領風騷，所向披靡，無往不利。每一個小時，在雪萊和我手中處理的是數十萬美元，甚至數百萬美元的生意。我們的薪資瘋狂地往上飆漲，其上漲的程度如同我們的產品與員工人數一般失了控地成長。

我們成為事業王國之中的小小神祇，在中午用餐時分商討一個人的未來，或一整個房間的人的未來，彷彿他們是我們手中玩偶或玩具兵，我們一時心血來潮，要他們往

東，他們就得往東，要他們往西，他們就得往西。

對我們來說，安鼎國際鑽石公司是一種熾烈的激情，也是一名情婦，提出種種不可能的要求，驅策我們使出渾身解數，完成遠遠超出我們能力之外的表現，並且以做夢都想不到的財富做為報酬，因此雪萊深深著迷，而且越加越晚。

工作第一，沒有什麼事比工作重要。剛開始，雪萊忙得忘了吃午飯，要不就是忘了吃晚餐，後來這種情況變得越來越頻繁。有時候，她記得按時吃藥，有時候不記得，然而，送給潘妮百貨公司的巨額訂單可一分鐘也等不得。

長期虐待身體的結果，使雪萊付出了無可避免的代價，但是，她仍然拒絕停下腳步。我想，大約就在這段時期，我獲得了一個最重要的職場教訓，那就是：**真正優秀的員工會不斷地驅策自我，直到他們的身心受到傷害為止，而經理人員必須具備極大的智慧以及自我控制，才能夠知道何時應該強迫員工停下腳步，即使公司的營運會因此而受到影響。**

後來，到了雪萊的身體狀況無法帶領一大群員工的時候，歐佛與爾雅出於純粹的愛惜之情，特地為雪萊成立顧客服務部門，讓她能夠以較緩慢的步調繼續工作。之後，雪萊離開公司，移居至新罕布夏州休養，並且開始接受昂貴的洗腎治療。安鼎國際鑽石公司的業務蒸蒸日上，我們每天忙碌得很難與雪萊保持聯繫。

儘管雪萊的生活步調逐漸緩慢，但每一天，我仍然忙忙進進出，彷彿以每小時一千英里的速度前進一般。有時候，我一次得同時處理三、四通電話。每一天，我的部門得經手成千上萬顆、用垃圾袋、垃圾桶盛裝的寶石，而非裝在小小信封中的數百顆寶石。

死亡冥想

有一次，我致電雪萊，恰好碰上她做完雙腿截肢手術，從醫院返家；那也是我們倆之間最後一次的談話。她一如往常般的興高采烈，充滿慈愛，談論我的時間多過談論自己。那也是雪萊頭一次對自己的未來充滿困惑。不久之後，雪萊便過世了。

當我們面對雪萊的死訊，面對一個多年來長相左右，共同分享喜樂哀愁的人已不在人世的事實，我們第一次用一個已經離世的人的眼光來審視我們的工作生涯。無可避免地，我們開始自問，這一切是否值得。

在安鼎國際鑽石公司工作樂趣橫生：它不只是充滿樂趣，而且耗人心神，然而，面對死亡的事實，面對雪萊永恆的離世，所有榮華與顯赫的假象立即消失無蹤。追逐金錢財富的慾望戰爭也不如從前了；現在，它是嚴肅認真的，它是真實的，無可退換的。

我們把人生投注於此，最後也耗盡於此。無論我們的公司在市場上的勢力逐漸壯大，無論我們的職位隨著安鼎的擴張所累積的權勢與財富，沒有人能夠再忽視此一事

實：在我們退休之後幾天，這些榮華富貴都將成為不堪回首的惡夢。我們被迫自問，我們在安鼎工作究竟是為了什麼？

就佛教的觀點來看，面對工作有一個方法，那就是每天早晨，我們應該帶著一個疑問走進辦公室：「**如果我今天晚上即將死去，我要如此度過我生命的最後一天嗎？**」如此自問的目的不在於讓自己抑鬱消沈；它也不是某種病態的想法。它非常切合實際；它自由地釋放了你；它成就了偉大的事業，當你的事業生涯走到了無可避免的盡頭之時，驀然回首，真正能夠讓你引以為傲的事業。那麼，我們應該怎麼做呢？

在西藏寺院之中，有一種修持法門稱之為「死亡冥想」（Death Meditation）。當你聽到「死亡冥想」的時候，你的腦中可能出現一種想法：想像自己平躺在冰冷的人行道上，鼻子插滿了許許多多的管子，親人在一旁呼喊哭嚎，心跳監測器發出嗶嗶聲，顯示心跳停止。這完全不是重點所在。簡而言之，死亡冥想是指，每天早晨你清醒之時，不要起身，雙眼睜開地躺在床上，然後你對自己說：「我今晚即將死去，我應該如何度過餘生，才是最好的選擇？」

此時，在你的腦中立即浮現一些想法。你可能想毫無預警地休假一天，反正你今晚就要死了。或者，你想要嘗試一些你一直想要去做，但有點瘋狂甚至有點危險的舉動。

如果你今晚就要死了，即便有點瘋狂危險，又何妨呢？因此，我猜想你可能亟欲嘗試特

技跳傘（由飛機跳下時先自由墜落一段時間後再張開降落傘），或到卡拉OK瘋狂歡唱，或購買最昂貴的票去觀賞百老匯的劇目（假設有日間場次的話）。

死亡冥想必須持之以恆地修持，而且是長時期的修持才能夠產生強大的效果。**修持**

死亡冥想的一個立竿見影的成果是：**你簡化了你的生活，捨棄你所擁有的事物，放慢你的生活步調。這是一種獲得身心自由的開端。**你擁有多少雙鞋子？你過去度假時拍攝，如今全都束之高閣，不再翻閱的照片在哪兒？當你聽到這些問題之時，你開始想像各種不同款式的鞋子；你的心進入櫥櫃，看著你最常穿的那雙鞋子。然後你的心走進衣櫥，尋著一疊裝了相片的封套；你的心進入一、兩個封套，大略地看了看其中幾張照片。

這所有的一切證明了，在某種程度上，在你的心中，有一張存貨清單，記錄了你所擁有的所有事物。這也意味著，你的心的某些空間被這些細微末節給佔據了。切記，你的心如同電腦的硬碟，它就只有那麼些空間，它是有限的。你知道，當電腦硬碟的空間幾乎全滿的時候，電腦是如何運作的；所有的電腦程式停擺，運作的速度變慢，電腦系統當機。你也知道，使用一台擁有大量硬碟空間的新電腦是多麼的有趣，執行的速度飛快。

死亡冥想的概念，即是把速度緩慢的心轉變成速度飛快的心。一個迅速省事、能夠達成此一目標的方法，即是丟棄家中不需要或不使用的物品。如此一來，你大約可以丟

棄家中大約百分之七十五的物品。一個很好的丟棄物品的基本原則是：在過去六個月，我曾經使用過它嗎？如果沒有，就把它給扔了吧。

今晚即是大限之日

當你修持死亡冥想更長一段時間之後，你將開始調整你的作息。如果你今晚真的就要死去，你還會坐在那兒，把整份報紙或你訂閱的雜誌看完？你還會坐在電視機前面，急切地搜尋任何讓你略感興趣的電視節目？你還會出門，花一、兩個小時用餐，到處說其他經理的閒話？你必須痛下決心，在你離世的那一天，不把光陰虛擲於這等事物之上，那麼此時此刻亦是如此。因為坦白說，今天可能真的就是你的大限之日。

在此一過程之中，你將開始審視你的事業。如果你今晚即將死去，它仍舊是你真心想要從事的工作？你是否寧願從事其他工作，卻害怕嘗試，因為你不確定你是否能夠從中賺取足夠的金錢，或因為你怯於嘗試新事物，或只是因為你懶得嘗試？人生真的苦短，你的工作年齡——最精力充沛，最健康，最敏銳的時期——也十分有限。**如果每一天你能夠從事一些你真正感覺十分重要的工作，那麼少賺一些錢也是值得的。**

到了死亡冥想的最後一個階段，「今晚即是大限之日」的想法將觸發你的本能，開始深受人生最美好、最饒富意義的事物的吸引。透過內在思考與冥想的過程，你已經把

思維往前推進，從萬事萬物皆有盡頭的角度來看待你的人生與事業。

你或許已經擁有了可觀的財富；你已經滿足了生活的基本需求，甚至過得優渥舒適，並且提供家人同等的享受。在工作方面，即使你的體力與精神已不若巔峰時期的強健敏銳，你仍舊擁有豐富的經驗，足以成功地完成任何的工作挑戰。

就在此時，一些成功的商業家在晚年開始醉心於慈善事業。這不是因為他們無所事事才投入慈善工作，而是因為他們經歷了人生的風風雨雨、點點滴滴之後，具備了某種智慧，得以準確地看出，慈善事業是運用累積多年的財富、權勢以及經驗，所能從事的一個最有意義的工作。這種類型的人，即是我們先前所談論的，從事業有其盡頭的觀點回顧他們的事業，然後開始了無可避免的過程，自問：「這麼做值得嗎？」

死亡冥想的要點在於，事先預期未來幾年的演變，並且在當下做出一些決定，以便在未來能夠以欣喜滿足的心情回顧過往。此舉不僅僅使最終的目標更加有趣，也使得整段旅程——你的整個事業生涯——更加樂趣橫生、更加愉悅。因此之故，你不妨立即嘗試死亡冥想。我相信，最後你將獲得一種心境；我們在下一個章節將加以描述，此一心境被稱之為「自他交換」（exchanging self and others）。

在死亡冥想的過程中，你的心態必須前進至未來，如此你才能夠用萬物皆有盡時的心境回顧人生，並且帶著欣慰滿足之情，明白自己已經完成了整個事業生涯中最重要、

最具意義的事情。公司與人之間沒有任何差異；如萬物的本質一般，它們被成立、被創造，它們擁有自己的生命，經歷種種過程，然後它們走下坡，最後結束營運。你必須用評價人生的觀點來評估你的事業；你必須走到事業的終點，然後加以審視回顧。

而事業卻有終了之時。一個商業家即使在事業登峰造極、如日中天之際，也能夠真正認清世事無常，繁華皆有落盡之時的事實，那麼他在商場上將站得更穩、更強。這種「萬物皆有盡時」的態度，使你的頭腦保持清晰明澈，人生的優先順序、輕重緩急也了然於心。佛陀清楚深入地洞見了他事業的盡頭——佛教的盡頭（即末法時期的來臨）——並且經常提及佛教的衰亡，以保持自身和信眾的清明。《金剛經》包含了佛陀對於佛教衰亡的宣講；這段文字以須菩提向佛陀提出一個疑問為始：

喔，世尊，在未來，佛陀殊勝的教法即將被摧毀殆盡的最後五百年之中，將發生什麼？任何一個在末法時期的人，如何能夠正確地了解如《金剛經》這般的古老經典的含意？

世尊回答，

喔，須菩提，你不應該問如你剛才所問的問題：「在未來，佛陀殊勝的教法即將被摧毀殆盡的最後五百年之中，將發生什麼？任何一個在末法時期的人，如

何能夠正確地了解如《金剛經》這般的古老經典的含意？」**⑤**

此處的爭議在於，在未來是否有任何一個人相信如《金剛經》這般闡釋佛之身相本質的古老經典，或有任何人對如此的經典產生極大的關注與愛好？為了提出此一爭議，須菩提以「喔，世尊，在未來，佛陀殊勝的教法即將被摧毀殆盡的最後五百年之中，將發生什麼？」做為問題的起始。

世尊回答：「喔，須菩提，你不應該問如你剛才所問的問題。」佛陀如是說的意義在於，須菩提不應該抱持不確定的心態，懷疑未來是否有任何人相信如《金剛經》這般的古老經典；而且，如果須菩提從未有此懷疑，他絕不會提出此一問題。

於是佛陀又說：

喔，須菩提，在未來，在末法時期的最後五百年，當佛陀殊勝的教法趨於毀滅殆盡之時，將出現偉大的勝者；他們持有戒律，持有美好的品質與智慧。喔，須菩提，他們不僅僅恭敬地供養承事一位佛，或僅僅這些勝者偉大崇高。

從一佛處積聚福德資糧，相反地，他們恭敬地供養承事無數無量、千千萬萬的諸佛，從無數無量、千千萬萬諸佛處積聚了福德資糧。在那時，如此偉大的勝者將來到世間。❻

《金剛經》記載，喔，須菩提，在未來，當佛陀殊勝的教法趨於毀滅殆盡之時，將出現偉大的勝者。他們將持有無上的戒律；他們將修持無上的禪定而擁有美好的品質；他們將持有無上的智慧。

這些偉大崇高的勝者不僅僅恭敬地供養承事一位佛，或僅僅從一佛處積聚福德資糧，相反地，他們恭敬地供養承事無數無量、千千萬萬的諸佛，從無數無量、千千萬萬諸佛處積聚了福德資糧。世尊說，這是我目前能夠洞察的事實。

針對「末法時期的後五百年」，迦摩羅什羅大師的闡釋如下：

此段經文中的「五百」是指一群五百，即如一句著名的話所指：「世尊的教授將持續五五百。」

就迦摩羅什羅大師的闡釋而論，「五五百」意指佛法將在世間延續兩千五百

對於西方人士而言，閱讀此段經文，知悉世界主要宗教的創始者在該宗教創立之

位國王——父親宗喀巴（Je Tsongkapa）及其兩位嗣子。

在西藏，則有班智達（Sakya Pandita）或布湯仁波切（Buton Rinpoche）或三

「贊布洲六勝者」（Six Jewels of the World of Dzambu），以及其他類似的勝者。

在經典之中，關於各種勝者的描述不勝枚舉。在證悟者之地印度，有所謂的

傳的時間長度。

還有一些經典則認為是佛法在證悟者之地（Land of the Realized，即印度）流

修持佛法的長度；其他的經典則解釋為：佛教經典實際留存世間的長度；最後

不同的闡釋互不牴觸的原因在於，有些經典把「五五百」解釋為：人們將持續

相悖之處。

五千年。當我們仔細思量這些闡釋與評註背後的含意，就會發現其中並無衝突

釋與評註，其中包括佛陀的教授將延續一千年，或兩千年，或兩千五百年，或

單單是「佛法將在世間留存多久」這個問題，就有來自各種古老經典的不同解

年。

時，即預言他的宗教將在兩千五百年之後從世間消失，是多麼令人矚目。所有的機構，包括企業、政治團體、家庭，以及個人，皆普遍深信，任何成功運作的事物，其榮景將持續下去。

然而，佛教哲學卻指出，萬事萬物皆受我們心中銘印的驅使，以及銘印所造成的觀感的驅使。而銘印如同樹木——樹木的種子被播入土中，發出嫩芽，長成樹木，開花結果；當種子的能量消耗殆盡之時，樹木不可避免地枯朽死亡。既然周遭世界及我們自身都是受到心的種子的力量（業力）驅使所形成的觀感，那麼我們自身與周遭世界，也將如同樹木的種子一般發芽茁壯，最後步入無可避免的死亡盡頭。

即使我們的事業發展如日中天，即使我們的公司在市場上所向無敵，我們必須時時謹記萬事萬物皆有終了之時的道理。為了能夠從最清晰透徹的角度經營我們的人生與事業，我們在心理上，必須先行至我們退休的那一天，行至我們死亡的那一天，以及行至我們的公司告終的那一天，然後審視回顧我們的所作所為。它值得嗎？它充實而有意義嗎？它是我們度過短暫又難得的人生的最佳方式嗎？

在下一個章節中，我們將提供幾個審視人生是否充滿意義的方法。別擔心，事情一定能夠兩全其美，你既能坐擁財富，又擁有豐足的心靈。你的目標在於：⑴賺取巨額的財富；⑵保持強健的身心，如此才能夠享受財富；⑶用日後你將引以為傲的方式善用你

的財富。善用金錢的最佳方式，往往也是經營公司、經營家庭，以及經營人生的最佳方式。

譯注

❶《金剛經》最後的偈語為：「一切有為法，如夢幻泡影，如露亦如電，應作如是觀」，宣講世界上的一切事物皆是空幻不實的，故世人不應對世界有所執著。

❷ 色、受、想、行、識五蘊，即類聚一切有為法的五種類別。

❸ 原偈頌為：「觀色如聚沫，受如水上泡，想如春時焰，諸行如芭蕉，諸識法如幻。」

❹ Master Kamalashila，大乘佛教中觀學派衍化出之瑜珈中觀派創始人寂護之弟子，於西元八世紀，應聘入藏從事譯經，宣揚中觀思想。

❺ 世尊。頗有眾生。得聞如是言說章句。生實信不。佛告須菩提。莫作是說。

❻ 如來滅後。後五百歲。有持戒修福者。於此章句。能生信心。以此為實。當知是人。不於一佛二佛三四五佛而種善根。已於無量千萬佛所種諸善根。

【終極的經營法門】

第十四章

佛告須菩提。諸菩薩摩訶薩。
應如是降伏其心。所有一切眾生之類。
若卵生。若胎生。若濕生。若化生。
若有色。若無色。若有想。若無想。
若非有想非無想。
我皆令入無餘涅槃而滅度之。
如是滅度無量無數無邊眾生。
實無眾生得滅度者。

我不相信，在美國，有哪一個經理人員不清楚地明白「意義非凡」與「毫無意義」之間的差異。我們的心時常被財物或自私的人際關係所佔據，但是很快地，我們的心又開始對這些事物感到厭倦──對於任何有思想的人而言，這些事物的毫無意義是必然的。古老的佛教典籍指出，在每一個人的內心深處，都藏有發掘「什麼是真正的充滿意義」的慾望，而唯有找到答案，否則我們無法獲得幸福快樂。對於何謂真正的、終極的意義，《金剛經》有相當清楚的說明。

我們先引用《金剛經》中的一段文字做為起始：

須菩提，那些在菩薩道上，擁有追求無上正等正覺的心願的善男子善女人應該如此思惟：

我將使所有的一切眾生進入涅槃，❶諸如依卵而生的生命；❷在母腹中受形成胎的生命；❸因溫暖潮溼而形成的生命；❹無所依託，僅因其業力而形成的生命❺等等；有色、❻無色；❼有想、❽無想、❾非有想非無想等等。

儘管有許許多多的眾生，不管是哪一界的眾生，只要有「眾生」之名者，我將把他們全數帶入無餘涅槃，❿斷除他們的所有煩惱。

然而，即使我救度了無量無數無邊的眾生，把他們帶入無餘涅槃，但是實際

上，沒有一個眾生真正地獲得救度，進入涅槃。

這段文字背後的觀點是清晰的，但是其中許多用語卻不容易明白。讓我們看一看邱

尼喇嘛如何解釋，以及如何應用於公司管理：

《金剛經》說道：須菩提，那些走在菩薩道上，擁有追求無上正等正覺的心願的

善男子善女人應該如此思惟：

儘管有許許多多的眾生，不管是哪一界的眾生，他們是無數無量無邊的。如果

有人依照出生的形態來區分眾生，那麼可以分為四種：依卵而生的生命；在母

腹中受形成胎的生命；因溫暖潮溼而形成的生命；無所依託，僅因其業力而形

成的生命等等。

同樣地，還有欲界與色界的有情眾生：有色。另有非物質之實體：無色。

此外，「有想」是指除了居住在大果天⑫和有頂天⑬之外的眾生。「無想」是

指居住在大果天的眾生。再者，生於有頂天之眾生，屬於沒有粗略想的非有

想，以及仍然存有細微想的非無想。

簡而言之，只要有「眾生」之名者，我將把他們全數帶入無餘涅槃，斷除他們

的所有煩惱。在涅槃之中，沒有障礙，沒有痛苦。

總結來說，諸菩薩為了眾生立下誓願，帶領眾生進入沒有生死的涅槃，成就佛的法身。⓮

基本上，發此誓願的人分為兩種。第一種人修持慈悲之道，發願保護眾生遠離三苦，這使得他首次感到要帶領眾生進入最終涅槃。第二種人早已立下帶領眾生進入涅槃的願望，因此他把心專注其上，持續增強其誓願。

別去理會世間有多少種眾生；根據佛教古老經典的記載，在整個宇宙之中，有許多界以及許多生物是我們無法知曉的。這段經文的重點在於，佛陀描述一個人立下誓願，要使宇宙中的每一個生物都獲得究竟的快樂，也就是最高層次的涅槃。

在佛教中，這種誓願被認為是所有快樂的源頭，然而，這跟經商之間有什麼關聯呢？這段經文的末尾又如何解釋？在末尾，佛陀說，即使我能夠把每一個眾生帶進涅槃，獲得全然的快樂，但是沒有一個眾生能夠真正獲得涅槃之樂；這是怎麼回事呢？

自他交換

切記，我們一直在談論賦予生命意義，包括你的事業以及私人生活。在前一個章

節，我們探討了死亡，或盡頭的概念：事業的盡頭、公司的盡頭，以及你生命的盡頭。

死亡是生命的一個事實；我們將從生命的盡頭回顧我們的人生，評價我們的人生。你必須能夠回顧人生，而且不僅僅說你賺取了財富，不僅僅說你能夠盡情地創造並且享用財富，你也必須能夠說，**在你賺取金錢的同時及其後，你改變了世界，你讓世界有了些許不同。**

這或許是佛教經典最深奧偉大的祕密：一個簡單、每天實行的法門，使你的生活與事業充滿意義，而不僅僅只是權力、財富、活力逐漸崩潰瓦解，邁向衰老與死亡。這個法門也是最佳的管理工具。

在安鼎國際鑽石公司的鑽石部門，十多個不同國籍的工作人員在同一層樓一起工作是常有的現象：來自泰國的紅寶石和藍寶石專家；斯里蘭卡的黃寶石專家；印度籍的綠寶石分級師；來自中國的珍珠揀選人員；來自波多黎各以及多明尼加共和國的寶石配對師；以色列的鑽石採購人員；來自越南和柬甫寨的寶石鑲嵌師傅；巴貝多籍的品質控制與有色寶石採購人員；來自南美蓋亞那的採購協調人員等等。

你可以想像，在一個寶石揀選分級室中，同時聽到十種不同的語言，該是什麼樣的景況了；還有在中午用餐時間，十種不同國家的食物的味道從微波爐中散發出來；而且同時尊重十種文化的禮儀規範，例如，雙腳不可對著泰國人；不要給來自印度古哈拉省

的人任何長在地底下的食物；在廣東人的婚禮上，別忘了買一點金飾送給新娘當作禮物。

然而，鑽石部門運作得如同一個一人部門般和諧；我可以坦白地說，和他們每一個人共事真是人生一大樂事。儘管部門人員的背景懸殊（最令人沮喪的是，每一次一說美國笑話，沒有人覺得滑稽好笑，而且沒有人在美國土生土長，所以你把一些老的電視節目、老歌等等拿出來大談特談，也沒有人搞得清是怎麼一回事），儘管存在於我們之間有明顯的代溝，但最後我們之間建立了深刻的愛與尊重；這份情感，使得鑽石部門的運作如同上了潤滑油的機器一般順暢。而其中絕大部分的原因，僅僅是原本應該出現的私人問題從未發生。

我認為，我們之所以有此成就，主要是因為我們秉持部門成立之初即奉行的哲學；而這套哲學的精髓即是古代佛教徒所修持的法門——自他交換。如果你真心希望事業或部門成功，我建議你嘗試這個修行法門。它非常簡單易行，十分強而有力，而且不花費任何金錢和時間。它只是一種態度，從上往下開始——從你開始——然後往下傳給所有的員工。不需要寫在備忘錄上，不需要通知布告，也不需要開會宣佈。

稍早佛陀提及證悟成佛的誓願，自他交換即為其核心要義。它包含了三個主要的步驟，而第三個步驟則解答了佛陀何以說「當你帶領眾生進入涅槃，事實上，沒有一個眾

生進入涅槃」。這個深奧的修行法門已經超過兩千五百年的歷史，我們將用古典的方式

呈現，同時援用現代的、真實生活的範例。

從自我中抽離

我喜歡把第一個步驟稱為「蔣巴法」。蔣巴是一個年輕羞澀的西藏僧人；他住在位

於紐澤西州的小小蒙古寺院之中，我也曾在同一個寺院完成許多訓練。蔣巴是一個廚

子；他也清理草皮，照料年紀較長的喇嘛，並且持續不斷地、默默地、無私忘我地處理

上百萬件工作。

每當訪客出現在緊臨住持房間的小小廚房時，他便開始修持蔣巴法。他對著你修

持，但你渾然不覺。當他帶著滿滿的笑容打開門，隨著笑容所輻射出來的陽光覆滿你的

臉龐的時候，他已經是在修持蔣巴法了。到底什麼是蔣巴法？

蔣巴是在色拉寺的主寺接受的訓練；我們的寺院原本位於西藏，但自中共入侵以

來，遷移至印度色拉寺。蔣巴受教於兩位最傑出的高僧──羅薩格西（Geshe Lothar），

以及圖登天津格西（Geshe Thupten Tenzin）。

當你踏進廚房那一刻，蔣巴便要你挨著廚房餐桌邊坐下，然後慢慢地架起爐子，從

冰箱翻找食物，在你說明何以造訪寺院的同時，為你張羅吃的喝的。當他在廚房內穿梭

之時，他注視著你的眼睛，以及你的身體語言。當你的眼睛掃視廚房的時候，你的眼光是否停在爐上的水壺，或者當他觸碰冰箱的門把之際，你的眼中是否流露遲疑之色；他就是這麼觀察，知道你想要喝點熱的，或是喝點冷的？在廚房餐桌上有一碗糖果，較遠的地方放了一疊餅乾，爐上則是供應不斷的湯，你的眼睛最常走到哪一種食物？

在幾分鐘之內，蔣巴就把你摸得清清楚楚的了。他知道你喜歡茶或咖啡，冷的或熱的，加牛奶或加糖或什麼也不加，餅乾或麵條，以及一大籮筐關於你的喜愛與憎惡。下一次你再出現的時候，你將發現，在你開口之前，蔣巴已經把你最喜愛的飲料放在桌上了，為什麼？因為他記得，他把它當做一件重要的事來記得。他把它當成一件重要的事，完全是因為他真的希望給予你所想要的事物。

簡而言之，蔣巴法就是**學習如何敏銳地觀察其他人的需要與喜好**。如此一來，你就能夠給予他們最想望的事物。這聽來有一點天真，但是花一些時間訓練自己去觀察他人的喜好和需要的簡單練習，將為你的整個事業帶來深刻的影響。

商業的本質，以及公司生活的本質在於，經理主管人員傾向為了自己的利益，而全神貫注於手邊的、立即的議題；他們總是各自尋求表現，各自邀功。最近一次，你和另一位副總裁一起合作，表現出色而共享假期獎金是什麼時候？自我中心的結果，使我們把焦點放在自己身上，而忽略他人。

蔣巴法，自他交換的第一個步驟，即是把我們從專注於自我中抽離，開始關心他人。這個練習將為工作流程及財務狀況帶來立即的利益。它也在你的心中植入了最強大、最具利益的銘印。以下的段落說明如何把蔣巴法應用於工作之中。

由造作變成第二天性

當你在部門內行走之時，觀察你的員工。我們大多數人都認為，成為公司營運的財務專家是很重要的；通曉影響事業的重要職業規章是很重要的；以及熟悉提供我們所需生產原料與服務的供應廠商的狀況是很重要的。

現在，你必須刻意訓練自己成為另一種專家，那就是察言觀色，洞悉周遭人士的喜好與憎惡的專家。你必須知道每一件事，每一個可以讓他們開心快樂的細節，例如，如何調製他們的咖啡；他們喜歡哪一種椅墊；他們偏愛哪一種鋼筆；他們有幾個孩子，孩子們的名字，以及孩子們的近況；他們上一次度假是什麼時候，去哪裡度假，他們玩得開不開心等等。

然後你回辦公室坐著，記憶每一個親近的人的細節。如果你必須做筆記，那就做吧。我發現，有一台筆記型電腦很管用；在你下班返家途中，你可以再把檔案叫出來，重新回顧你所記錄的內容。

無可避免地，這個練習將改進你對待別人的方式，即使只是在他們盛注咖啡的時候，你遞給他們糖精而非糖的小小舉動，在人們內心深處，都會有所留意。我們所有人就如同家中豢養的狗一般，當一個愛狗的人走進屋子的時候，牠知道，當一個厭惡狗的人走進屋子的時候，牠也知道，甚至在那個人有所行動或言語之前，牠便明白，而牠也依照客人的喜愛或厭惡採取行動。

人們具有一種直覺；那直覺告訴他們，你不在乎他們的喜好或需要，反之亦然。剛開始，這麼公然地發掘他人的喜惡似乎有點矯揉造作，然而，這本就是過程的一部分，剛開始，就是這麼的造作。稍後，它之所以變成你的第二天性，也是你在一開始矯揉造作的結果。

如果你給予六個星期的假期或雙倍的薪水，大多數的員工都會歡天喜地。但是，我們所談論的喜好與憎惡並非屬於此一類型。我們不是在建議你採取任何重大的財務或人事的更動。你只要靜靜地觀察，然後在你能力範圍之內，給予周遭人士最喜愛的事物。想像一下，整個部門的員工都以相同的態度此舉的必然結果是，你的員工將投桃報李。想像一下，整個部門的員工都以相同的態度彼此對待，是多麼美妙的感覺啊！

我在安鼎國際鑽石公司任職期間，有一次，我清楚地理解到，公司之所以支付我高得如此離譜的薪資，主要原因在於，我能夠讓員工們融洽共事。我了解到，我所扮演的

最重要的角色，僅僅是在部屬之間調停仲裁。而中午用餐時間是我一整天之中最重要的時刻，我幾乎總是被兩個水火不容的管理階層人員帶出去，解決他們之間的問題。

主管甲對主管乙有一點點不滿，但除非有絕對的必要，否則主管甲將盡力避免開誠佈公；這種衝突靜靜地侵蝕著、傷害著公司。一個小小的問題，如果能夠盡早處理，那麼就很容易解決，但是如果事情拖久了，那就會演變成大災難。

主管甲在星期一就知道了那個問題，但是他在主管乙面前隻字未提，否則主管乙早就可以輕易地解決問題。它不是那種應該在星期一全體職員會議中提出的問題，而是主管甲和主管乙偶爾一起在飲水機前面喝著飲料閒聊的時候（如果他們有此習慣的話），就這麼談開的事情。我真正想要說的是，存在於員工之間的一點點的善意，比你所夢想的金錢財富更有價值。而蔣巴法就是第一個步驟。

美麗的刺探

你不需要當著全公司宣佈或發表政策聲明，你只要親身實行，其他人就會如法遵循。我記得，達賴喇嘛造訪我的家鄉亞歷桑那州，發表一系列的演說的時候，我高中時期的一個老朋友問了達賴喇嘛一個問題：什麼是教導年輕的孩子過著道德生活的最佳方法？「在那個年紀，」達賴喇嘛說，「你告訴他們做什麼，一點也不重要。他們會觀察

你、模仿你；你做什麼，他們就跟著做，因此你面對了最艱難的課題——你必須以身作則，行事合乎道德。」你必須開始暗中監視你的部屬；**那是一種非常美麗的刺探，去探看他們的喜好，以及他們生命中的重要事物，然後幫助他們取得心中嚮往的事物。**

自他交換練習的第二個步驟是：假裝把你的心放進他人的身體之中，然後打開你的眼睛，注視著自己，看一看你（他們）想從你（你）身上獲得什麼。如果你認為，這聽起來實在令人困惑，那麼試著想像一下，把這個法門從梵文或藏文翻譯過來有多麼多麼困難！

這個步驟稱為「身體互換」，比起觀察周遭人的喜好，這個步驟的確有一點深奧，有一點困難。我記得，我曾經把這個方法用在一個來自蓋亞那、剛剛加入鑽石部門的年輕男子。他母親的一個朋友在安鼎任職，那個年輕男子就是受了母親朋友的引薦而進入公司（從事寶石這一行的人，總是經過推薦介紹；你根本沒有任何法子可以阻止他們哪一天順手牽羊，摸走幾百美元，因此他們必須經人介紹，讓人清楚他們的背景底細）。

第一天，我們要他坐在一大堆的碎鑽前面，要求他數出幾百個或幾千顆碎鑽，做為特殊戒指訂單之用。

那一天結束之時，我已經知道一點關於他的為人：他討人喜歡、學習的速度很快、安靜、謙虛、手腳快得要命。在我離開辦公室的時候，我又發現了另一件事：我注視著

他的臉，我看見了混合著歡喜與痛苦的表情；他喜歡安鼎，但是一想到接下來幾年，他必須每天坐在椅子上數著小小的寶石，便感到痛苦絕望。

於是我做了身體互換的練習；我把自己放進他的身體之中，注視著我的臉，問我自己，我希望我（我）對我（他）說些什麼。因此我說：「明天早上到我辦公室來，我們看看是不是能夠讓你做一些更有挑戰性的工作。」說完，我覺得我的眼睛害羞地稍稍垂了下來，笑容在我的（他的）臉龐綻放。

從那一刻開始，我不斷地把我的心放進他的身體，並且發現了我（他）一直以來的夢想——學習操作電腦。我們讓他跟著公司最好的電腦程式設計師學習，在他證明了他確實一心向學之後，我們幫助他通過一連串的大學課程。在鑽石業界，上夜校是一種禁忌。在生產旺季，每一個人工作至深夜；即使是在淡季，你也不希望一個身心疲累的員工弄亂了存貨盤存系統，或一堆一堆的鑽石。

然而，每當我看見他，每當我看著我的（他的）臉，我就知道，上學是我（他）想要的，我也知道從中獲得的成就感，於是我們想出了他去上學、不在公司時的工作方法。最後，他成為安鼎最傑出的電腦程式設計師，更重要的是，身為一名員工，他知道，即使公司因此而有了些許損失，仍然為他著想，幫助他完成夢想。如此一來，我們造就了一個在關鍵時刻挺身付出的員工，一個竭心盡慮幫助公司與周遭人士的員工。

這樣的員工是無價的；他們在部門之中，不斷地費心尋求解決訂單、體制或人事等等問題的方法，甚至在你有所耳聞之前，即有所行動。當那一天結束，當你自己的事業到了盡頭之時，你回顧過往，映入心簾的不會是你締造的業績，或你完成的企劃，或你記得的盈虧得失。你將看到一張年輕的臉龐注視著你的面容，知道你曾經給予他一生中最珍貴的事物。

如果你持續這種想法，持續把自己的心放入員工的身體，注視著尋求協助的自己，你將發現，有一種深邃的滿足在你心中滋長。這種深刻的滿足，只有在非常難得、非常特殊的時刻，才得以感受；不過，如果你越是練習，你就越能擁有此一滿足的感受。事實上，這種深刻的滿足，正代表你的工作具有了真正的意義。

我認為，身體互換的想法不僅僅是一種正確的想法，也是最具利益的想法。在這種想法之下，你的部門，你的公司開始自行運轉，開始被一些真正在乎公司、在乎部門的人經營著，因為你關愛他們如同關愛自己。你既賺了大錢，又獲得了幸福快樂，一舉兩得。

泯除你我的區別

你已經準備就緒，接受第三個步驟了嗎？這個步驟需要一些練習，而且在你嘗試之

前，先練習第一和第二個步驟是很重要的。它是自他交換練習的最後發展過程；事實上，根據古老的佛教經典，它是人類的心性（heart）與心識（mind）的最後進程。它很難去做，甚至連想去做都很難。然而，在這個世界上，沒有什麼比第三個步驟更可以使你成為一個更成功的主管，成為一個更圓滿的人。

我們稱第三個步驟為「繩索特技」（Rope Trick）。它適用於任何一名員工；你只要在某一天，走到該名員工的桌邊站著即可。你假裝你手上拎著西部牛仔使的大套索，然後把大套索扔在地上，環繞著你們兩人。現在想像，你們兩個人合而為一。

你瞧，在前兩個步驟之中，我們學習去觀察，去思考周圍人士的真正喜好，我們甚至互相交換身體，注視著自己，看看我們（他們）最想從我們（我們）身上獲得什麼。

然而，這其中仍然存在「你」「我」的區別。前兩個步驟是「我」觀察「你」，「我」試圖進入「你」的身體。藉由第三個步驟，我們可以把自他交換的練習帶入更徹底的層次：你是你的員工，而他或她（員工）是你，你們是同一個人。

在第三個步驟之中，你的心完全脫離了許多經理主管級人員擁有的自我中心模式；那是一個多麼自私的模式，卻一直受到公司獎賞制度的推波助瀾。現在的問題不再是我領到獎金，或那個人領到獎金，而是我們如何獲得我們的獎金？

此刻，你進入了員工的心坎，你把自己的福利與員工的福利等同視之，如同你們是

一對連體雙胞胎一般。現在，你的頭上有兩張嘴嗷嗷待哺；現在你有兩雙腿，要買四雙鞋（或許一雙翼波狀蓋式男鞋，一雙高跟鞋）；現在你有四張耳朵，如果其中有一張耳朵忘了訂購半克拉的公主切割（princess-cut）鑽石，那麼就是四張耳朵一起聽大老闆的咆哮。

如果你是一般的美國商人，這種思惟方式可能令你吃不消。「繩索特技」的含意深遠；你的心中立時出現兩個問題。第一，自他交換的過程到了第三個步驟，完全變得矯揉造作——你怎麼能夠實際成為另一個人？然而，它完全是可能的，它是可能發生的。而讓它成為可能的關鍵，即隱藏於本章之初，佛陀的開示之中：「有一天，我將帶領所有的眾生進入涅槃，獲得大樂，但是沒有一個眾生能夠真正地獲得大樂。」

為了理解佛陀的開示，讓我們回到關於創造財富的討論；回到你何以面對某種境遇的原因。我們一再地說，圍繞在我們周圍的事物是中性的，如同空白的螢幕一般；這便是所有事物的潛能。

對你來說，一個咆哮的上司是令人不悅的，但是對於坐在你身旁的人來說，上司或許是討人喜歡的；這其中存在了上司的「空性」或上司的潛在可能。換句話說，上司基本上是中性的，無論我認為他討喜或討厭，無論我認為咆哮的聲音是好是壞，都並非源

自上司本身。

更確切地說，那是我心中銘印發生作用的結果；是我過去對他人所行之善業或惡業，留存在潛意識的銘印所造成的結果。現在這些銘印進入意識層面，影響了──不，事實上，應該是創造了──我看待世界的方法（那個大吼大叫的上司，只是我眼中世界的一小部分）。

暫時忘了那個咆哮的老闆，讓我們回頭看一看那個被罵的可憐蟲，那個可憐的我。如果事物的潛能是真實的，銘印的影響是真實的，那麼我和那個咆哮的上司不就一模一樣。換句話說，我看待自己的方式，以及我看待咆哮上司的方式，都受到相同原因的驅使。我看自己的方式，以及我看他的方式，都源自相同的原因。我對自己的觀感，源自心中的銘印；當銘印從潛意識進入意識層面之後，開花結果，影響支配了我對自己的觀感。

此處的重點在於，**你必須了解銘印不僅僅決定了你看待自己的方式，也使你不斷地注視著自我**。換句話說，僅僅因為過去的習慣以及留存心中的銘印，你界定自己是什麼樣的人，然後在你自己，以及其他人事物之間劃下界線。在你過去的思惟之中，你把包裹在身體皮膚之內的部分界定為「你自己」，日後，這種思維所種下的銘印，再度促使你用相同的觀點看待「你自己」──把包裹在身體皮膚內的部分界定為「你自己」。

「你」的範圍在它終止的地方終止，不是因為那是它自然終止的範圍，而是你習慣把你自己終止在那個範圍。

把別人看成自己

在先前的章節之中，我們曾經稍稍探討了「自我」的定義。任何人只要稍加思考，就可以了解，「我」的範圍結束之處，即「他們」的範圍的起始，是多麼不明確的說法。例如，母親生育子女之後，「我」的範圍立時擴大，延伸至孩子身上。當一個母親說，別傷害這個孩子的時候，你可以預期，如果你攻擊孩子，就如同攻擊母親，那麼母親的反應會有多麼激烈。罹患嚴重糖尿病的人的反應則恰恰相反。例如，糖尿病患的雙腳生瘡，接著瘡形成壞疽；醫師告訴他們若不截肢，就只有等死。

在你決定失去雙腿好過失去生命的那一刻，你已經把「我」的定義或範圍縮小了。這證明了，你有能力把「我」擴張或縮小至更大或更小的範圍，因此別說「繩索特技」是不可行的。把套索拋出去，圈住彼此，直到你們合而為一。

人我之別的產生，僅僅是過去的銘印、過去的思考習慣的結果。想像一下，如果全世界每一個人思想行動之時，彷彿每一個其他人都是自己一般，那會是什麼樣的景況。

我們能夠帶領每一個人進入涅槃，進入全然的快樂，但是「沒有單單一個人」能夠獲得

全然的快樂，因為每一個人都只是我們的一部分。

你心中的第二個問題是：：假設我真的實行「繩索特技」的練習；假設我真的把「我」的範圍擴大，延伸包含了另一個人，甚至更多其他人，那麼我應該在何處劃下界線？它的限度、它的範圍是什麼？

人生夠艱難的了，光光是要滿足一個人身體的與心靈的需求——也就是我的需求——已經幾乎不可能了。如果照顧我自己都如此艱難；如果呵護自己的心靈免於崩潰都如此艱難，那麼我如何能夠再把另一個人或更多人當成真正的我來照顧？我哪來的辦法，哪來的能力？

諷刺的是，**能力來自每一次你擴張自己，接納他人的舉動**；也就是說，當你決定，在身體上與情感上照料他人如同照料自己的時候，你便獲得了能力。如果潛能與銘印創造了我們眼中的世界，那麼無人我之別地共享財富，便是創造財富的最佳方法。

簡而言之，如果布施一分錢所種下的銘印，是我能夠「看見」一美元的唯一方法，那麼確定在我周圍的所有人，都擁有金錢財富，如同我們是同一個人一般，將為我帶來無窮無盡的財富。**想像每一個人都把其他人當做自己，當做自己的責任的世界！我們沒有任何理由，不把其他人當做自己，當做自己的責任。**

一個聰明理智的人讀了這三段落之後，能夠感覺到，我們切入了重點。克服忽略他

人的習慣；把「我」的範圍擴大，納入所有的員工以及圍繞在你身旁的每一個人；不要

為了他人而工作，而是彷彿沒有他人一般，不分人我地工作，這就是真正的**快樂**，真正

的滿足。

在內心深處，你知道這是對的；你知道，現在開始去做是對的；你也深深明白，如

果你用這種方式經營你的事業，經營你的人生，如同為了自己的利益一般，努力地為所

有人的利益而奮鬥，那麼你就能夠帶著驕傲與自豪回顧你的人生，因為這便是難得人生

的真實意義。這就是最終的財富。

譯注

❶ 涅槃為梵語，意為「滅」、「滅度」等，佛教徒修行所要達成的一種最高理想。涅槃的分

類很多。

❷ 卵生，佛教認為六道眾生有四種形態，即卵生、胎生、濕生、化生。

❸ 胎生。

❹ 濕生，由潮氣陰腐中所生，如腐肉中生出的蟲等。

❺ 化生。

❻ 佛教所指，在欲界和色界中的有情有色身者，一般指有血肉有情感的人和物。

❼ 指非生命、非物質之實體。

❽ 具有感覺、認識、意志、思考等意識作用，或指具有此等作用之有情眾生。

❾ 指全無想念之狀態，或指入滅盡定，證得無想果者。

❿ 無餘涅槃與有餘涅槃相對，指生死的因果已盡，不再受生於世間三界者。

⓫ 佛告須菩提。諸菩薩摩訶薩。應如是降伏其心。所有一切眾生之類。若卵生。若胎生。若濕生。若化生。若有色。若無色。若有想。若無想。若非有想非無想。我皆令入無餘涅槃而滅度之。如是滅度無量無數無邊眾生。實無眾生得滅度者。

⓬ 色界十八天之一，位於第四禪天之第三。

⓭ 又名「色究竟天」，乃色界四禪天之第九天，為有形世界之最頂峰，故稱有頂。

⓮ 指佛所說之正法，佛所得之無漏法，以及佛之自性真如如來藏。

【財富之源，無限經濟】

何以故。

若菩薩不住相布施。其福德不可思量。

須菩提。於意云何。東方虛空。可思量不。

不也。世尊。須菩提。

南西北方四維上下虛空。可思量不。不也。

世尊。須菩提。菩薩無住相布施。

福德亦復如是不可思量。

如果你仔細思考經濟學，以及從資本主義、社會主義到共產主義等各種經濟制度，你將發現，其整個思想概念可以總結為：我們如何分享我們的資源，如何分享我們的財富，以及分配資源與財富的規則。如果你再做更深一層的思考，你將發現，我們所有的制度，都有兩個相同的前提。第一個前提是，區分「你」「我」來「分享」事物；第二個前提是，我們必須想出一個分享事物的制度，因為物資是有限的。如本書所揭示的，你現在可以把這兩個前提都拋諸腦後。讓我們回到《金剛經》，看一看來自佛陀的醍醐灌頂之語：

何以如此？喔，須菩提，想一想菩薩行布施，卻不執著事物的表面現象而行布施所積聚的功德。這種功德，喔，須菩提，是你無法輕易思量的。❶

如往常一般，讓我們求助於邱尼喇嘛，解釋這段經文的意義。我們必須承認，一個執著於事物本身具有一些與生俱來的特質的人，仍然能夠透過類似布施等行為，累積功德。

但是，如果一個人已經從「事物本身具有一些與生俱來特質」的鎖鏈中解脫，

並且繼續從事布施等行為，那麼他所積聚的功德，肯定比以前更廣更大。為了強調這一點，於是佛陀說，何以如此？喔，須菩提，想一想菩薩行布施，卻不執著於布施所受的福德，而積聚的功德。這種功德，喔，須菩提，是你無法輕易思量的；事實上，它很難去思量。

然後，佛陀繼續宣說：

喔，須菩提，你認為呢？東方的虛空廣大，我們可不可以思量得到呢？

須菩提回答，

喔，世尊，不可以。

世尊又說，

那麼，南方、北方、上下、四維的廣大虛空，我們可否思量得到呢？十方的廣大虛空，我們可否思量得到呢？

須菩提回答，

喔，世尊，不可以。

最後，世尊說，

那麼，須菩提，菩薩不執著於事物表象所行的布施，其所獲得的福報功德也如

十方虛空那般不可思量。**❷**

這段經文傳達的某些概念十分明顯，但至少有一個概念不明顯。佛陀首先想要傳達的思想是，「功德」或善業或特定銘印的力量（業力）是無邊無際的。第二，為了獲得不可思量的功德或力量，我們「行菩薩道的生意人」必須「不執著於事物的表象來行布施」。「不執著於事物的表象來行布施」究竟是什麼意思？「菩薩」又是什麼？這兩個問題的答案，正是所謂無限經濟的整個基礎。

財富的真正來源

我們先說明何謂「不執著於事物的表象來行布施」。這其實只是綜合了本書所有思想的一個簡單概念而已。任何一個稱職的生意人都會承認，「商業策略是不可測的，是誰也拿不準的」的事實。

有時候，一個保守穩健的財務政策失敗了；有時候，非得穩健保守才行得通。有時候，一個冒險的財務政策成功了；有時候卻一敗塗地。不論你是精明幹練的生意人，或才幹平庸的生意人，結果如出一轍：有些精明幹練的生意人飛黃騰達，有些則一敗塗地；有些才幹平庸的生意人失敗了，有些卻成功了。

如果我們真誠地面對自己，沒有一種標準是安全可靠的。對於一個佛教徒來說，這個事實明確指出了，我們尚未找到財富的真正來源，我們真的不知道如何創造財富。

如果你仔細思考，你將能夠發現，世間的財富分配所蘊含的深奧真理。財富隨著個人的得勢與死亡而來來去去；隨著國家帝朝的興衰起落而來來去去；在繁榮昌盛的時期，財富散佈整個世界，在經濟蕭條或戰亂時期，則普遍貧窮。個人的發明，例如盤尼西林或槍枝或個人電腦，能夠有效地增加或減少全世界人口的財富，然而儘管效力再大，也不過幾年的光景。

我的意思是，財富的量不是固定不變的，而它從來也不是固定不變的。**財富的量是不停變動的**。這也使我們開始懷疑「財富是有限的，資源是有限的，我們必須發展出分享財富資源的優良制度」的概念。或許還有另一種可能。或許我們可以找出財富的真正來源，那麼我們就能夠增加整個世界的財富；也就是說，或許每一個人就能夠擁有足夠的財富，或更多的財富。

我們已經證明，一個咆哮的上司是我們自己的觀感所創造出來的產物。在此，讓我們再次運用相同的邏輯。就技術層面，以及嚴格的科學層面來說，一個咆哮的上司，事實上只是一大團顏色（主要是紅色！）、形狀（大部分時候，在你面前舞動）、分貝（高分貝），以及母音與子音（ａｂｃ、ㄅㄆㄇㄈ，不斷地向你飄來）。你的心，在過去種植

的銘印的影響之下，把這些形狀、聲音解讀為一個令人厭惡、大吼大叫的老闆。

切記，那個坐在你身邊的人（他可能不是很喜歡你）或老闆的妻子，可能認為是同一組形狀和聲音十分討喜可愛。如此一來，「令人厭惡」以及「討人喜歡」就不會是老闆具備的特質；這種特質必定源自他處，否則我們所有人都將一致認為老闆令人討厭或討人喜歡。

而事實上，這個現象的唯一解釋是：**老闆令人厭惡或討人喜歡，皆由心造。此外，顯而易見的是，儘管一切皆是心的作用，但卻不是出於自主。**一個咆哮的上司或許是心創造出來的觀感，但是我們似乎沒有任何力量，可以打開或關閉心的作用。在我們的心中，有一個東西迫使我們產生那樣的觀感；那是銘印從潛意識進入意識層面的結果。

顯然，無論一個咆哮的上司是否完全是自生的，或只是一個特定觀感所造成的結果，都不影響他存在的事實。我的意思是，他生氣了，他將要扣除我的假期獎金，無論他的憤怒是與生俱來的特質，或是我心中銘印成熟的結果，他都會扣除我的獎金。

「他是我的觀感」的想法，確實有所助益，但卻無法改變當時的情況，因為事情已經發生了。然而，在我決定如何面對咆哮的上司的時候，「他是我的觀感」的想法確實助益良多；也就是說，我問自己，我真的想要再看他大吼大叫嗎？因為，如果我同樣用大吼大叫的方式回敬我的上司，那麼我種下的銘印，將在未來迫使我再經歷相同的情

境。

只有種下一個迫使你面對咆哮上司的銘印，才能夠製造一個咆哮上司的觀感；而唯有頂撞上司，才能在心中種下面對咆哮上司的銘印。然而，這個原理跟經濟學有何關聯？

擴展布施的層次

如果銘印的理論是正確的（的確如此），那麼如果我了解其中的來龍去脈，拒絕用大吼大叫的方式回應上司，那麼在理論上，我就能夠阻止類似的情境再度發生。然後在未來某一個時候，當老闆走進辦公室的時候，我們兩個人——我和坐在我旁邊的人（記住，那個人很不喜歡我，看著我被老闆斥責，他高興得很）——都會覺得老闆很可愛，很討人喜歡。

如果你仔細思考，你就會豁然開朗：那個辦公室中的財富、快樂或福利，在沒有人犧牲，沒有人受到損害的情況下加倍了。我的快樂並非建立於同事的損失之上。此刻，我們擁有了雙倍的幸福快樂。同樣地，金錢也以相同的方式運作。

當你布施之時，用雙手、用時間、用金錢幫助任何一個生命之時，你在心中種下了一個特殊的銘印；你的布施行為被意識記錄下來。你的意識總是開啟著，分分秒秒地記

錄著你的一言一行。這個布施的銘印停留在潛意識，如同植物或樹木一般，不斷地蓄積力量，成長茁壯。待時機成熟，銘印進入意識層面，影響——甚至創造——你對周遭世界的印象，甚至對自己的觀感。

商業交易和商業決策如同一面空白的螢幕，無論它們是否發揮作用，無論它們是否獲致成功，諸如商場趨勢、聰明才智、冒險的程度等等外在因素都不是關鍵，過去的銘印迫使你對買賣交易或決策產生的觀感，才是真正的決定因素。事實證明，外在因素不是決定交易或決策成功失敗的關鍵。例如，使用相同的策略，不一定都能過關斬將；或一些新產品炙手可熱，一些舊商品開始被淘汰。

另外，為什麼人們突然認為，畫家安迪‧沃荷（Andy Warhol）繪著的漫畫書的一個場景具有非凡的價值？為什麼任何一個孩子都可能塗鴉完成的畢卡索的畫作，會成為無價之寶？為什麼一些白癡歌曲或電視節目大紅大紫？而一些經過認真推敲，富有思想的歌曲或電視節目，甚至更白癡荒謬的歌曲或電視節目卻慘澹收場？這其中必有原因。

決定成功與否的因素，完全非我們所能想像。

如果所有的理論是正確的，那麼任何成功的冒險事業（不論是聰明的或愚蠢的投機冒險）以及創造巨額財富，都僅僅是善的銘印（善業）的結果。換句話說，**那些成功人士之所以能夠獲致財富，僅僅是因為他們在過去，種下了致富的銘印。而這種特殊的銘**

印，**唯有透過布施的行為才得以種下**。如我們所了解，這種布施始於，也應該始於一種有限的形式，例如，你先從你的公司或家庭著手，仔細地觀察他們的期望與需要而行的小善。

然後，布施逐漸擴展到更大更廣的層次。例如，在財務方面，以公司的每一個部門為對象，給予更大量更實質的布施；你也可以貢獻你的時間，給予情感與專業的支持，提供各種意見來協助他人。當慷慨大度發揮到了極致，你將認真把個人的及公司的所有財富、情感、專業資源以及能力，投注於一個完善周慮的計畫，為你的家庭、公司、社區、甚至整個世界帶來幸福快樂，因為**你已經有意識地把「我」的範圍擴大，把所有的「他們」也包含在「我」的範圍之內。基本上，你只是在照顧一個更大的「我」罷了。**

切記，除非你投入時間去了解潛能與銘印的真實意義，否則自他交換的最後一個步驟是無法圓滿達成的，你也無法真正獲得本書所描述的、最終的財富與人生的成功。唯有了解潛能與銘印的真實意義，你才能真正地領會，布施可以創造無限財富的道理；也唯有到了那個時候，你才能真正地認清，「我」必須超越目前極其有限的自我。

種下無量的財富種子

假設一個人了解了所有的理論，並且加以應用，獲致了金錢財富；假設這個人把所

有的理論傳授給另一個人，後者加以應用之後，也因此致富。那麼，他們兩人便如同我先前所描述的兩個人，並肩坐著，一起看著原本咆哮憤怒、如今卻異常美好的老闆。於是，原本只有一個富翁，現在卻有了兩個富翁。

由於財富是銘印的結果，由於本身是中性的、空白的或具有各種潛在可能的商業交易或商業決策突然獲致成功，那麼我們可以說，新的財富的產生，不需要犧牲或損害原先存在的財富，也就是說，現在的財富是之前的財富的兩倍。假設現在那兩個富翁，把致富之道傳授給第三個人……嗯，你應該知道結果了。

更深入地說，目前有些人富有，有些人貧窮的事實，證明了**每一個人都能夠致富**。

換句話說，**由於現下的財富是有限的，所以世間的財富可以是無限的。**你可以揚棄分享有限資源的想法，你也可以棄絕貧窮的觀念。**富有是一種觀感；這種觀感來自過去慷慨大度的銘印。**因此，每一個人都能夠擁有財富。

小心，那個受到滿懷善意的雙親傳承下來的文明神話摧殘的心，對於所有眾生都有可能獲得綽綽有餘的財富的觀念感到畏怯。這種心態在過去的歷史上不曾有過，那麼現在也不可能存在。我們曾經聽說此一論點；過去它不是真實的，現在也不會是真實的。

小心，哥倫布，你會從地球的邊緣掉下去，因為地球是平的。鋼鐵絕不可能在天上飛翔或飄浮。全世界的每一個人不可能擁有相同的管道，接收由玻璃管線輸送，或從遠

超過飛鳥能及的天際發送的全球資訊。哥倫布是如何發現地球不是平的？鋼鐵如何在天上飛翔？全世界的人們如何接收相同的資訊？難道這些發明沒有改變世界財富的絕對數量嗎？新的財富從何而來？你現在已經知道答案了。

於此，我們在稍稍講述無限經濟的機制，然後你就可以把書本放下，親身嘗試書中的理論。如果你了解潛能與銘印的運作原理，那麼創造新財富的過程將順暢多了。換句話說，你應該一再重複閱讀本書，直到你清楚地了解潛能與銘印一起運作的過程。有了這層認識之後，再行布施，即佛陀說「不執著於事物的表象而布施」的真實含意。古老的智慧經典指出，你必須對這些理論具有深刻堅定的信心，你才能夠投注所有的時間與精力，親身實踐理論。古老的經典也指出，你親身研究理解這套理論，從邏輯的觀點，知道它確實可行，即是建立深刻堅定信心的唯一方法。

你還記得什麼是「菩薩」嗎？答案很簡單，可能簡單得令你吃驚。菩薩就是任何經歷了自他交換修行法門的三步驟的人。它合情合理，不是嗎？

一個沒有人我之別（即沒有分別心）的人，才是真正唯一能夠行布施，在心中種下銘印，於未來獲得大量財富的人。一個人若發現了人生最大的祕密——所有快樂的最大來源；一個人若發現，只為一個「我」、一張嘴、一個肚皮工作，是在浪費人生、是極其無聊、大錯特錯的，那麼他便擁有了真正慷慨布施的絕佳機會。

把「你自己」的範圍擴大，把其他人一起納入範圍之內，然後照顧他們，是一種未經探索的、無盡的喜悅，你將發現其中樂趣橫生。如果潛能與銘印的理論是真實不虛的，那麼照料他人的最佳方式，即是教導他們如何致富，如何享受財富，以及如何使財富充滿意義。

如果你仔細思量，你將發現，以教導他人如何創造財富的方式來分享財富，是在心中種下獲致無量無邊財富種子的最殊勝深奧的方式。

財富有各種形式，超乎我們的想像，如同我們走進一座花園，尋找一朵花，最後卻始料未及地滿載寶藏而歸。

譯注

❶ 何以故。若菩薩不住相布施。其福德不可思量。

❷ 須菩提。於意云何。東方虛空。可思量不。不也。世尊。須菩提。南西北方四維上下虛空。可思量不。不也。世尊。須菩提。菩薩無住相布施。福德亦復如是不可思量。

第四部分

成功故事集

過去十年來，《當和尚遇到鑽石》已翻譯成十五種語言，在世界各國出版，從巴西到波蘭，義大利到蒙古，中國到保加利亞，都可以看到本書的蹤跡。十年之後，本書在美國及全球的年度銷售額持續上升。書中概述的經商之道與經營人生的方法，全世界有超過一百萬讀者身體力行，不管你是在巴西里約熱內盧的市長辦公室上班，或是在台北的警察局工作（或只是在紐約大學上一門商業課程），你都可能必須閱讀《當和尚遇到鑽石》。

計畫出版《當和尚遇到鑽石》的十週年增訂版時，雙日出版社詢問是否有任何部分要修改，我們表示沒有，本書依然是我們想要呈現的模樣，不過卻想新增一個部分。

閱讀成功指南之類的書籍是一回事，即便作者確實在生活中使用這些訣竅而達到非凡的成就；但是得知全世界的一般人確實閱讀本書，並且在生活與工作上實踐執行，又是另一回事。

三十八位成功人士故事分享

如果看到世界各地有許多跟我一樣的一般人應用書中道理而獲致成功，我自然會想起而效尤。如果他們做到了，我也能做到，只要告訴我需要採取什麼行動就好。

因此，我們在本書最後新增了「《當和尚遇到鑽石》成功故事集」。你將讀到一手資

料，看看來自大約二十五個不同國家、遍及世界五大洲的讀者，如何利用《當和尚遇到鑽石》這個工具，達到財務和個人方面的成就。我們收到這些成功實例而開始為新版編輯時，注意到本書在幫助讀者方面是有一些模式、一些傾向的。

有些模式不出我們預料：許多人利用《當和尚遇到鑽石》的原則而財源廣進，雖然有些例子高達幾十億美元，連我們看了都頗為震驚。不過其他人更進一步使用這些原則，以下將分享我們對於這些優秀人士的觀察。

首先，你將會從這裡與放在網站上的訪談故事，看出使用本書而獲致成功的人「的確是」卓越優秀的。他們在各自的領域建立了世界最大的企業〔麥可・葛登（Michael Gordon）、黃晉、琳達・凱普蘭・薩勒（Linda Kaplan Thaler）、羅蘋・科瓦爾（Robin Koval）〕；他們是大學畢業典禮致告別辭的學生代表〔安・琳賽（Anne Lindsey）〕；他們達到藝術顛峰〔英國皇家芭蕾舞團的伊娃・娜坦雅（Eva Natanya）〕；他們撰寫過暢銷書〔肯代爾・馬丁（Kendall Martin）〕；他們是先進醫療研究的主要科學家〔周業苹（Yat Peng Chew）、彼特・烏林茲（Peter Ulintz）〕；他們是世界頂尖企業的主管，同時也是受人尊敬的黑帶高手（杜邦化學公司的左智仁）；他們是星巴克的高層主管，是微軟的資深職員。

他們是榮獲奧斯卡提名的影星〔琳賽克羅斯（Lindsay Crouse）〕；他們幫忙發起世

界主要貨幣〔歐元推手穆罕默德・薩勒姆（Muhammad Salam）〕；他們在管理整個城市方面扮演關鍵角色〔科泉市（Colorado Springs）的嘉芮・桑佳娜達妮（Charae Sachanandani）〕；他們以一項發明裝置而拯救了數以萬計的生命〔發明煙霧偵測器的艾蕾佳・阿奎斯特（Allegra Ahlquist）〕；他們在戰場上拯救士兵的性命〔在伊拉克與阿富汗服務的吉兒・墨菲（Jill Murphy）〕。

他們在世界飛行〔「美國航空」的威廉・麥可麥克（William McMichael）〕；他們拯救世界〔岡嘉・皮諾茲（Concha Pinos）〕。

坦白說，從這些訪談故事來看，很快就會發現要能真正實踐《當和尚遇到鑽石》，需要高度的聰明才智。理由很簡單：本書的單一要旨是唯有把錢財布施與人，才有可能賺錢獲利。

這跟現存的所有經濟學理論完全牴觸，因此需要高度的智慧，才有辦法在真實的事業或生命中身體力行。我們努力反抗人類五萬年活動所累積的世俗智慧——我們堅強地獨自矗立在那裡，抵抗人類歷史、人類失敗的濤天巨浪。

而這些成功人士都是這麼屹立不搖。你將會看到以下所有成功故事還閃耀著另一個特質，也就是堅持不懈、勇往直前的良好態度——即便主流世界嘲笑、質疑、甚至譴責，也願意採用新的世界觀來突破障礙、達成目標，只因為「洞悉了萬物真正的運作方

式」。

願意採納截然不同的新世界觀，似乎常是因為碰到困難、悲劇或災難。這裡所列舉的成功人士，皆親自體會到世界的運作並不如預期，而我們從小就被灌輸世界是如此運作的。紐約世貿中心被撞毀而倒塌時，他們坐在對街的公寓裡；他們在客機緊急迫降之後，手腳並用地鑽出裂縫而逃出燃燒的客機；她們熬過乳癌的痛苦折磨；他們經歷憂鬱的谷底，並且服用藥物來「治療」憂鬱；他們得到又失去財富、名聲、配偶和孩子。

他們各自以自己的方法，努力尋求更完美的萬物運作模式——看看要是願意嘗試嶄新的方法，世界的痛苦與窮困會不會徹底消除。

運用書中智慧改變人生

我們在整理這些訪談資料時，還注意到一件事：他們運用《當和尚遇到鑽石》而獲致成功——不只是財務狀況改變，連內在也改變了。他們的事業在《當和尚遇到鑽石》出版的過去十年來歷經轉變，我們只是「捕捉」萬道霞光中的一剎那——他們利用書中的古老智慧而在事業或人生上有所突破，而這裡所列舉的成功故事只能呈現他們一週或一個月內所經歷的轉折，彷彿他們就此停格。但是這些人絕對沒有停止不前。他們最讓我們驚奇的特質，就是他們繼續前進，超越世界所界定的成功。

也就是說，他們的故事一再出現以下這類模式：一個人尋尋覓覓，希望找到更好的方式來賺錢、經營人生，結果因緣際會碰到《當和尚遇到鑽石》（你很快會讀到非常奇異的經歷）。不少人一開始沒辦法跟書中的道理相應，於是擺回書架上，有時候一放就是好幾年，不過書中的想法卻在心裡醞釀。

然後在改變未來的那一刻，他們第一次實際「應用」書中的道理，瞭解到自己現在得到的，正是之前為他人所付出的。他們成功了，而且成就往往超乎夢想。他們得到一輩子希冀的財富，遇到夢想中的伴侶，甚至連身體都變得更強壯年輕。接下來必然發生的，就是他們明白自己始終想要的不只是如此。

我們一旦成功，也許是「唯一」達到成功，就必然會明白最為快樂圓滿的事情是幫助和服務他人，幫助「他們」同樣獲得成功。

你在這裡讀到的成功之士，幾乎人人都繼續邁向這個更高層次的成功。他們發現了一種人生意義，現在他們視為活著的真正「理由」。《當和尚遇到鑽石》的成功，不在於它為全世界的讀者帶來幾十億美元的收入，而在於它讓幾百萬的人在內心發現了真正的知識與智慧。而與他人分享這種智慧、這種更高層次的生活方式，是這些人內心的渴望。

你在這裡讀到的人士，幾乎每一位都開始從事某種形式的教學工作，許多是在正式

研討會上教學分享——透過美國的證悟商業機構（Enlightened Business Institute）或業力管理團隊（Karmic Management）、中國的慧匠文化傳播（Witway Broadcasting）、香港的小風琴訓練（Harmonium Training）、台灣的金點文化事業（Enlightened Business Management），或是歐洲的三昧耶顧問公司（Samaya Consulting）及全球財富促進會（Global Wealth Initiative）等等機構，來輔導他人、擔任顧問或講授課程。

不過更常見的，似乎是跟朋友一起喝星巴克咖啡或茉莉花茶或母馬奶時，透過口碑這種最佳方式推廣《當和尚遇到鑽石》的道理。就我們觀察，正式的訓練課程若沒有這種觸及個人層面的溝通，是不可能成功的。

或許推廣《當和尚遇到鑽石》智慧的方式當中，最有趣的是參加「當和尚遇到鑽石討論小組」（Diamond Cutter Discussion Groups）。這是全世界許多國家在毫無協調籌畫的情況下，自動發起的簡單小型聚會。我們只在去年才試圖追蹤這些小組的所在地區，或是讓他們互相聯絡。如果你有興趣，請查詢他們的新網站：diamondcuttergroups.com。

另外還有其他幾個要點。大眾對於鑽石行業，原本是崇尚它代表富有人士的光彩魅力，近年來則有所轉變，開始顧慮到鑽石生產過程所帶來的傷害，比如不安全的鑽石礦場、環境的破壞、童工問題，以及利用鑽石來為國際間的暴力行動籌募資金。這樣的顧

慮是非常正確的。

我們想藉此機會，對於改正這些弊病的努力表達全心的支持，這些弊病是我們數十年來在安鼎國際鑽石公司努力對抗的。現在，重新發現的鑽礦藏區所開採的鑽石，加拿大政府已發展一套認證模式，我們非常支持。通過這項檢定的鑽石，較大顆的會用雷射把極微識別標記離刻其上，證明其生產過程安全無虞，給付員工優渥的薪資，以及全心關注環保問題。最後，我們的民眾要以金錢來說話，只購買這些具有道德保證的鑽石，這會迫使商人拒絕出售其他不符資格的鑽石。

《當和尚遇到鑽石》也預測將來會出現實驗室製造的商業性人造鑽石，價格不貴，而且是完美的純鑽。這種方式迷人可行，能夠替代整個開採鑽礦的過程，要是民眾願意透過要求購買這種鑽石來支持它的生產，那就太美妙了。

跨越國界藩籬，重建新的世界秩序

這些成功故事是怎麼挑選出來的？你讀到後面，可能會納悶為何有那麼多成功人士來自亞洲，尤其是中國大陸。原版的《當和尚遇到鑽石》發行兩個中文版（分別是簡體字版和繁體字版），在新加坡、香港、台灣和中國大陸等以華語為主的地方，是最暢銷的商業書籍之一。幾年前我們開始收到誠摯的邀請，歡迎我們造訪該地，我們很高興在

中國各地及其鄰近國家巡迴演講。

拜訪期間，我們碰到並認識愈來愈多的中國人。尤其在美國，我們對於中國的印象多是來自報章雜誌和媒體新聞，現在我們和那麼多中國人結為朋友，相信中國只是被大多數媒體誤會了。中國具有深邃奧妙的古老文化，這個文化的思維方式跟我們西方人大相逕庭：請想像隨時都用類似微軟視窗的圖示來思考，會是什麼樣的感覺──中文是象形文字，每一個中文字都長得像微軟視窗的圖示，歷經五千年微妙的意義演變過程。

此外，請記得全世界每五個人當中就有兩名是中國人。我們逐漸明白當初撰寫《當和尚遇到鑽石》的本意，就是希望幫助全球，而非東方或西方。這是新的世界秩序，這是更為平衡的世界觀。從全球來看，亞洲佔有真正卓越的地位，我們也在這裡呈現其光彩。

每個人都不一樣，這樣的差異是值得慶祝而非害怕的。中國是地球上最古老又是最新興的超強大國，我們有很多地方可以向它學習。對於未來世代，我們有責任在世界兩大經濟領域的介面試著團結合作，學習彼此的語言和習俗，共同開創更美好的世界。

原版中文的《金剛經》是全球歷史最悠久的印刷書籍，而《當和尚遇到鑽石》是西方商業書籍，有了這本書，我們找到了一個理由來與中國人和亞洲其他民族密切共事，超越所有國界的和諧未來是指日可待的。我們只需要種下試著認識彼此、試著互相聆聽

和學習的心識種子。

這樣的世界願景是《當和尚遇到鑽石》與《金剛經》兩者的終極目的。如果周圍的世界以及居住其中的人類，確實是我們照顧他人而在心中種下的種子所呈現的，那麼人與人或國與國之間，就不再有發起任何一種衝突的動機。只要我們每個人能夠寬厚慈善待人，石油及其他自然資源的供應、市場的大小與供應狀況，以及世界聯合經濟的實際淨值，都將充滿彈性，可以無限擴張而永不衝突。

為《金剛經》提供基礎的古老西藏法本裡頭，具有描述高層次心識狀態的字眼，但是在世界的現代語文中卻找不到對應的詞彙。以下一些朋友也認為，書中的道理可以促進一個與現在相反的未來。也就是說，《當和尚遇到鑽石》和類似著作的基礎原則一旦發揚到全世界，「貧窮」、「種族主義」或「戰爭」（也許「死亡」）等字眼，就會從地球上的語言消失，因為這些字眼所指稱的事情將從我們的經驗中消失。

這種思維轉變，這種看待世界、觀其運作的方式的轉變，已經開始了。最讓我們心滿意足的，就是《當和尚遇到鑽石》有所貢獻。《紐約時報》最近報導一篇關於本書作者的文章，不經意地用到「業和空性」這樣的表達方式（而在《當和尚遇到鑽石》中，我們用「心識種子」來指業，用「萬物潛能」來指空性），彷彿該報的幾百萬名讀者早已熟悉這樣的概念。沒錯，大家愈來愈熟悉了。

事情繞了一圈又回到原點。《當和尚遇到鑽石》雖然不是宗教書籍（世上幾乎所有宗教信仰，都有人成功使用這本書上的道理），但是它的根源來自佛教，尤其是西藏佛教。最近有一群來自西藏的商人代表團來拜訪我們，表示這本書在藏人之間非常熱門，許多藏人覺得本書把古老真理用如此實際的方式呈現，是在當今這個時代身體力行的絕佳方法。

整個亞洲以及西方的商業與精神領袖，都響應這樣的觀點。商業主管慈悲待人的時代來臨了，這些主管運用古老智慧、禪修閉關的藝術，以及合乎倫理道德的生活方式，做為物質與內在兩種世界的「成功之道」。等一下你將會讀到，不少極為成功的人士看了《當和尚遇到鑽石》之後，發現書中的原則，自己早已憑直覺執行多年了。本書只是讓他們更清楚且有系統地瞭解原本就覺得真實正確的道理。

因此，為他們的智慧舉杯祝賀吧！請運用同樣的智慧，為我們下一次的週年紀念撰寫你的成功故事。我們想藉此機會，正式感謝這些朋友分享自身故事的善意和勇氣，這些故事有時候涉及個人隱私、看了叫人難過心碎；其他所有寄來故事的朋友，我們也由衷感謝。這些故事沒辦法收錄在實體的書籍裡，但是可以在線上版的「《當和尚遇到鑽石》成功故事集」看到，網址如下：diamondcuttergroups.com。

書中沒辦法收錄全部的成功故事，部分原因是空間有限。此外，我們在書中試著呈

現豐富多元的故事，好讓每篇蘊含的不同道理都能夠對讀者有所幫助，因此具有部分雷同的故事就放在網站上了。我們也試著呈現各式各樣的職業（從企業界大人物到藝術家到母親）與地理區域，比如有些城市似乎人人都使用本書的道理，因此來自這些城市的故事，我們就不全部收錄於書中了。

最要感謝的是過去十年來讓我們有這個榮幸分享所知所學的讀者，所謂「教學相長」：我們在教導你的同時，你也教導了我們。祝福你事業成功、人生圓滿。

荷蘭阿姆斯特丹

喬治・蕭登（George Schouten）

電影導演

喬治為佛教廣播基金會（Buddhist Broadcast Foundation）製作了四十餘部紀錄片，該基金會的節目影片在網際網路與荷蘭公共電視上播放。過去十四年來，他也執導過荷蘭最紅的電視節目之一。

人人皆鑽石

我第一次閱讀《當和尚遇到鑽石》是在二〇〇五年，當時正準備為佛教廣播基金會拍攝麥可・羅區格西和克莉絲蒂・麥娜麗喇嘛的紀錄片。他們來到阿姆斯特丹向商業界講授書中的原則，一些片段會收錄在紀錄片裡。我們的片名為「鑽石、老師與學生」，到現在過了這麼多年，還是有人會過來跟我表示影片教授的內容與呈現的氛圍，是多麼觸動他們的心。

我在工作上應用了《當和尚遇到鑽石》的三個道理。第一是書中帶給我們的開放、

愉悅的感覺。這兩位作者在拍攝過程中對著鏡頭說話時，也是散發這樣的能量。這種正面態度會突然開啟空間，讓創造力得以發展。

第二，他們在書中一再強調植入於心中的每一個銘印是多麼重要。我們所做、所說、甚至所想的每件事情都會留下紀錄，而紀錄的每一個影像都會在之後成熟，成為我們世界的一部分。這就像電影裡的每個步伐、每個動作、每個念頭都有份量。製作影片說是穿了，就是時時刻刻都要勇敢面對業力定律，而在剪接電影時（電影製作過程的最重要階段），這點又特別貼切。因此讀了這本書之後，我學會不斷覺察自己在心裡種下什麼種子。

在製作紀錄片時，我驚訝地發現麥可・羅區格西和克莉絲蒂・麥娜麗喇嘛投注大量時間擔任「學生」，他們參與其他老師開設的課程來繼續自我教育。這樣的作為，是與共事的人毫無距離、合而為一的最佳典範——能夠增長我們的慈悲心。人人皆學生，人人皆老師，人人皆鑽石。

西班牙巴塞隆納

岡嘉・皮諾茲 (Concha Pinós)

人道組織甘地基金會擁有三萬名左右的附屬會員，在六十四個國家從事救助工作，總部設於西班牙，職員共有四百名。最近緬甸遭熱帶氣旋侵襲，我們籌募了兩百萬美元從事救援工作。

邊界的終結

幾年前，我坐在巴塞隆納的一間咖啡館裡，心裡祈求得到心靈上的幫助，這時一名男子走過來，給我一本《當和尚遇到鑽石》。我看著這本書，跟他說：「這應該不是給我看的。我對商業一竅不通，我做的是人道事業。」他只是丟下一句話：「你得看這本書。」然後就消失了。此後我再也沒有碰到他，有時候不禁納悶這名男子是人是仙？

最近幾個月，我特別留意《當和尚遇到鑽石》所講的一個概念：周遭的人物與事件，皆是來自我如何對待他人而在內心種下的種子所呈現的。我們當時在緬甸從事非常

艱鉅的任務，幫助受到最近這一個熱帶氣旋影響的受害者，將近十萬人身亡，而政治局勢又動盪不安。

我們被擋在邊境，不准入境分發救援物資。我仔細思考該國的獨裁者、軍事將領，以及容許單一個人的貪婪而使人民喪命的普遍心態，到底是從何而來。這所有的觀感想法，我都盡量思維是來自我內心的種子。我一直在「六時書」中（我的內在日記）寫下要如何對抗內心的負面情緒和心態，而非外在的人事物。

突然間邊界開了，我大大方方地走過去，彷彿是個隱形人。然後真正的工作展開了：把救援物資帶給人民、努力拯救他們。當時，我從《當和尚遇到鑽石》習得的智慧是至關重要的，沒有這樣的智慧，我大概會命喪黃泉，如此一來，就什麼人也幫不了。

《當和尚遇到鑽石》是結束戰爭的關鍵，是為世界帶來和平的鑰匙。

美國紐約曼哈頓

馬克・崔培帝（Mark Trippetti）

特福廣告與行銷公司（Turf Advertising & Marketing）創辦人暨董事長

馬克的公司最近贏得業界人士夢寐以求的圖標獎（Graphics Logo Award）。他就像本書的一些讀者，會在辦公室裡放著一疊《當和尚遇到鑽石》，每天分送給訪客。

為彼此工作

多年來，我是典型白手起家的紐約商人——過著精彩豐富的人生、經營忙碌的公司。然而，到了一個階段，我發現自己大多時候都是痛苦愁悶的，記得有一年，我嚴重到從耶誕節到新年的整個假期都躺在床上，比早年母親過世的那段日子還痛苦。

朋友一直建議我閱讀《當和尚遇到鑽石》。終於，我在某個春天的一個美好週日午後，心血來潮騎著摩托車去聯合廣場的邦諾書店。讀了這本書之後，就知道該怎麼做了。

在此之前，我自認為是地球上最自私、最自我中心的人，而且還以此為樂。我一直覺得身為公司的老闆，就是讓員工替你做事。大家普遍有個錯誤概念：你在一個團體裡的職位愈高，就有愈多人替你做事，而他們唯一的職責就是幫你達到你的目標。

但是讀了這本書之後，我恍然大悟，瞭解到身處高位，原來是幫助和影響更多人的大好機會。也就是說，就一方面而言，替「他們」工作是我的責任。想當然爾，我們整個公司的文化開始巨幅轉變；現在的問題是，我們大家要如何為彼此工作？

讓這則故事與眾不同的，是我們接下來採取的行動。我們愈是認同照顧他人的重要性，就愈難替產品或服務不益於人的公司做大型廣告活動。

於是特福公司展開第二次的公司文化轉變運動。幾年過後，我們整個客戶名單簡直是脫胎換骨，換成對世界有正面影響的公司，尤其是努力改善世界生態環境的「綠色」組織團體。我們不想只是當個有責任感的廣告公司，還想替有責任感的公司提供服務。

因此當紐約布倫菲市長辦公室要找人製作轟動紐約的「綠色蘋果」廣告運動時，你猜他們找誰來做⋯⋯

伊拉克巴斯拉（Basra）

吉兒‧墨菲（Jill Murphy）

美軍護士兵團之註冊護士

吉兒主要在美國的華特里德醫院（Walter Reed Hospital）陸軍醫學中心服務，照顧因中東衝突而受傷的士兵。目前她在伊拉克的美軍加護單位服務，主要處理罹患心臟病及重度燒傷的一般民眾。她早先到阿富汗服務，不畏戰火拯救生命，並擔任士官，挑選計畫改善巴克迪卡省（Paktika）三百萬居民的生活品質，因而受到表彰。我們很榮幸收錄了這段訪談故事，以此支持像吉兒這樣的人士，他們尤其為了幫助戰爭的受害者而展現無比的勇氣、做出極大的犧牲。《當和尚遇到鑽石》這類的原則道理更為廣泛流傳世界時，我們就能期待有朝一日大家不再以暴制暴。

戰爭的終止之道

目前我在伊拉克南部這間大拘留營服務；他們把這個地方徹底轉變，真是不可思

議。幾年來，這裡出名的是暴力動亂、攻擊警衛、外來攻擊，以及大多數被拘留者的死命反抗。

大約一年前，高層人士〔可能是陸軍少將史東（Major General Stone）〕決定改變拘留營的風氣。之前，暴力是以更強大的武力、更嚴格的規定和紀律來制伏，但是道高一尺、魔高一丈，拘留營的亂象不減反增。高層決定制訂政策，規定被拘留者應受尊重，為他們提供教育、健康照護、技能訓練；此外，任何一位美國軍事人員若無端挑釁或舉止無禮，將不被寬容。

許多人認為採取這樣的措施，拘留營將淪落為十足的瘋人院，但是結果恰恰相反；利用武力制伏動亂的情況減少了，反而令拘留營內外的暴力行為大幅降低。我在這裡已經待了五週，沒有發生一起攻擊事件，而這裡容納的伊拉克俘虜多達兩萬名！營內的暴力事件減少為一週一、兩起案例，而之前則是這個數字的好幾倍。

有人認為動亂應以武力撲滅，實證顯示這個想法是錯誤的。他們表示如果鬆綁控制，美軍人員將有危險之虞。其實，美軍人員目前在被拘留者周圍活動時，反而更為安全。一開始，以暴制暴的衝動需要抑制，因為心識種子往往不會立刻成熟，這是我們在《當和尚遇到鑽石》裡學到的概念。不過有那麼多人同心協力，又那麼堅決地克制自己，使得被拘留者開始更尊敬美國人，而非藉此機會佔盡便宜。

請不要以為我贊同強行進入別人的國家，然後把他們的人民拘留一處。光是給予他們人類應得的尊重，並不代表當初引發如此衝突是可以接受的。不過以上例子顯示，過了一段時間，你的行動所種下的種子會以同樣的方式回到你身上。我真心相信這樣的模式能夠結束這場戰爭，以及未來的所有戰爭。

中國上海與美國紐約

潔西卡・孔（Jessica Kung）

國際活動籌辦者

二〇〇四年，潔西卡以優等成績畢業於耶魯大學。她和一名朋友為了實現美國與中國人民合作交流的願景，成立了世界觀亞洲之旅（Worldview Asia Tours），接待美國講者造訪亞洲，為成千上萬的亞洲人開設課程，其中包括《當和尚遇到鑽石》的課程。今年，第一批中國講者來到美國交流，向美國民眾發表精彩演說。

種子自然而然地成熟了

《當和尚遇到鑽石》利用園藝種植的概念來說明道理：透過在自心內留下銘印，而刻意種植自己想要的未來，方法是幫助他人達到自己所追求的目標。

就像大多數確實「使用」本書道理的人，我把自己的財務狀況扭轉乾坤，銀行帳戶的數字原本是起伏不定，現在則是後面多了好幾個零，這全是透過非常刻意地為他人服

務。

同時我在尋找既能當我生命伴侶又能當我事業夥伴的理想對象，但是似乎找不到，真的是遍尋不著。後來靈光一閃，發現《當和尚遇到鑽石》裡關於得到財務保障的原則，也可以應用在這方面。

根據這樣的邏輯，如果我走出去，積極支持其他人的愛情婚姻關係，我就會找到我的伴侶。因此接下來這一年，我以各種方式朝這個方向行動。有時候只是很細微的動作，比如每當看到一對快樂夫妻或情侶走過去時，我有意識地在內心微笑；或是我刻意挪出時間，跟目前在情感方面碰到困難的朋友坐下來談。

後來到洛杉磯出差的旅程中，我突然找到了最美麗的夥伴關係，真的是踏破鐵鞋無覓處，得來全不費工夫。這是非常有趣的現象。我非常努力地創造這樣的銘印，但是當銘印確實開花時，感覺卻是那麼自然，彷彿水到渠成，讓我幾乎沒有注意到。

自己讓夢想成真，而沒有採取一般認為會「造成」我們遇見心上人的任何行動，真是美妙極了。並不是我跟他說了什麼，並不是我寫了什麼，也沒有在什麼網站上放照片，而只是這些心識種子默默地開花成熟。

台灣台北

楊錦聰

風潮音樂國際股份有限公司主要創辦人與總經理

錦聰創立了台灣具領導地位的獨立唱片公司之一。風潮音樂在以下兩方面皆扮演重要角色：保存中國古典音樂，以及提升全世界的現代藝術家對中國古典音樂的瞭解與詮釋。

不再自我中心

幾年來，我一直使用《當和尚遇到鑽石》的道理，本書作者來台灣巡迴演講時，我有幸參與幾場。我深深讚歎書中闡釋的原則，而其中一項令我特別刻骨銘心，也持續影響著我。

書中有個部分講到禪修的力量是多麼強大，尤其當你希望把關懷和祝福送給親朋好友時。

我每天都把這種思維與禪修方式應用在生活中。早上起來我通常會先打坐，把心專

注於當天所選擇的問題之上。如果有些朋友面臨個人方面的問題、困難或特殊情況，我就會在打坐時送出善念祝福他們。

比如朋友的父親最近往生，我知道她正在經歷人生一段艱辛悲痛的旅程。身為朋友的我，決定透過禪坐，用心念送給她平靜與祝福，我相信我的禪坐對她有重大的影響。

這麼一來，我覺得自己不僅對她表示關懷，也擴張自己的人生視野。我擴大自己的眼界，不再以自我為中心。這樣的訓練增長了我的慈悲心，讓我可以關懷更多朋友、更多的人，這對我而言意義重大。如果在工作上備感壓力，這些禪坐和分享的原則也讓我更有能力維持平靜愉悅的心情。

捷克共和國布拉格

漢娜・希樂洛娃（Hanna Hillerova）

藝術家

一本當代藝術季刊的評論家最近形容漢娜的裝置藝術為「具啟發性及⋯⋯前衛大膽，未來將會呈現更為獨特精湛的特質」。

通往成功的瘋狂道路

我從《當和尚遇到鑽石》所得到的體會，是自己想要達到什麼目標，就得幫助他人達到相同目標。

我的美國首展是在休士頓的非營利藝術家空間舉辦，期盼透過這次的呈現，找到一家不錯的商業性畫廊代表並銷售我的畫作，但是並沒有一家畫廊的老闆前來參觀展覽。

展覽開幕的幾天後，我買了一張機票飛去布拉格，為一些朋友和不認識的人籌辦演講和研討會。我的藝術家朋友認為最好的「商業決策」，是取消這項行程、留在休士頓，在剩餘的展覽期間努力幫「自己」推銷。我在事業上如此關鍵的時刻離開展覽地

點，把時間和精神投注於其他人的事情上，而非努力擴展自己的事業，似乎是瘋狂之舉。

然而，我仍然決定離開。我前往布拉格，替這些人宣傳，展現他們的技藝，讓他們的努力受到欣賞與肯定。幾週後，我回到休士頓，展覽剛好結束，我正準備把畫作拿下來收好時，看到休士頓兩家最出色的畫廊老闆正在門口等候！現在我的作品在我最喜歡的畫廊展示與銷售。

美國亞歷桑納州包威鎮（Bowie）

蘇珊・史敦夫（Susan Stumpf）

基層醫療照護醫師助理

蘇珊在醫療界已有二十五年之久，過去這八年來經營自己的療護診所，以針灸為主要療法。她曾在香港研究學習，目前也在大學教導中醫理論。

更為可靠的獲利之道

我在經營診所方面如何使用《當和尚遇到鑽石》的原則，有個非常單純但重要的例子可以分享。我在仔細研讀這些原則後躍躍欲試，想在自己的針灸診所做個實驗，於是通知所有客戶，表示以後的治療全部免費。如果他們覺得有效，而且希望我繼續照護他們，就要給予診所財務上的支持。也就是說，我開始以自由捐獻的方式提供醫療服務。

有些人無法瞭解這樣的舉動，不太願意再度回診；另外一些人捐獻得很少，而且沒有再度回診。然而，我的針灸事業在那一年的營利，比以往任何一年還多，每天不再為營業有無獲利而苦惱，壓力減輕了許多。

美國德州休士頓

巴尼・瓊斯（Barney Jones）

石油產業主管

巴尼是全球工程軟體體最大供應商「奔特力系統公司」（Bentley Systems）的計畫經理。他目前為加拿大的一家石油與瓦斯大公司監管精鍊廠與輸油管的主要設計團隊，該公司供應全美汽油的百分之十。如同巴尼所說：「要是我們的系統出狀況，你家的瓦斯價格就會提高。」

讓他人聽取你的意見

二〇〇〇年時，一位朋友向我推薦《當和尚遇到鑽石》，從那時起，我就一直在工作上運用書中的道理，現在有許多成功故事可以分享，但是以下這則我印象最深。

《當和尚遇到鑽石》講到無聊瑣碎的談話，而這種無意義言談的業力果報之一，就是大家不會用心聽你說話。大約五年前，我發現在開會場合中，我要是發言，其他人似乎都充耳不聞，或是聽取他人而非我的意見，好像他們不信任我似的。

因此我決定在「無謂的談話」方面下工夫，做為轉變的開始。我檢視自己，發現我習慣打斷同事手邊的工作，閒聊電視節目或體育方面的話題。

於是我開始加強練習不以無意義的閒談來浪費他人的時間。如果他們想講話，尤其是關於我所負責的人事問題，我會洗耳恭聽，不過我盡量不單是閒聊八卦或岔開話題。

上星期開會時，我提出三項建議，問了一個問題。這個團隊的隊長表示：「好問題！」彷彿我提到的每件事情對他們都很重要，好像他們對我的意見很感興趣。這種轉變是過去這一、兩年來逐漸發生的，周圍的人很明顯地因為我的建議而有所改變。

中國西部康定藏族地區

羅安（Ang Luo音譯）

「跑馬山度假村」共同創立者及所有人

羅安是西藏商業界的領導人物，曾經擔任中國西部政府的領導職位。他在四川成都的一家書店看到《當和尚遇到鑽石》，讀了三十餘遍，許多部分皆倒背如流。

給予西藏的甜美甘露

從大學到現在，我博覽群書，在經商方面也飽經風霜。這些年來我非常辛勤地工作，但是對於這個人生和我們西藏的古老教法，我一直思不解，覺得太複雜了！我找不到人生的意義。

我開始覺得信仰和智慧是高高在上的東西，深藏於西藏的寺院廟堂裡，遠非我伸手可及的地方，而且學習這些教理，跟我的日常生活毫不相關。我認為住在這些寺院裡的慈悲智者有不少原創的想法，但是覺得這些道理只是在處理生命問題的症狀，是治標而

不是治本。

然而，讀了《當和尚遇到鑽石》，突然間，我豁然開朗，這輩子第一次徹底瞭解事物的運作之道：我心中的銘印是如何創造我所看到的世界，而空性的意思是我們有無限的成功潛能。書中所教導的禪修和「六時書」讓我脫胎換骨，我到達一個境界，能夠真正欣賞和體會生命與事業之美。

我覺得這本書對藏民無比重要，尤其現在西藏的經濟正在發展。我們旅館的股份，我原本只擁有二成，但是讀了這本書之後，我知道有個新方法能夠增加我的股份比例，那就是採取另一種待人處事之道。我開始在同事身上使用心識銘印、業力種子的法則；我認真留意什麼對他們最有益。

現在，「照顧到他人的需求，自己就會得到所有想要的結果」這個道理，成了我人生的基本原則。如此與人為善的方式，讓我現在擁有公司的八成股份，而我們度假村是藏族地區數一數二的旅館。我的成功事蹟傳遍西藏，許多本地的商業學校與大專院校邀請我對學生與教職員演講，而我演講的重點與道理都是來自本書。我把這本書送給許多生意上的朋友和同事，呼籲他們思考這本書可以為西藏帶來什麼樣的幫助。

我們種下的善種子確實會結成好果實：希望有朝一日西藏的每個人都能嚐到《當和尚遇到鑽石》的甜美甘露。

美國芝加哥
威廉・麥可麥克（William McMichael）
美國航空（American Airlines）商用飛行員

朋友都叫他比爾機長〔譯註：威廉（William）可以簡稱為比爾（Bill）〕，他的飛行時數已達一萬小時，駕駛過各式各樣的噴射機。他也是戰鬥機飛行員，此一技能讓他成為美國空軍的教師機師。

愉快程度大幅提升的工作場所

曾經一度，我在美國航空的駕駛員座艙裡總是神經緊繃，問題不是出在操作技術，而是與我共事的人。每天我在大型商務客機的控制板前坐下來時，前十分鐘都會打量坐在身旁的另一位飛行員，暗自判定接下來跟這個人一起飛行會是輕鬆愉快，還是事事不順。

不消說，我的那種心態開始在心裡種下種子，種子成熟之後，就是讓我看到其他人評判我的工作表現，造成一個不必要的競爭氛圍。《當和尚遇到鑽石》出版沒多久，我

就閱讀了這本書，對於這點，書上闡釋得很清楚，於是我決定使用書上的道理。

我開始刻意幫助同一座艙的另一位飛行員，試著不打量評判他們。不到一年，我徹底改變了周遭的現實環境：令人頭痛的飛行員就是會被派到其他飛機，或是他們的個性完全改變。我的工作場所變得愉快許多。

美國紐約市

阿納托爾・阮（Anatole Nguyen）

營養師兼主廚

阿納托爾是紐約最受學生歡迎的瑜珈老師之一，不久之前在全市瑜珈體位法的調查上排名第一（這點他自己絕對閉口不提）。他的外燴事業在紐約時髦新穎的健康飲食潮流中獨領風騷。

持續向上的再投資：讓好事不斷

我的成功故事，跟應用《當和尚遇到鑽石》的其他許多讀者是類似的。但是這裡要分享兩點，應該會讓大家的瞭解更為深入。

幾年前我生了一場小病，本能地開始新的飲食習慣，只吃生菜和水果，期望讓自己好轉。採用這種飲食法的第三天，我不只病痛痊癒，還發現整個人進入了另一個新境界。我的身體輕盈無比，彷彿靠著晶瑩剔透的能量運作。在精神方面，我神清氣爽，洋溢著對生命的熱情。光是在紐約市裡走動，就帶給我難以抗拒的歡愉。

我自然想影響朋友，讓他們也踏上這個不可思議的發現之旅。有些朋友開始採用這種飲食方式，立刻得到同樣效果。其他朋友起先得到美妙經驗，但是後來美妙的感覺消失，因而半途而廢。還有一些朋友完全沒有體驗到任何正面的改變。

這樣的情況讓我煩惱納悶了好一陣子，直到看到《當和尚遇到鑽石》所謂的「潛能」或「空性」，覺得可以解釋這一點。我發現不是生食本身帶給我如此強大的活力，因為同樣的食物甚至會讓有些人作嘔。「我」從生食得來的能量，其實來自於我每天幫助和服務他人的工作。也就是說，我的心識種子在讓「中性」的健康食物為我帶來健康。

這就要談到我讀《當和尚遇到鑽石》的第二個發現。許多人利用本書獲致成功，得到原本沒有的事物和人際關係，但我認為明白以下這點也非常重要：我們生命中已經發生的美好事情也來自種子，而且是先前種下的種子。

比如就我自己的例子而言，我對生食的反應極好，生食讓我神采奕奕。然而，這種反應是來自之前種下的心識種子，因此會出現一個問題：當種子耗盡所有能量而消失時，這樣的反應也會停止。就連我練瑜珈而強健的身體，也面臨同樣的情況。

因此，要為已經得到的好事情繼續播下種子，瞭解這點非常重要，如此才會形成持續向上的再投資：我透過分享食物而得到美好食物，然後再把這些美好食物與人分享，想法、道理也可以這麼分享！

美國加州好萊塢

琳賽・克羅斯（Lindsay Crouse）

奧斯卡提名女星

琳賽在百老匯的首演劇目是「無事生非」（Much Ado about Nothing），後來在備受好評的「賭場」（House of Games）一片擔任女主角，因「心田深處」（Places in the Heart）的角色而榮獲奧斯卡提名。

毫無畏懼

我人生中有段時期，工作少得可憐。在這之前，我的演藝事業如日中天，從沒想過會有失去工作的一天。失業一詞不在我的劇本裡，我晴天霹靂。演戲是我的天職，是我的整個存在。試鏡機會只剩一、兩個，我不禁惴惴不安而陷入憂鬱。不管做什麼事情，似乎都不能減輕這樣的痛苦，於是我開始服藥。

此外，我教導和指導演員已有三十餘年的經驗，現在也停止了。我無法忍受把這些天生敏感的演員送進出頭機會寥寥無幾、痛苦煎熬不勝枚舉的世界。

由於無法入睡，我通常會閱讀到深夜。一天晚上，我在一家小書店閒逛，看到《當和尚遇到鑽石》，我拿起來看了第一段，買了下來，然後去一家咖啡廳從頭讀到尾。

這本書啟動我內在的深層轉變，我開始思考事情的真正原因——業力原因。為什麼我的事業開始萎縮？是因為我沒有支持他人的演藝事業嗎？我要怎麼改善呢？我決定回去教學，確實推展他人的事業，即便他們是玩世不恭的菜鳥。我為三分之一的學生提供獎學金。

我開始質疑何謂專業人士。我確定演戲這一行的重點是給予付出，但是我從沒想過給予自己「沒有在」演戲時，也應盡可能地給予付出，這麼一來，才會為表演「做好準備」。這是新的職務說明，範圍無邊無際。

給予就會快樂，快樂時就會付出更多，一切都是有原因的。《當和尚遇到鑽石》教導我如何在人生和專業領域上應用這些原則。現在我在教授演戲技巧時，融合了這本書所闡釋的東方古老智慧。我告訴學生站在他人面前時，要把自己當成國寶級大師。他們問我：「要怎麼做到而不害怕？」我回答：「過得清淨，不造成傷害，以他人的利益為先，就『沒有什麼』好怕的了。」

摩洛哥卡薩布蘭卡與法國巴黎

穆罕默德・薩勒姆（Muhammad Salam）

ＡＣ控股公司（AC Holdings）副總裁暨外國債券資深策略分析師

金融市場分析師皆知穆罕默德年紀輕輕即事業有成。他在《商業週刊》（Business Week）和美國有線電視新聞網ＣＮＮ等雜誌新聞上，成功預測歐元及其最終幣值，讓全球投資者淨獲驚人的紅利。他曾在安聯銀行（Alliance）、巴黎的里昂信貸銀行（Credit Lyonnais of Paris）和德意志銀行（Deutche Bank）擔任重要的策略分析師，所管理的資產總值超過百億美元。

收成慷慨大度的果實

我甚至還沒閱讀《當和尚遇到鑽石》，就已經運用書中的原則，只是沒有真正意識到。因此實踐書中建議的一開始，就覺得所有想法都很有道理、天經地義。

我一直深信自己的職責是幫助較為不幸的人。我先是幫助家鄉摩洛哥的親朋好友。當時，他們許多人非常貧窮，依然住在貧民窟裡。我的第一個慈善計畫，是「借」錢給

一位遠房表親，他需要蓋一棟房子，好脫離卡薩布蘭卡困苦的居住環境。對我而言，借錢給窮困人士顯然是世界運作的唯一方式，但是銀行對此不感興趣。

從那時起，我持續把個人基金導向貧民窟住屋興建計畫。《當和尚遇到鑽石》幫助我更明確地看到這種作為如何幫助我在金融市場上獲致成功。我的確發現這些給予付出的行為，跟我的紅利和股票期權固定增加有直接的關係。我也瞭解到這樣的布施，正是讓我過去幾年不用工作賺錢的原因。這讓我有餘力深入古老智慧，目的是藉著這番努力，把古老智慧與全世界分享：成立一個基於《當和尚遇到鑽石》原則的商業諮詢與訓練公司。

英國倫敦與美國加州柏克萊

伊娃・娜坦雅（Eva Natanya）

英國皇家芭蕾舞團（Royal Ballet）專業芭蕾舞者，聯合神學研究院

（Graduate Theological Union）神學研究者

真是不可思議的專業組合！伊娃擔任過紐約林肯中心紐約市立芭蕾舞團和倫敦柯芬園皇家芭蕾舞團的女舞者，在舞蹈界，這樣的成就等於達到成功的顛峰。她最近也在聯合神學研究院完成了天主教神學的碩士學位，目前已開始教書。她曾在白宮榮獲美國總統頒發的總統學者獎。

空前的體會

第一次閱讀《當和尚遇到鑽石》的感受，現在依然記憶猶新。我讀了這本書之後，知道自己對於世界的看法從此轉變，知道找到了一位對於現實世界如何運作具有空前體會的人。

印象中，自己一輩子都在努力追隨基督的呼喚，成就一個寬厚慈善及純淨心靈的人生。從這方面來看，我一出生就在跟父母學習《當和尚遇到鑽石》的深奧道理。

的確，我在舞蹈領域的任何成就，都應歸功於從小在精神靈性方面的培養：精勤不懈地投入真正熱愛的事情而產生的紀律，加上一股自發性的熱切感，渴望幫助他人達到目標。記得青少年時，我學習為別人的成就感到歡喜，試著盡我所能地幫助他們，即便這表示要克服自己的嫉妒感受，而在這個競爭激烈的芭蕾訓練世界裡，嫉妒心特別容易產生。

這種用心投入工作與熱心幫助他人的本能直覺，支持我多年的舞蹈專業生涯：我之所以能夠過自己的人生關卡，正是因為向其他舞者伸出援手。許多次，我之所以能夠咬緊牙根忍著疲累和傷痛跳舞，純粹是出於對觀眾的熱愛。我只需要自問：「我怎麼能讓他們失望？」然後神的啟示就會賦予我力量，讓我做到幾秒鐘前自認為不可能做到的事情。

台灣台北

左智仁（Jeffrey Tzuoo）

杜邦公司（DuPont Corporation）亞太區事業部經理

智仁監管杜邦公司分佈於十七個國家的鈦白科技事業部，目前處理總收入超過兩億美元的產品開發計畫。他是合氣道的黑帶高手，現任文化大學合氣道社副會長。

靜謐幽室——我的特別空間

我是在機場書店看到《當和尚遇到鑽石》的，當時正準備飛往美國參與公司協商會議，於是就在這段長途旅程中反覆閱讀本書，以下故事呈現我如何利用書上的道理。我在家是不看電視或報紙的，而是練習西藏智者所稱的「偏巴湯」（Penpa Tang）：設定日子。我在家裡有個靜謐的角落，每天早上趁家人還沒起床，我會在這裡坐上半個小時，這是我靜默獨處的時候。我家人稱這個地方為「靜謐幽室」，沒有人會進出或打擾我。

我透過數息的方式（反覆從一數到十）觀照呼吸的進出。這個練習會淨化心靈，讓我能夠集中精神，為目前碰到的任何問題找出解決之道。我發現整體工作、家庭和健康都會反映在心靈的品質上，新的想法一一出現，解決我的問題。每天晨坐結束時，我都會看到嶄新的生命即將開始。

我隨身攜帶著小型筆記本，也就是《當和尚遇到鑽石》提到的六時書，在上頭把每天劃分為六個時段。我會停下工作，老老實實地在六時書上做紀錄。我把重點放在事業問題（一）以及已經採行的實際解決之道（十），還為接下來的時間列出特別工作清單。

使用《當和尚遇到鑽石》的原則，大幅影響了我的生命，讓我更有能力在家庭上幸福快樂，在事業上圓滿成功。

種植你的未來

美國紐約市曼哈頓

琳達‧凱普蘭‧薩勒（Linda Kaplan Thaler）

凱普蘭薩勒集團（The Kaplan Thaler Group）之共同創辦人、執行長及創意總監

有多少人有機會白手起家，打造十億美元的公司？如果你曾經看過艾佛拉克鴨（Aflac Duck），或是聽過「我不想長大，我是玩具反斗城小子」廣告歌，如果你曾經看過寶僑公司（Procter & Gamble）、美國合眾銀行（US Bank）或大陸航空（Continental Airlines）的廣告，那麼你很可能早已認識凱普蘭薩勒廣告傳播公司。

在美國具有如此規模的廣告公司裡，只有我們這家是由女性成立及經營的。對於我們打造的事業，以及辦公室裡相親相愛、團結一心的氣氛，我感到非常得意。我們的職員超過兩百人，大夥兒就像個美好的大家庭，每天早上我都期待見到他們。

我和羅蘋‧科瓦爾（Robin Koval）寫了兩本暢銷書，分別是《一鳴驚人》（Bang! Getting Your Message Heard in a Noisy World）及《善意的力量》（The Power of Nice）。

我們在為第一本書搜尋點子時，我剛好看到《當和尚遇到鑽石》，覺得書中的智慧洞見不可思議。我們非常讚歎書中的道理，因此在第一本書中引用，在第二本書中則詳細說明其中一些主題。

我們公司的成功，大部分要歸功於《當和尚遇到鑽石》所提到的信念，我覺得非常幸運，能夠在最需要的時候找到這本書。

對我而言，《當和尚遇到鑽石》最有力量的主題，是在生命中創造正面銘印的重要性。我全心相信那些正面銘印種子，是造就我們成功的推手，而其中有許多種子是在多年前種下的，以意想不到的方式開花結果。那些銘印開花成熟，帶給我們成功和商業信譽，幫助我們公司創造出具有滋潤能力的工作環境。

我喜歡告訴年輕人，要確保未來成功，現在能做的最重要事情，就是今天即開始種下成功種子！

中國寧波與加拿大溫哥華

黃晉（Jin Huang）

愛文易成文具（Aiven On Stationery）董事長，皮爾茲科技（Peelz Technology）董事長

Culture Broadcasting）董事長，慧匠文化傳播（Witway

種下讓心識更為敏銳清晰的種子

我應用《當和尚遇到鑽石》而經商成功的故事不少，但是有件事情我覺得更為重

中文版的《當和尚遇到鑽石》一出版，黃晉就買來閱讀，感動得搭飛機前往美國學習如何運用書中道理，然後在中國發揚書中的商業智慧。目前他的「愛文易成文具」年度銷售額超過兩千萬美金，員工大約有一千人，在一些辦公室用具類別上，是世界最大的供應商。每當你去文具大廠「史泰博」（Staples）或「辦公總匯」（Office Max）購物，出來時很可能袋子裡就有愛文易成的產品。慧匠的主要服務是以《當和尚遇到鑽石》的方式給予商業諮詢，這家公司在整個中國相當活躍。皮爾茲供應創新的電腦和居家娛樂產品。黃晉實踐他所宣導的理念：：成功。

要。我們都明白為了在財務方面獲致成功，需要種下「幫助他人事業」的心識種子。然而，讓我覺得值得玩味的，是個截然不同的問題：商業人士需要種下什麼種子，才能夠瞭解心識種子這樣的概念？如果說我們對於心識種子的瞭解有多深，就有多麼成功，那麼我們需要做什麼，才有辦法確實改變心智能力而瞭解這些想法？

我從《當和尚遇到鑽石》學到的第一個且最重要的道理，是我們自己想要什麼，就要先給予別人或為別人那麼做。我很快地明白這樣的瞭解是我最需要的，於是我知道給予別人智慧，是我所能做的最好的事。

於是我開始籌辦工作坊，幫助其他人在生活中應用《當和尚遇到鑽石》的原則。我教導了十幾梯次的工作坊之後，可以清楚看到自己的心是如何變得更加清明有條理。我明白自己種下了讓心更有智慧的心識種子。

在事業上運用《當和尚遇到鑽石》所得到的結果是可以衡量的：我們的年度營業額巨幅增加，利潤率提升了許多百分比。不過「我們的體會」提升了多少，要用數字來衡量就困難多了，因此我透過愛妻莉莉來衡量我的進步，她在許多方面都比我聰明。

她總是說我對於工作或生活上的複雜情況，沒辦法快速看到解決之道。我教導他人《當和尚遇到鑽石》的原則約一年之後，她突然表示我的心智能力巨幅改變：我新得到的決策能力令她驚奇，而且所做的決定帶來極為成功的結果。

一天晚上，我埋頭苦幹地閱讀艱澀難懂的古老中文手寫稿，彷彿那是史蒂芬金的恐怖小說，結果抬頭一看，發現莉莉正不可置信地望著我。我突然意識到自己正在做什麼，結果自己也覺得不可思議。因此這是我給大家的建議：為自己的心種下心識種子！

美國亞歷桑納州土桑市

金柏莉‧文赫芙（Kimberley Veenhof）

瑜珈研究學院（The Yoga Studies Institute）常務董事

金柏莉曾擔任星巴克咖啡整個北美地區營運的訓練部門主管。星巴克風靡全球、員工訓練有素，如此的成就，多少仍可歸功於她的影響，實在不可小覷。她成立的新事業「瑜珈研究學院」僅營運四年，已在五大洲訓練超過一萬名學生。

這輩子許多問題的解答

我二十幾歲那幾年，躋身企業界的頂端；二十七歲時，已經達到所有讓自己快樂的成就。我擁有享負盛名的事業，以及快樂洋溢的「時髦」生活方式。

但是總覺得少了什麼，而且是嚴重缺乏。我很快地發現自己雖然在攀爬企業晉升階梯，但是階梯靠在錯誤的牆上。我已經達到主管階級、享有此一地位的成就，不過現在所要的，是發現生命的意義。

一九九九年我在亞洲旅行時，一直聽到《當和尚遇到鑽石》和其作者的消息。我在

那裡參加作者給予的一場演講，開始的十分鐘就聽到這輩子許多問題的答案。

閱讀這本書時，我立刻發現可以怎麼樣把經商技巧與靈性的心結合在一起，激發我帶著新找到的知識回到商業界。我生平第一次帶著真誠實在與正直高潔的心穿上上班套裝。以下是我們如何在瑜珈研究學院運用書中道理的故事。

打從成立之初，學院董事會所做的決定，就完全以《當和尚遇到鑽石》的綱要為基礎。我們首先決定非營利取向最適合我們的目標。我們制訂政策，規定要把一半的收入捐助給窮困人士。我們用了極大的心思，發展工讀計畫以及獎學金專案，讓每一位有心認真學習瑜珈的人不用擔心有無能力負擔，都可以參與我們的訓練。

我們從學院成立之初到現在，不斷仔細追蹤這類行動的影響力，現在我們認為這樣的舉動是目前財源滾滾的根本原因。例如光是去年，我們全世界的參與人數就增加了百分之三百七十八。

墨西哥墨西哥市

拉斐爾・塞萬提斯（Rafael Cervantes）

墨西哥中央銀行（Central Bank of Mexico）外匯交易員暨分析師

拉斐爾在哥倫比亞大學得到國際事務及企業管理雙碩士，創立三昧耶顧問公司（Samaya Consulting），這家商業諮詢團體活躍於歐洲和拉丁美洲。他另外創立的「正見與正向」（Vision y Sentido）是在西班牙語系人口中推廣智慧教法的入口。

改變九一一事件

墨西哥中央銀行資助我到哥倫比亞大學攻讀碩士學位。當初的協議是如果我決定不回去替他們工作，那麼獎學金就會變成貸款。基於個人理由（主要是為了靈修的關係），我決定在完成學業後留在紐約，因此面臨六年內需償還十二萬美元的財務負擔。我嚮往在聯合國工作，但是財務現實讓我不得不在華爾街找工作；為了如期償還債務，這是唯一的可行之道。我並不想在華爾街工作，因此一開始非常痛苦。此外，金融

界正面臨史上最殘酷的危機之一：我就在九一一事件的前一個月被雇用。

再跟銀行協商一番，並非明智之舉，一切似乎都懸在一條線上。這時我已經買了《當和尚遇到鑽石》，投注相當的時間學習書中的原則。有一天我心想：「債務也好，變化無常也好，或是其他任何情況也好，都不值得攪亂我內心的平靜。如果我真的相信這些道理，就知道可以當自己人生的建築師：我可以透過轉變自己，來轉變周遭的任何人或情況。」

別忘了，我們這個業界是以暗算他人和心狠手辣聞名的。但是在兩年的時間內，我藉著刻意注意到別人的需求，而碰到完美的上司、擁有良好的同事，以及得到稱心如意的工作時間表。別把人生浪費在與上司抗爭、與夥伴勾心鬥角，或跟周圍情況搏鬥上：只要改變他們就好。

美國加州河濱市（Riverside）

布萊恩・K・史密斯（Brian K. Smith）

一名生活單純的佛教和尚

布萊恩〔現在又名蘇馬堤・瑪魯喇嘛（Sumati Marut）〕在哥倫比亞大學的巴納學院（Barnard College）和加州大學任教了二十餘年，著有兩本學術書籍，皆由牛津大學出版社出版。此外，他曾經把一卷古老梵文文本翻譯成英文，該譯本成為享負盛名的企鵝經典系列（Penguin Classics Series）之一。

具足力量轉變生涯

當時我即將五十歲，在學術界享有令人羨慕的地位：終生職教授，一輩子都保證有薪水可以領；著作豐富，由世界頂尖的學術出版社出版。我過得快樂。

大約在十年前，我開始研讀《當和尚遇到鑽石》該書根據的《金剛經》，以及其核心原則。我當然開始在事業上實踐這些道理，結果達到前所未見的財務保障程度。

重點是我現在清楚瞭解錢到底從何而來，亦即我可以放十萬顆心，知道自己永遠有

足以滿足需求的金錢。也就是說，我突然明白我自由了，可以轉換跑道，從事任何想要的新事業──這個意思是，我可以實現長久以來的夢想。

我在神學和宗教史上已獲得高學位，我明白要是可以隨心所欲，我真正想做的是出家為僧。於是我向目瞪口呆的同事宣布，我將辭去終生職教授一職，以及這個職位所保障的薪水。我接受藏傳佛教的僧侶訓練，並在二○○五年受戒為僧。

現在我以佛教老師的身分，在整個北美地區和國外弘揚佛法，享受緊湊的行程。我從快樂變成快樂至極、心滿意足。我的意思當然不是每一位閱讀《當和尚遇到鑽石》的人都應該遁世離俗、出家為僧，但是我可以說，這本書具備所有你需要的知識，以得到真正的財務保障──來自布施給予的保障，然後放下一切，從事你一直嚮往的事業，甚至延展到你的人生。

南非德班市與加拿大多倫多

夏蒂・摩加戴姆（Shadi Mogadime）

行銷與募款集團（The Marketing and Fundraising Group）之創辦者與所

有人

夏蒂因朋友推薦而買了《當和尚遇到鑽石》，可是放了兩年都沒有閱讀。二〇〇五年，她以前在《多倫多生活雜誌》（Toronto Life Magazine）工作時的主管說服她參加麥可・羅區格西和克莉絲蒂・麥娜麗喇嘛的演講。夏蒂這麼描述：「我同意參加，但是心不甘情不願。那是演講的前一天，我突然想起自己已經買了他們的一本書。我晚上七點左右從書架上取下來，結果後來抬頭時，發現太陽已經升起。我整晚毫不間斷地閱讀，知道找到了一輩子在尋求的答案。」

一個種族和諧的世界

我想分享兩則《當和尚遇到鑽石》的應用心得。

我來自種族問題嚴重且持續已久的南非。如此帶有種族主義之惡的背景，污染了我整個人生觀和人際關係。《當和尚遇到鑽石》表示，我們在世界上所碰到的經驗，皆來

自於過去對待他人的方式。

我在檢視種族歧視的後遺症時（在我身為黑人女性的世界裡，種族主義的遺留問題似乎完全定型、根深柢固），以這番道理來思考，結果開始為自己的經驗負責。我從無可奈何的受害者，搖身一變成為具足力量的人生創造者。

我不能說已經達到生活中完全沒有種族歧視的階段，但是藉著視自身經驗「來自」自己而非「針對」自己，我學到了「設計」自身經驗的秘訣。我努力平等地對待周圍的人，不管我喜歡或討厭他們，或是既不喜歡也不討厭。因為我卸下心防、不再一副隨時要跟人打鬥的模樣（我單方面地解除武裝），我對他人的恐懼感不再那麼嚴重，他人也待我更好。

我覺得《當和尚遇到鑽石》的道理，可以把世界轉變成和平與種族和諧的地方。這本書確實徹底改變了我和他人的互動，一開始只是小小的改變，比如不管到了哪裡，都和他人（包括陌生人）分享微笑。現在我的人際關係裡都有真正快樂所帶來的更大程度的喜悅。我的內心感到平和寧靜，內在的力量也更強大。

以上是關於我的個人生活。而《當和尚遇到鑽石》也在我的事業上發揮效用，以下只是其中一例。我成立的公司於二〇〇六年六月開始向休士頓歌劇院提供商業諮詢服務。當時他們的票房收入不好，岌岌可危，而票房營收在他們的年度預算一千八百萬美

金裡幾乎佔了三分之一。我們查帳之後，認為他們的製作、表演空間或市場行銷都沒有問題，照理是能夠締造票房佳績的。

今天有這樣的情況，一定有較不明顯的原因存在。我們根據《當和尚遇到鑽石》，探索他們的最大業力利益中心：他們如何對待觀眾和職員。我們提升職員的訓練機會與獎賞報酬，把我們覺得對顧客不公平的政策刪除，結果票房營收增加百分之二十五，顧客滿意度提升，行銷團隊鬥志高昂、更為快樂。顧問工作結束時，休士頓歌劇院的一位董事跟我說：「你們要我們做的，我不是事事同意，但我們還是照做了，結果不只是讓我的工作出現轉機，我也因為做了這些改變而成為更好的人。」

美國紐約市

安琪拉・普雷威特（Angela Prewitt）

美國休閒服飾品牌諾帝卡（Nautica Jeans）部門設計總監

安琪（朋友都這麼叫她）在設計圈內相當有名，是耐吉（Nike）的明星，開創了美國職籃（NBA）和美國大學籃球聯賽（NCAA）今日球服的酷模樣。

重寫我們的人生故事

我固定使用《當和尚遇到鑽石》做為標準的經商工具，但是它真正幫助我的地方，應該就跟其他許多人一樣，是讓我瞭解早在閱讀本書之前就已經踏上的人生道路；也就是說，這本書讓我重新詮釋或重寫我的人生故事。

我在美國中西部長大，父母擁有一家小型的家族商店。附近有位伯伯叫做鮑伯・包特（Bob Bott），我很小的時候他就八十幾歲了。他甲狀腺腫大，使得一邊的顏面永遠癱瘓。他的背駝得厲害，總是拄著枴杖，人行道上有人擋住他的去路，他就會用枴杖打人。

鮑伯住在僅有一間臥室的小屋子裡，總是穿得像個乞丐。我們家幾乎是收養了他，尤其是我父親和祖父純粹是出於好心腸，每天都幫忙照顧他。他會來我們家吃晚餐，我會跟他作伴，我們會一起坐著看電視，看看誰能先喊出電視益智節目「高潮迭起」的答案。

後來要申請大學了，由於高中時荒廢了課業，現在嚐到了苦果：沒有大學錄取我。還記得當時坐在家族商店前父母的車子裡，為自己的命運啜泣流淚。雖然我總覺得自己注定會做得更有成就的事情，但是現在發現終究還是會跟鎮上其他所有女孩一樣，挺著大肚子在當地的飼料廠或藥房當收銀員，令我晴天霹靂。

突然間，鮑伯開著車在我旁邊收停下來，按按喇叭。看到我正在哭泣，他示意我靠近他車子的窗戶，我給他看這封剛收到的拒絕信，上頭蓋著紅色的大字「申請未通過」。

他一把抓過去，仔細看了一會兒，把窗戶搖上後開走了。

隔天鮑伯到我家，把那封信還給我，只不過現在上頭蓋著綠色大字「申請通過」。原來鮑伯是名百萬富翁，曾向那間大學捐獻鉅額款項。我整個受教育期間，他繼續支持我。現在回顧生命的所有好運轉機，明白那些種子都是來自家人助人為樂的身教。

作者按：想要更深入瞭解《當和尚遇到鑽石》核心原則的讀者，可以參考我們以下對安琪

故事所做的補充。我們談到萬物充滿各種潛在力量時，去真正感受這種潛能讓周圍現實世界的可塑性變得多麼高，是非常有幫助的。安琪一家人認識鮑伯之初，他很可能還不是百萬富翁，他也許真的只是一位貧窮的老人，並沒有也無法向大學捐款。不過在安琪一家人的善行之後，那樣的現實狀況確實改變。我們用心識種子這枝筆，以非常顛覆的方式書寫我們的人生故事。現在一切都有可能。

中國北京

劉賓（Liu Bing音譯）

東軟集團公司（East Soft Company）資深銷售經理

劉賓任職的東軟公司生產企業套裝軟體，全中國共有一萬三千名員工，在美國、日本、阿拉伯聯合大公國、匈牙利和印度皆設有子公司。

功夫熊貓：一切都不是偶然的

我在北京的一家書店不小心看到《當和尚遇到鑽石》，基本上是書名引發我的好奇心。後來我有機會參加麥可‧羅區格西和克莉絲蒂‧麥娜麗喇嘛在北京舉辦的講座，他們開示本書的原則。沒錯，本書會為你帶來財務上的成功，但是也會為你的生命帶來一點神奇力量，這是我想與你分享的。

我心裡惦記著要去著名的歷史聖地普陀山一趟。普陀山位於中國外海的一座島嶼上，那裡將舉行一門個人成長課程，是受到《當和尚遇到鑽石》啟發的，我非常想參加。課程為期一個月，但我只有三週的假期。我請上司讓我多放一週的假，這讓他非常

不滿。我朋友認為我瘋了，為了多上一星期的課而冒著丟掉飯碗的風險。

「可是工作的目的是什麼？」我問他們。

「賺錢啊！」他們回答。

「那賺錢的目的是什麼？」我問。

「享受更好的生活。」他們說。

「那更好生活的目的是什麼？」

「幸福快樂。」他們回答。

所以，我跟他們說，我要學習怎麼過得更快樂，做更有價值和更有意義的事情，於是我前往參加那門課。其實原本火車已經沒有剩餘座位了，渡船買不到位子，課程人數爆滿，旅館房間一個也不剩——許多人沒辦法報名進去。但是我堅決要學習，要幫助人，甚至睡在門外也在所不惜。

突然間，火車、渡船、課程和旅館都各有一人取消，於是我出發前往，人生就此改變。我開始大規模地種植慷慨寬大的種子。課程結束回來後，一天下午我接到父親朋友的一通電話，他想來北京找我，因為他的孩子也在北京，他要替孩子辦些事。

他只是來我的公寓跟我打聲招呼，看我在忙就沒有久留。我陪同他下樓，他突然塞給我一大疊鈔票；他是長輩，我當然拒絕了。他坐進車子裡，我們繼續推讓這筆金錢，

於是他轉個彎，把錢丟出窗外，然後頭也不回地開走了。

我站在那裡覺得相當詭異，直愣愣地望著覆蓋在我身上和人行道上的紙鈔，突然間我心中冒出電影「功夫熊貓」的一句話，那是烏龜大師跟他徒弟說的：「一切都不是偶然。來到你身邊的不是偶然，而是你應得的。」我愛極了這句話！信任你在內心留下的銘印——奇蹟也會發生在你身上。

以色列特拉維夫市與美國紐澤西州賀威爾鎮（Howell）

黛薇拉‧茲瓦利（Dvora Tzvieli）

和平之心基金會（Heart of Peace Foundation）創辦人與董事

黛薇拉在美國路易斯安那州攻讀博士學位，領域是雙迴路式網絡最佳化的數字與組合結構，只有她會把這樣的學問形容為「類似看進上帝的眼睛」。這樣的經歷並不是她公眾教學事業的主因。此一事業始自與一些朋友喝咖啡聊天，最近則發展成和本書作者一起面對滿堂的九百位聽眾演講，地點在特拉維夫市雅法城的歷史名地格歇爾劇場（Gesher Theater）。

中東衝突的解決之道？

有一天我拿起《當和尚遇到鑽石》，一口氣把它讀完！我自訂個人任務，要把書上的原則讓愈多人知道愈好，尤其是以色列的鄉親父老。我把本書翻譯成希伯來文，由以色列最大的出版商發行。

接下來我辛苦翻譯數千頁相關的古老教法，然後免費放在網站上供大家瀏覽。我開

始。

點在黎巴嫩沿海附近的中立島嶼塞普勒斯。我們剛辦完這樣的研習營，而這只是個開

聚在一起，參加為期十天的《當和尚遇到鑽石》研習營，一起滿身大汗地練習瑜珈，地

因此我們的工作逐漸擴大，成立了「和平之心基金會」。試想阿拉伯人和以色列人

何而來？和平從何而來？

如果我們事業上的每日事件都來自我們選擇種入自心裡的種子，那麼暴力和戰爭從

時都放在心上的。

如何採用書中的道理來達到中東和平的目標，這個目標是每一位以色列人一天二十四小

分享，如此一傳十十傳百，形成極具規模的開悟連鎖反應。不過我最為得意的，是我們

想到這些道理如何散播發揚，就覺得不可思議：我與他人分享，他們也自然與別人

期刊登我的專欄，數一數二的商業顧問公司也請我開設課程。

始舉辦演講，不久之後，就有數以百計的以色列人前來聆聽。以色列最大報社之一也定

阿根廷布宜諾斯艾利斯

湯瑪斯・嘉西亞・拉瑞多（Tomas Garcia Laredo）

巴塔哥尼亞房地產公司（Patagonia Real Estate）創辦者與所有人

湯瑪斯擁有劍橋大學的企業管理碩士學位，在成立自己的公司之前，在世界最大的再保險公司之一「通用再保險」（Gen Re）擔任十年的主管。

籌募資金的真實之道

二〇〇五年，我試著籌募一千萬美元，以便在阿根廷開設新的保險公司。當時我婉拒了「通用再保險」把我從阿根廷調回歐洲的要求。離職沒多久，想要自行創業一番，因為我一直夢想擁有自己的公司。除了保險公司之外，我也在南阿根廷的巴塔哥尼亞地區從事房地產計畫，但是事情進展得非常緩慢。

我讀了《當和尚遇到鑽石》，然後在事業上的這個關鍵時刻，有機會參加麥可・羅區格西和克莉絲蒂・麥娜麗喇嘛在布宜諾斯艾利斯的商業演講。我請教他們如何讓我的計畫發展得更快速。

他們建議我找出另一位同樣想創業的人。沒錯,我要給他財務上的支持,但是更重要的卻是在他旁邊親手協助每日的工作。

我遵照這樣的建議,為一位打算自己開設小型事業的人研擬商業計畫。我幫他租了一個場地,花了許多時間幫忙整修,也提供全額資金。

不久之後,一位朋友突然寄給我某外國集團在阿根廷擴展業務的提案。我僅僅去了該公司的總部一趟,就與對方達成協議,開始著手進行。不到七個月,我們就開始營運,不到一年之後,我們擁有兩萬名客戶。同時,我繼續幫助那位朋友的小型事業,這是我們成功的真正來源。

噢,順道一提,這筆收入讓我能夠實現經營自己公司的夢想,讓我擁有足夠的資金在巴塔哥尼亞投資,單單一年就得到雙倍的報酬,而且我完全沒有多花一個鐘頭做多餘的工作——報酬就是有一天出現在我的辦公桌上。目前,我們新保險公司的文書作業已經完成並交送出去,預計在本月開幕。

《當和尚遇到鑽石》的確有效!我們需要做的只是放手一試。

中國香港

克麗絲緹娜・寶・鄭（Kristina Pao Cheng）

小風琴商業顧問公司（Harmonium Business Consulting）共同創辦人

克麗絲緹娜畢業於普林斯頓大學，既是企業顧問，也是國際瑜珈老師。在任何一個月，你可能會看到她在亞米茄學院（Omega Institute）教授進階瑜珈訓練課程，或是為香港四百位頂尖企業領袖主持商業研討會。

跟一般作為恰恰相反

我幾年前就讀了《當和尚遇到鑽石》，當時我住在美國中部懷俄明州的小鎮傑克森霍爾（Jackson Hole），從事瑜珈教學，課堂小而溫馨。我是該瑜珈教室的新老師，所以得到的都是不討好的時段。但是我相當努力，很快地成為頂尖老師，為瑜珈教室帶來許多收入。

幾年過後，瑜珈教室的擁有者亟欲轉讓該教室，當時我已經成為資深老師，但是老闆卻讓給一位我覺得不是很適任的同事。我認為這項交易並不公平，心裡相當難受，因

為這時我的班級是該教室的主要收入。

就在這時，麥可‧羅區格西和克莉絲蒂‧麥娜麗喇嘛剛好在紐約開示《當和尚遇到鑽石》的原則。我最要好的朋友報名參加，覺得震撼且受用，每天晚上都把演講內容打成文字檔，用電子郵件寄給我。我記得他們講到「最後一塊甜甜圈」的故事。

也就是說，你進去一家甜甜圈店，想要買你最喜愛的口味：楓糖甜甜圈，可是只剩下最後一個，而你排在第一位。然而，你聽到排在後面的人說楓糖甜甜圈也是他最喜歡的口味。因此，「為了得到楓糖甜甜圈」，也正因為你喜歡這個口味，你點了另一種口味，讓後面那位顧客買下唯一剩下的楓糖甜甜圈。因為這個人如願以償，而你也種下許多心識種子，確保你未來能夠吃到許許多多的楓糖甜甜圈。

我打電話給那位朋友，問她如何把這個道理應用在我的問題上，她的答案簡短而刺耳：「幫那位新老闆成功，幫她的瑜珈教室成功。」這個答案似乎非常不合常理，但是又絕妙無比，完全不是我會想到的解決之道，但是心裡卻覺得非常正確。於是我們坐在那裡，兩個人透過電話，格格笑著重複以下四個字，彷彿是一首歌：「助她成功，助她成功，助她成功。」

我放下電話時，想到要把這個道理化為實際行動就非常興奮。在這階段，我的一位學生願意買下同一條路上的另一間瑜珈教室，幫助我與新老闆打對台，但是有這樣的新

動機，出於對事情的徹底瞭解，我拒絕了這位學生的好意。我為新老闆努力工作，試著化解我們之間的任何分歧。

有時候這麼做很困難，但我堅持不懈。突然間，我自己的事業起飛了：我之前錄製的一張瑜珈音樂專輯被一家大型經銷商看中，教學的邀約開始從全世界各地排山倒海而來。此後事業愈做愈大，而這全都來自做出跟平常恰恰相反的作為。幫助他人成功，就是種下自己成功的種子。

以下也許是遇見本書的故事裡最奇怪的際遇。席央在心中預見《當和尚遇到鑽石》這本書，飛過半個地球尋找它。

印度普那
席央・西恩（Shyam Singh）
國際教練輔導老師

數世紀的規模

我與合夥人克莉絲汀在世界各地針對情侶夫妻發表啟發性的演說，討論他們的關係，這是我們的謀生方式。我們廣泛利用《當和尚遇到鑽石》的原則，幫助他人更為健康、財務更有保障，以及建立持久的愛情婚姻關係。我們有許多成功故事可以分享。

但是，我來自印度，我們是個非常非常古老的文化，我們以更為宏大的規模來看待事情。我的意思是，達到這些各式各樣的成功是好事，讓我們的人生安適快樂，而透過《當和尚遇到鑽石》，我們「能夠」擁有這樣的人生。

在我看來，本書博大精深，也許你也感受得到。世界有更龐大的力量在運作——關

於地球從何而來、為何我們全都站在地球表面，以及經過了幾百萬年，人類應該何去何從等問題。

進化將把我們帶向何方？

我認為在《金剛經》的古老智慧裡，透露著人類達到圓滿境界的更龐大的遊戲計畫。因此，讓我們看看能否在臻至圓滿的路途上，也成就許許多多的小功績。

美國紐約曼哈頓

盧梭・賽門斯（Russell Simmons）

企業家與慈善家，德弗・詹姆唱片公司（Def Jam Records）與派龐嘻哈

服飾（Phat Farm Clothing）創辦者

我們在紐約舉行《當和尚遇到鑽石》的演講時，盧梭參加了幾場，我們問他能否在這裡收錄他的故事——他屬於早在閱讀這本書之前，就利用這些原則而大獲成功的人。盧梭當然是開啟嘻哈運動這種文化革命的有功人士：《今日美國報》（USA Today）最近描述他為「過去二十五年最有影響力的二十五人」之一，他的個人身價淨值估計超過三億美元。他也是目前美國最活躍的慈善家之一，根據《當和尚遇到鑽石》，這當然不是巧合。

「錢不會讓你快樂，但是快樂會讓你有錢。」

這裡的意思是，在我們的各項事業中，都有一個元素是能夠讓你開心、充滿希望的。在我們的鑽石事業裡，我們成立了「鑽石力量慈善基金會」（Diamond Empowerment Fund），創立「賽門珠寶」公司（Simmons Jewelry）。鑽石是非洲的天然

資源，我們發起「鑽石力量慈善基金會」，目的是找到方式，讓整個珠寶業對於非洲人民的苦境更為敏感。

於是我們成立了一間學院，得到一些鑽石業人士的捐款，但是還需要籌募三千兩百萬美元。於是我們販賣綠色寶石，推出綠色行動系列、綠色力量系列，促銷最為出色的一件飾品——綠色孔雀石手鐲，我們出售這些飾品是為了籌款。成立學院的計畫一推出，我們的生意便迅速擴大，讓「賽門珠寶」從一百五十家分店在一年內迅速擴展，成為今日的兩千一百家分店，這是非常令人震驚的改變。我們很高興，事業也因為我們的給予布施而不斷茁壯。

我們最終都是呼吸相同的空氣。我們快樂嗎？事業具有啟發性嗎？善有善報，這是顯而易見的。

所有聖典經文上都是這麼寫的。所有宗教所提倡的成功科學都是相同的，都是鼓勵人們成為更大的布施者。給予愈多，得到的就會愈多。有些人是受者，但是最終他們得不到什麼。因此我們追求的是提供良好、穩定、持久的服務，人們需要的服務。你要是能夠敞開心胸，就會發現人們需要的東西。當然，如果你幫助某人賺錢，你就會得到錢。；你幫助某人得到什麼，你就會得到那件事物。你幫助他人得到你想要的任何事物，你向他人推廣那件事物，你就會得到那件事物。

想想毒販，他們比癮君子還早死。沒錯，推廣快樂的人會得到快樂，推廣幸福圓滿的人會得到幸福圓滿，推廣他們明知有害的事物，就會得到傷害。你得到的就是你給予的，你販賣的東西也是同樣道理。

你給予世界什麼，就會得到什麼。如果給予的是快樂與良善，你就會得到快樂與良善，以及成立快樂的好公司——錢不會讓你快樂，但是快樂和良善會讓你賺錢。這是真的。

我藉著幫助他人賺錢而幫自己賺錢。在這世界上，以某種方式來衡量，我是有錢的。我讓世界許多人富有，透過幫人賺錢而賺錢，我因為讓別人富有而自己富有。周遭所有人都得到他們想要的一切，這就是我的工作。我讓別人有力量，這就是我得到力量的方法。

越南河內

阮氏秋鶯（Nguyen Thi Tu Oanh）

太河書籍出版社（Thai Ha Books）編輯

秋鶯具有河內人文社會大學（Humanitarian and Social University of Hanoi）的學位；她幫忙成立的太河書籍出版社，於今年發行《當和尚遇到鑽石》的越南文版。

創造接下來的一天

《當和尚遇到鑽石》中我覺得最受用的，是早上先利用一段靜默時間來「設定日子」。這對我很有幫助。我養成早起靜坐的習慣，幫助我把當天從事例行公事的速度放慢。

首先，我花點時間把打坐空間整理一番，然後以舒服的姿勢默默坐著，試著數息，從一數到十，不讓自己的心胡思亂想。

接著，我設想接下來在辦公室的這一天，可能會碰到的一個明確問題。我觀想自己

利用《當和尚遇到鑽石》的原則處理問題，然後清楚想像今天結束時會克服這個問題。

這一小段的靜坐結束時，我會發願成為最慈悲有智慧的人，期許自己一整天都有力量把慈悲關懷帶給周遭的每一個人。這個每日的靜坐習慣帶給我極大的平靜祥和之感。

我的夢想是把《當和尚遇到鑽石》介紹給越南所有人，我很高興這個美夢即將成真。

美國紐約市華爾街

胡瑞伯（Rob Hou音譯）

加拿大帝國商業銀行（Canadian Bank of Imperial Commerce）信用組合

管理部門主任

加拿大帝國商銀是加拿大最具影響力的銀行業務機構之一。瑞伯在其曼哈頓中心的職責，包括監管二十至三十億美元的企業貸款歐洲投資組合，以及四十至五十億美元的企業及房地產貸款的美國投資組合。

真誠行動

《當和尚遇到鑽石》裡有個概念叫做「真誠行動」。首先你思考一件希望發生的事情，然後回想自己曾經做過什麼事幫助別人，然後在心裡說：「如果我以前確實做了這件事幫助別人，那麼希望我現在的願望成真。」以下分享一則故事。

我參加麥可‧羅區格西在紐約的演講，開始研讀《當和尚遇到鑽石》的原則，大約同時開始替加拿大帝國商銀工作。我在銀行僅工作了幾個月，就聽說麥可格西將在亞洲展開為期近六週的巡迴演講。

我覺得參加這一次的巡迴演講非常重要，會加強我對《當和尚遇到鑽石》原則的瞭解，如果我真正學會如何應用這些道理，就不只能夠為自己和公司服務，還能為其他許多人貢獻己力。但是要如何說服我的新老闆呢？

我花了許久的時間思考，最後以「真誠行動」來面對這個問題。首先我非常確定自己的動機：如果我能學會如何成功，就能夠和他人分享成功之道。如果我的發心是純正的，動機也夠高昂的話，就不用在意會發生什麼事，比如會不會丟了飯碗，或是被其他人嘲笑。於是我抱持這樣一個心態去找經理，告訴他我需要請假六週。

我一心只能想到這件事情的真理——總覺得這趟旅程會設定我餘生的方向。我的經理不僅沒有為難，甚至連詢問我的目的都沒有，就回答：「好啊，我來問問羅力塔。」羅力塔是我們部門當時的主管。我愣了一下，嘴巴開了又合，合了又開，想要說出早已準備好的理由，但是一句話也說不出來。於是，我參加了巡迴演講，故事就這樣發生了。

新加坡

劉強尼（Johnny Lau）

微思動畫科技（Vasunas Animation Technology）執行長

強尼最著名的是他創造了卡通人物怕輸先生（Mr. Kiasu）。在新加坡，怕輸先生家喻戶曉的程度，可媲美霸子辛普森（Bart Simpson）在美國的知名度。

結合心識種子

好幾年前，我在新加坡參加麥可・羅區格西《當和尚遇到鑽石》的演講。離開演講場地時，我清楚覺得格西對於「有什麼付出，就有什麼收穫」這番道理是那麼的肯定，聽眾中要是有人跟他打賭，看看能否創立任何一種事業，並且在一定時間內達到多少收入，格西一定會同意下這場賭注，而且一定會贏。因此多年來，我認真實踐書中的道理。

或許我的體會當中，最能夠利益他人的，是結合不同心識種子以達到明確目標。比如在我的動畫科技領域，我們尋找的是創意，而且是能夠賣錢的創意。有許多創意十足

的動畫家連一毛錢也賺不到，也有許多像新力或迪士尼的大型娛樂公司，他們資金充足，但是絞盡腦汁、死命地想創造出下一個暢銷賣座的大點子。

因此讀了《當和尚遇到鑽石》之後，我打算雙管齊下。老實說，促使我這麼做的動力，一方面是希望透過奉獻自己而幫助他人，二方面是這麼一來，自己的需求就會自行解決。

在金錢方面，我聽說有個志工計畫，專門幫助食物不足的獨居老人。我刻意聯絡籌辦人，問他們我可以幫什麼忙。他們說米糧的捐助最難取得，因為這是他們計畫中最昂貴的部分，於是我承諾負責這部分。此外，我還記得書中說要親身參與，於是我打定主意要「身體力行幹粗活」。因此過去三年來，我載著米糧在市內到處分送，有時候多達九十或一百大袋。

在創意方面，年輕的動畫家會來找我，詢問我對他們的作品有何看法，是否可以幫他們拉關係。我們一般會把這些後起之秀視為競爭對手而有所保留，但是就像這本書所建議的，我刻意做出相反的行為。不久之後，我周圍出現一群群創意十足的年輕新秀，我給他們免費的幫助和建議。

我開始種植這兩種不同的心識銘印之後不久，一件「怪」事發生了。一個重要的政府機關跟我聯絡，問我願不願意撰寫提案，刺激本國娛樂產業。事情接二連三地出現，

現在我簽了獲利豐富且為期多年的合約，而且是做我最喜愛的事情：提拔新秀，讓他人發揮創意和獲得成功。

美國紐約曼哈頓

詹姆士・康那（James Connor）

詹姆士集團廣告代理商（The James Group Advertising Agency）之創辦

人與執行長

詹姆士如何找到《當和尚遇到鑽石》，是最精彩的故事之一。他看了電影「駭客任務」之後，每晚都回去電影院觀賞，著迷於該電影所呈現的現實轉變。一、兩週之後，他前往參加一場商業會議的路上，看到一名女子帶著一本封面很有意思的書──封面上有個曼達拉圖案，雖然他當時不知道「曼達拉」這個詞。他內心震盪了一下，前往書店一本一本地瀏覽，直到發現這本書就是《當和尚遇到鑽石》。現在他擁有幾百萬美元的品牌策略與廣告公司，對於提升其顧客的營收，他有百分之九十五的成功率。他撰寫的經商書籍《完美行銷》（The Perfection of Marketing）於今年問世。

什麼最有利於人

廣告業極具挑戰，也是最主觀的行業之一，創意人士各有各的脾性，而客戶也是各

有各的自我。然而，每天還是得做出幾十個創意與策略方面的決定，我們如何做出正確的抉擇？

根據我閱讀《當和尚遇到鑽石》的體會，以及十三年來經營自己的事業、為兩百名以上的公司所有人提供建議的經驗來看，發現所有的經商錯誤總歸於一個問題，也就是應該要為顧客的利益著想，卻先考慮到自己。

我若是想以自身的利益為先，或是手下的創意人士考慮的是自己有興趣的，卻不利於客戶，或是客戶考慮的是他們喜歡什麼，而非顧客需要什麼，我必能立刻察覺，這點我已成為專家。我學會把這樣的想法一刀兩斷，通常方式溫和，但必要時堅定果決。我的成就要歸功於這項關鍵。

俄羅斯聖彼德堡

阿旺嘉增（Ngawang Khetsun）

俄羅斯科學院（Russian Academy of Sciences）東方學研究所（Institute of Oriental Studies）聖彼德堡目錄（St Petersburg Catalog）負責人

阿旺是西藏人，曾在印度賽拉梅西藏寺院（Sera Mey Tibetan Monastery）受過訓練。他與俄羅斯科學院聖彼德堡分所（St Petersburg Branch）的龐大計畫「亞洲手稿典藏」（Asian Manuscript Collection）的研究員攜手合作，負責「聖彼德堡目錄」的建立，無間斷地在該地工作了十四年之後，目前已功成圓滿。這是附有評註的電腦資料庫，收錄科學院擁有的十二萬五千份以上的藏文手稿細節。這個目錄是在五千年的亞洲文獻裡，同類系統中最大型的一個。

支持我們自己撐過最漫長的冬季

聖彼德堡還稱為列寧格勒時（蘇維埃共和國才剛瓦解，政局動盪危險），我就來到該市從事「聖彼德堡目錄」的編製工作。當時，俄羅斯科學院於不久前同意開放其無價的藏文手稿典藏，這是幾百年來的第一次。幾世紀以來，俄羅斯國王和探險家收藏的無

數手稿，都堆疊在眾多房間裡佈滿灰塵的架子上。我們完全不曉得整理這些手稿會耗費漫長的十四年時間，因為每一份都要辨明內容、編成目錄。

我在印度藏傳佛教的寺院長大，從來沒有住過都市，只會說藏語，而俄羅斯的冬天天寒地凍，實在漫長難熬啊！手稿收藏在著名的冬宮博物館（Hermitage Museum）附近的一棟古老建築裡，這棟建築像是倉庫，完全沒有暖氣設備。早期那幾年，市內的食物和其他基本必需品嚴重短缺，政治與社會動盪不安，有一次甚至還得付出鉅額贖金，拯救一名被幫派綁架的職員。

有人問我是如何成功的，是如何能夠持續從事這項計畫那麼多年，看著它圓滿結束？對我而言，這是我從《金剛經》學到的第一課。還記得早年時和麥可‧羅區格西在寺院裡，一起坐著唸誦《金剛經》的光景，以及當時經常談論的內容。

《當和尚遇到鑽石》的主題是個人事業上的成功，它教我們如何在心裡種下種子，好讓周圍的現實世界徹底轉變。對於接受古老西藏佛教訓練的我們來說，這個道理的終極應用稱為「菩提心」：成佛開悟的願心。支撐我度過俄羅斯這些年頭的，就是這種菩提心。

這是個單純的願心，是個簡單的修持法。怎麼說是修持呢？譬如我們坐在聖彼德堡的一個小房間裡，身上裹著毛皮大衣、戴著連指手套，活像愛斯基摩人，在一台古舊的

電腦前叮叮咚咚地敲打著鍵盤，以便保存來自十五世紀西藏、寫在破破爛爛紙張上的智慧經典的名稱。

我們知道未來幾百年內，世界上可能沒有人會再次閱讀這本經典，甚至連看都看不懂。大家做的工作都是不具永恆價值、稍縱即逝的，因此很容易感到沮喪，認為一切都沒有意義——我們工作是為了養活自己或是家人，同時也知道所做的事情在如此短暫的時間內就會全部失去作用。不過有了菩提心，事情就不同了。

我們把經典的名稱打出來，在鍵盤上按下「輸入」，這是我們採取的一個行動，這麼一來，資料立刻傳到世界，傳到宇宙。我現在做了某件事，是抱持著真正的菩提願心來做這件事，希望能夠為這個世界、無數世界的每一位眾生帶來快樂與福祉。突然間，我的生命、我在世界上的存在，就變成一件有意義的事。

也許一、兩千年後，有人拿起那本小書，然後為它寫了一本《當和尚遇到鑽石》，結果改變世界的運作方式。

波蘭畢斯科─比亞拉（Bielsko-Biala）

史黛拉・卡科斯基（Stella Karkowski）

資深居家照護者

史黛拉目前住在加拿大溫哥華。除了提供老人照護及獨自養育十六歲的女兒之外，也即將完成加拿大西部雷麥克斯房地產（Remax of Western Canada）的房地產經紀人訓練。

給予自己一些時間，是個極大的奢侈享受

大約五年前，我上網搜尋免費的英譯版《金剛經》，結果看到麥可・羅區格西講授的免費錄音課程，鉅細靡遺地講解《金剛經》。以下是《當和尚遇到鑽石》幫助我的故事。

朋友開始經營一家小型的家庭事業，我為她工作了三年。每天雖然工作得疲累，時數又長，但是私底下我會非常刻意地把所有的努力和力量迴向給她的客戶，祝福她這逐漸茁壯的新事業邁向成功。我在種下種子。

後來我身體受傷，不得不離職，並且必須大幅減少工作時數，這時我開始接到從未謀面的私人客戶直接打來的電話。他們請我替他們服務，薪資是我之前的兩倍，而且工作時數很短。

很神奇地，我現在具有充足且高品質的家庭時間，也有時間從事個人發展。一天早上我在練瑜珈時，不禁淚如雨下。那是平日的早晨，過去這個時候總是要面臨冗長又辛苦的一天，而現在竟然能夠站在瑜珈墊上練瑜珈，真不敢相信。如此奢侈的享受，以前只有在夢中才能實現。

美國紐約曼哈頓

亞當‧羅桑提（Adam Rosante）

歷史頻道（The History Channel）製作總監

亞當監管二十四個獨立製作公司，這些公司每個月提供數百小時的電視節目給「歷史頻道」播放，預算高達幾百萬美元。

加快速度

　　我是《當和尚遇到鑽石》的忠實使用者，有許多成功故事可以分享，比如我如何闖入夢想中的公司而得到夢想中的工作；比如有一天惡名昭彰的壞主管竟然交給我一大疊鈔票，說：「帶你太太去吃大餐吧！不夠的話再跟我說，我可以跑去自動提款機提領！」

　　但是對於你們這些認真看待結果的讀者，我想分享三個加快速度的方式，是成功的速食版。

　　法則一、自從聽到本書作者建議把十分之一的所得用來布施之後，我就老老實實地

照做不誤。真的是全部所得，不管是薪資，還是贏得了樂透，還是在路上撿到的錢，就是十分之一。我特地為這筆錢開了一個銀行帳戶，每六個月計算一次。期間我會隨時思考各式各樣的好方式，看看可以如何運用這筆錢幫助某人，而我每一次這麼思考時，就會確實種下種子，因為意念是成功種子的最大要素，雖然我還沒有實際採取行動。我發覺思考這種事情的最佳時機是「零碎時間」，比如沿著街道走路時、搭乘地鐵上班時，或是去買午餐時。

法則二、俗話說得好，給人一根玉米吃，不如教他怎麼種玉米。我不只是把錢捐助給窮困人士，我還會坐下來認識他們，從容不迫地分享我使用的成功原則（通常不會提到這本書）。我定期和一位遊民坐下來喝咖啡聊天，現在他擁有自己的公寓和工作，而且還準備創立自己的小公司。如果你要成功種子更快速地成熟開花，就要幫助他人使用這些原則，讓他們能夠自給自足。

法則三、這點至關重要。書上說「你愈是瞭解」種子如何運作，它們就會成熟得更快。我一再重複閱讀《當和尚遇到鑽石》，次數多得你無法相信，現在封面已經破舊不堪。然而，我保留這本書，因為它讓我啟動飛馳……

中國香港

劉江浚（Will Senn Lau）

八月造有限公司（August Productions Ltd）創辦者與所有人、商業電視

導演

江浚不只製作和拍攝了香港市場最具創意的一些電視廣告，也是造詣不凡的

譯者，譯作可見於《當和尚遇到鑽石》的全球線上影音課程當中。

瞭解布施給予的機制，過著一個奇異美好的人生

當我領會《當和尚遇到鑽石》的原則、開始身體力行之後，各式各樣出乎意料的收入開始源源不絕。首先要瞭解我們大家是多麼息息相關：每個人都跟我一樣想要快樂。我就像大多數人，一直想要給予付出，但是並沒有真正瞭解箇中道理，因此我做得不是很好。我就像大多數人，偶爾會贊助孟加拉的一名小孩，或是給路上的乞丐幾個銅板，定期捐助紅十字會、聯合國兒童基金會等組織機構，總之，就是讓自己的良心過得去。

我愈是瞭解心識種子的原則，我的慷慨布施就更有深度。真的是種瓜得瓜、種豆得

豆，我們想要別人怎麼對待我們，就真的要怎麼對待別人。因此在布施方面，我做得更加認真、更有條理。

每當有慈善機構請我捐款時，我會把他們觀想成健全良好的慈善機構，以強烈的意念在心裡種下種子。我開始非常慷慨地幫助非常貧窮的有緣人士，他們除了當遊民之外沒有其他選擇。

公司附近有一名乞丐總是坐在街燈旁邊，我特別開始和他建立密切關係。每當我看到他，都會固定給給他不少金錢。我看著他的生命逐漸改善：他買得起一張床鋪睡覺，也買得起醫藥治療跛腳的關節炎。

慢慢地，從這些布施的小小努力，我自己的生命開始有所轉變。客戶突然打電話給我，願意「提高」我早就為他們拍攝的廣告製作費用。郵寄過來的書面通知表示，我製作的其他廣告，專利權稅也提高了。新的工作案子也一個個出現。

因此我到達生命裡這種「非常奇怪」的階段，也就是收入比以往更多，這表示我有更多可以布施。可是每一次口袋被我掏空，似乎又自動填滿，而且是填得更多。過著《當和尚遇到鑽石》的人生，不僅奇異又美妙。

美國亞歷桑納州土桑市

朱莉亞・弗甘奇克（Julia Ferganchick）

阿肯色大學（University of Arkansas）退休大學教授

朱莉亞在一九九九年六月搭乘美國航空一四二〇班機前，是極為成功的大學教授，在阿肯色大學擔任技術性與說明文寫作碩士課程的主任。然而飛機當晚緊急迫降，機長與其他十一名人士因而身亡。朱莉亞從燃燒飛機頂端的一個裂洞爬出來，滾落到地面上，頭部嚴重受傷。接下來幾年，她深受解離症、恐慌症及創傷後壓力症候群的折磨，丟了工作，試著用酒精和藥物逃避夢魘。後來她發現《當和尚遇到鑽石》……

戰勝創傷

飛機緊急迫降之後的好幾年，我只要到機場附近就會感到恐慌，有時候嚴重到被送去急診室。我還是繼續搭飛機，但是得吞下足夠的藥物好讓自己不省人事。整個飛行期間我簡直昏了過去，醒來時無力得需要輪椅協助才能離開機場。

我決定把《當和尚遇到鑽石》的原則拿來做最高的測試，看看能否應用這些原則學習再度搭乘飛機。我開始撰寫如何療癒自身創傷的文章，我盡力幫助感到恐懼的人。我甚至解救被虐待的動物，以此來克服自己的恐懼。

這麼做之後，幾乎是過了整整十個月，我搭乘飛機前往洛杉磯，完全沒有服用任何藥物。我相當害怕，但是完全沒有過去可怕的恐慌症狀，這簡直是奇蹟。

我把生命奉獻於教導他人如何利用《當和尚遇到鑽石》的智慧來克服悲劇與痛苦，因此，我原本一直活在憂鬱和恐懼之中（遭遇飛機迫降事件之後，我因為憂鬱與恐懼而住院治療），現在變成能夠享受每日生活所賜予的美好禮物。

印度孟買

狄如（Dhiru）與維克瀾・沙（Vikram Shah）

海外寶石出口鑽石公司（Overseas Gem Exports Diamond Company）創辦者與所有人

狄如是原版《當和尚遇到鑽石》的明星之一，身為商人的他也維持同樣成功的精神生活，他的兒子維克瀾追隨他的腳步，走得相當好。狄如一開始是在另一家鑽石公司擔任會計助理，後來他成立自己的公司，每年營業額高達幾千萬美元。

機會的源頭

印度每年出口約一百七十億美元的鑽石，鑽石業在印度僱用的員工超過三百萬人。孟買的鑽石大廠競爭激烈，市內歌劇院地區方圓一英里內就有幾百家鑽石公司。我們如何一枝獨秀？

《當和尚遇到鑽石》常講到公司的核心是員工。如果我們善待員工，留意提拔他們的機會，就會在心裡種下種子，後來會以非常特別的方式成熟：我們自己會開始看到商

機，而其他大多數公司卻看不到。

印度鑽石業的人員流動率一般很高：切割工廠和鑽石分類場的環境條件通常不合標準；工作艱辛、工時漫長，在許多店面裡，只有年輕人才熬得過去。不過在我們的辦公室，我們非常努力讓工作愉快、環境舒適，盡量在我們和員工之間營造一家人的感覺。

國外的客戶來訪時，可能每五年或十年才參觀我們的鑽石分類室一次，但是跟他們打招呼的員工，很可能是上一次來參觀時就已經在的。我們開始營運的頭一、兩年的員工，有些現在還替我們工作。

我們關心雇員的家庭生活：若有印度式大型婚宴，我們會包紅包；我們支付費用讓員工出外度假；印度宗教五花八門，各有各的慶祝節日，我們仔細留意複雜的日曆，才知道何時何地要分送甜食盒或紅利。只要有機會，我們就會找到方式提拔員工，比如讓一名安全警衛成為鑽石分類者，進而成為採購助理。

然而，好處不僅是員工融洽共事、工作效率更高、氣氛更為愉快；也不只是他們忠心耿耿，比如最近有一筆龐大的訂單，需要他們協助處理成千上萬顆的鑽石，他們就心甘情願地一整個月熬夜加班，而是我們看到心識種子成熟了：我們真的發現機會就是一再地掉入我們懷裡，就連整個業界都在掙扎度過的那幾年也是如此。我們知道機會其實從何而來，我們知道如何讓機會持續出現。

〈後記〉

後續行動

你可能已經察覺到，本書第四部分的許多道理，都是幾百、幾千年來，在西藏與印度的佛教寺院裡，主要由老師口授給學生的智慧。這是有原因的。如果有一位活生生的老師指導，你在實踐本書所有技巧時（尤其是進行每週圓圈日與森林圓圈日的細節方法上），才會更得力。你需要老師檢查你對這些道理的瞭解正確與否，你需要老師幫忙檢驗你有無進步，你需要一隻活生生的手來微調你的前進方向，就像方向盤之所以能讓汽車維持直線前進，是因為一隻手放在方向盤上的均衡作用，不停地微微往左及往右轉動。

就像你在「《當和尚遇到鑽石》成功故事集」看到的，全世界有許多商人確實使用本書的方法來達到目標。一個核心團體已經成形，目的是與你分享他們的知識與心得，因為這種知識是想要被分享的。如果這套道理確實有效（安鼎國際鑽石公司從五萬美金貸款，成長為年度營業額超過一億美金的經驗證明這套道理確實有效），那麼更多人真正瞭解如何讓這套道理在他們身上發揮效用，就會導致愈來愈多人的人生與事業更加繁

榮興旺。

我們想來教導你，因此成立了幾個團體，分別是證悟商業機構、業力管理團隊，以及當和尚遇到鑽石討論小組。證悟商業機構是我們原本的組織，後來擴大成一個入口，讓大家能夠自行取得遍及全世界的各種服務，請查詢網站 enlightenedbusiness.com。業力管理團隊是其中一項服務，總部設在曼哈頓，幫助全美各大城市以及海外許多國家。業管團隊提供免費的線上協助服務平台，幫助你解決和解答事業問題，此外還舉辦入門講座、週末研討會、完整訓練課程，以及師資訓練課程。更多資訊請洽：

info@karmicmanagement.org

www.karmicmanagement.org

郵寄地址：PO Box 144, New York, NY 10276, USA

「當和尚遇到鑽石討論小組」是線上論壇，讓全世界的人討論自己如何應用書中道理而成功。這個地方給你一個良好機會，能夠與思想類似的人結識交流，看看你們結合在一起能否改善世界，同時確保自身的成功與快樂：diamondcuttergroups.org

最後還有一項資源，你一定要試試看，也就是《當和尚遇到鑽石》最新出版的續集，書名是《當和尚遇到鑽石 2：善用業力法則，創造富足人生》（*Karmic Management: What Goes Around Comes Around in Your Business and Your Life*）。這是一本

本簡短的「報告摘要」式書籍，讓你搭飛機時一次就可以看完，從中學得實用秘訣，好讓《當和尚遇到鑽石》的原則立即發揮效用。

在結束之際，我們想祝福你在應用《當和尚遇到鑽石》方面順遂如意，不管是在生意事業上，還是更重要的，跟許多讀者一樣，應用在人生方面。我們由衷希望你不只是閱讀本書，更讓它成為你忠實的朋友與夥伴，就如世界上的許多其他讀者也都這麼做。

眾生系列JP0002X

當和尚遇到鑽石（增訂版）

作　　　者／麥可‧羅區格西、克莉絲蒂‧麥娜麗喇嘛
譯　　　者／項慧齡、吳茵茵
封 面 設 計／A⁺design

副 總 編 輯／張嘉芳
資 深 編 輯／劉芸蓁
行　　　銷／劉順眾、顏宏紋、李君宜
出　　　版／橡樹林文化‧城邦文化事業股份有限公司
　　　　　　台北市信義路二段213號11樓
　　　　　　電話：（02）23560933傳真：（02）23560914
發　　　行／英屬蓋曼群島商家庭傳媒股份有限公司城邦分公司
　　　　　　台北市中山區民生東路二段141號2樓
　　　　　　書虫客服務專線：（02）25007718；（02）25007719
　　　　　　24小時傳真專線：（02）25001990；（02）25001991
　　　　　　服務時間：週一至週五上午09:30-12:00；下午13:30-17:00
　　　　　　劃撥帳號：19863813；戶名：書虫股份有限公司
　　　　　　讀者服務信箱：service@readingclub.com.tw
　　　　　　城邦讀書花園網址：www.cite.com.tw
香港發行所／城邦（香港）出版集團有限公司
　　　　　　香港灣仔駱克道193號東超商業中心1樓
　　　　　　電話：（852）25086231傳真：（852）25789337
　　　　　　E-mail：hkcite@biznetvigator.com
馬新發行所／城邦（馬新）出版集團【City（M）Sdn. Bhd.（458372 U）】
　　　　　　11, Jalan 30D/146, Desa Tasik, Sungai Besi,
　　　　　　57000 Kuala Lumpur, Malaysia
　　　　　　電話：（603）90563833傳真：（603）90562833
印　　　刷／中原造像股份有限公司
初 版 1 刷／2001年10月
初版76刷／2009年10月
二 版 1 刷／2009年11月
ISBN 957-469-700-2
定價：360 元

國家圖書館出版品預行編目資料

當和尚遇到鑽石／麥可·羅區格西（Geshe Michael Roach）
著；項慧齡譯 . -- 初版 . -- 臺北市：橡樹林文化出版；城
邦文化發行，2001〔民 90〕
　　面；　　公分 . --（眾生系列：2）
譯自：The Diamond Cutter: the Buddha on Strategies for
　　　　　Managing Your Business and Your Life
ISBN 957-469-700-2（平裝）

1. 企業管理　2. 修身

494　　　　　　　　　　　　　　　　　　90016380